생각 읽기가 독해다!

이 책을 쓰신 분들

김보라 영동일고등학교
김보미 고척고등학교
나태영 국어전문저자
박성희 국사봉중학교
박석재 중앙대학교 사범대학 부속고등학교
박정준 오산고등학교
서경원 창현고등학교
유한아 국어전문저자
윤구희 효문중학교
윤치명 보성여자고등학교
이경호 중동고등학교
이민규 오산고등학교
정송희 고려대학교 사범대학 부속중학교
채재준 채재준 국어전문학원
홍성구 덕원여자고등학교

디딤돌 생각독해 [중등 국어] Ⅱ

펴낸날 [초판 1쇄] 2020년 8월 15일 [초판 4쇄] 2024년 4월 25일
펴낸이 이기열
펴낸곳 (주)디딤돌 교육
주소 (03972) 서울특별시 마포구 월드컵북로 122 청원선와이즈타워
대표전화 02-3142-9000
구입문의 02-322-8451
내용문의 02-325-6800
팩시밀리 02-338-3231
홈페이지 www.didimdol.co.kr
등록번호 제10-718호
구입한 후에는 철회되지 않으며 잘못 인쇄된 책은 바꾸어 드립니다.

디딤돌편,

생각 읽기가 독해다!

생각독해

생각독해는 생각의 확장과 통합이 가능한 빅 아이디어로 구성되어 있어요. 빅 아이디어란 교과 지식뿐 아니라, 인문학에서도 주제를 선별, 이를 통합할 수 있는 대주제를 말합니다.

Big Idea

1. 호기심
2. 빅 퀘스천
3. 해프닝
4. 도구
5. 차이
6. 기원
7. 소멸

생각을 만나는
기 본 편

생각독해 II

Big Idea

1. 발견
2. 빛
3. 아름다움
4. 힘
5. 신비
6. 라이벌
7. 존재

생각독해 III

Big Idea

1. 욕망
2. 운동
3. 원리
4. 패러다임
5. 비밀
6. 본질
7. 상상

생각을 생각하는
심 화 편

생각독해 IV

Big Idea

1. 즐거움
2. 위기
3. 선택
4. 효율
5. 아이러니
6. 공존
7. 한계

생각독해 V

Big Idea

1. 소통
2. 균형
3. 변화
4. 수수께끼
5. 진화
6. 시스템
7. 미래

—Why를 생각하다

생각은 **'왜'**라는 질문에서 시작한다.

생각의 문을 여는 모든 지식은 대부분 '왜'라는 질문에서 시작합니다.
인간 존재, 우리를 둘러싼 사회와 문화, 우주와 자연 등,
생각독해 1권에서는 진지한 물음을 던지고 답하는 과정에서 독해에 필요한
생각하는 힘을 깨울 수 있습니다.

—What을 생각하다

'왜'라는 생각에서 **'무엇'**을 생각하는가로

'세상은 무엇으로 이루어져 있는가'와 '그 속에서 우리는 어떻게 살아가야 하는가'라는
문제는 꼭 철학자가 아니더라도 여전히 수많은 사람들이 질문하고 있습니다.
생각독해 2, 3권에서는 '무엇'과 관련된 물음에 대한 답을 찾는 과정에서
다양한 생각들을 만날 수 있습니다.

—How를 생각하다

'무엇'을 생각하는가에서 **'어떻게'** 생각하는가로

어느 한 분야에서 달인이 되고자 한다면 필요한 도구의 용법을 익히고, 실력을 키워
나가야 합니다. 생각독해의 마지막 단계에서는 '무엇을 생각하는가'에서 '어떻게
생각하는가'로 초점이 옮겨지는 심화 과정을 통해
스스로 '어떻게'를 생각하는 단계에까지 이르도록 합니다.

생각독해,
왜 해야 할까?

1 생각독해는 **'독서'**와 **'독해'**를 모두 할 수 있습니다.

짧게는 초등 6년, 길게는 중등 3년의 시간이 '독서'의 전부입니다. 읽어야 할 책은 많고 그 범위는 넓은데, 시간은 늘 부족하기만 합니다. '독서'와 '독해'를 모두 할 수 있도록 생각독해를 구성한 이유가 바로 여기에 있습니다.

2 생각독해는 **글쓴이의 입장이 되어 글을 읽는 것**입니다.

글쓴이의 입장이 되어 제대로 사고하는 과정을 배우는 것이 독해의 핵심입니다. '독해력'은 지식을 암기해서 얻을 수 있는 것이 아니라, 복잡한 글에서 얼마나 빠르고 정확하게 글쓴이의 생각을 이해하고 논리적으로 사고할 수 있느냐에 달려 있습니다.

3 생각독해는 **서로 다른 영역의 통찰을 주고받는 것**입니다.

국어, 수학, 과학, 역사, 음악 등 과목을 나누는 것처럼 독해를 할 때에도 이렇게 독립적으로 생각하는 것은 '생각읽기'의 본질을 절반만 이해하는 것입니다. 생각은 서로 다른 영역의 통찰을 주고받을 수 있을 때 비로소 완성됩니다.

4 생각독해로 **수능에 맞춰 생각하는 힘**을 기를 수 있습니다.

중학생부터는 다양한 영역을 접해 생각을 넓히는 훈련에 익숙해져야 합니다. 각 영역에 속하는 지식을 깊게 학습하는 건 대학에 가서 해도 늦지 않습니다. 지금은 여러 영역의 생각들을 넓게 접하는 것이 어떤 지문이 나올지 예측할 수 없는 수능에 대비하는 가장 효과적인 방법입니다.

생각독해, 무엇일까?

글에 담긴 | 생각읽기

독해는 글을 읽고 그 뜻을 이해하는 능력을 말합니다. 독해력의 기본은 글쓴이의 생각에 따라 짜여진 정보들, 즉 글의 내용을 얼마나 정확하게 파악할 수 있느냐에 달려 있습니다.

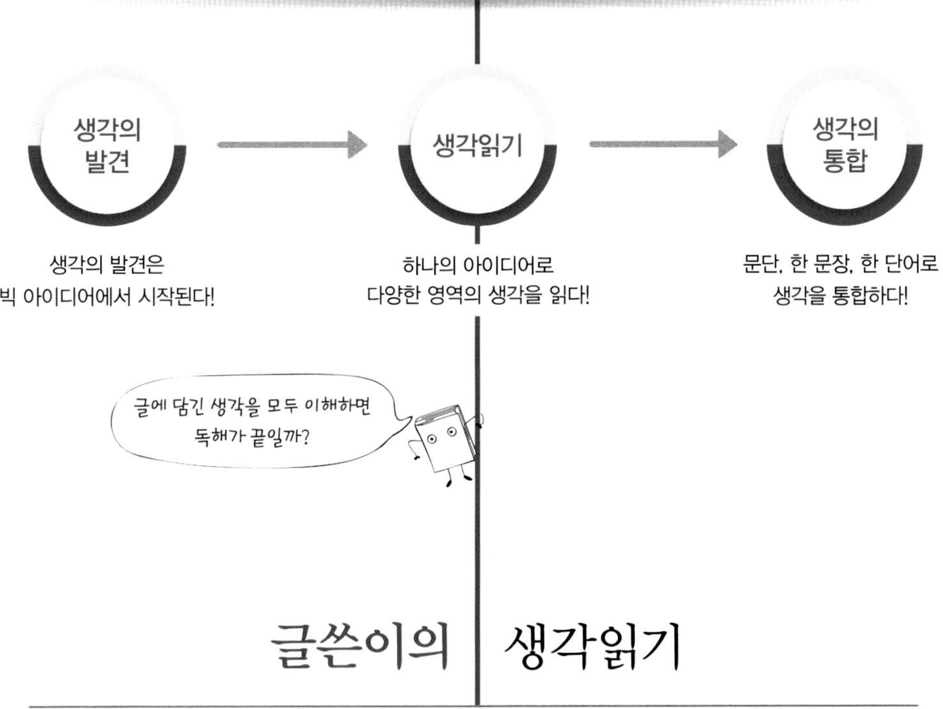
생각의 발견
생각읽기
생각의 통합
생각의 발견은 빅 아이디어에서 시작된다!
하나의 아이디어로 다양한 영역의 생각을 읽다!
문단, 한 문장, 한 단어로 생각을 통합하다!
글에 담긴 생각을 모두 이해하면 독해가 끝일까?

글쓴이의 | 생각읽기

어떤 글이든 글쓴이의 생각이 담겨 있지 않은 글은 없습니다. 그런데 글쓴이는 자신의 생각을 바로 말하지 않고 글 속에 꽁꽁 숨기곤 합니다. 독해력을 기르는 최고의 전략은 글의 내용을 읽어 내는 것뿐 아니라 **글쓴이의 입장이 되어** 글쓴이의 생각을 읽어 내는 것입니다.

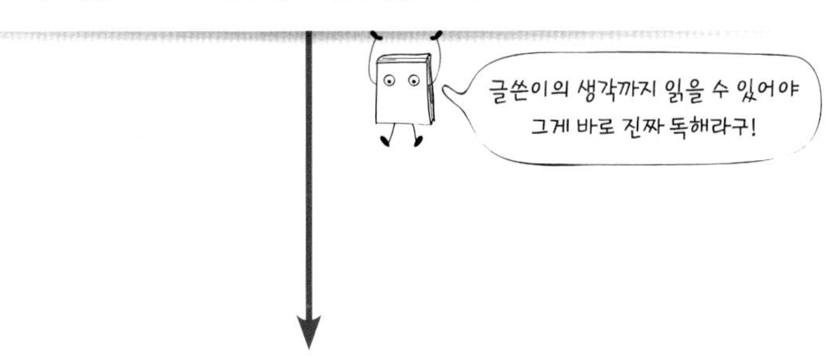
글쓴이의 생각까지 읽을 수 있어야 그게 바로 진짜 독해라구!

생각읽기가 독해다!

생각독해, 어떻게 해야 할까?

시작

기본

심화

똑같은 장면을 보고 왜 다른 생각을 하는 걸까?

생각독해는 '왜'라는 질문에서 시작해 '무엇을', '어떻게'에 관해 생각해 볼 수 있도록
다양한 영역을 관통하는 '빅 아이디어'를 선정해
단순히 글을 읽는 것을 넘어 생각하는 힘을 기를 수 있도록 도와줍니다.
독해, 이제 생각독해로 제대로 시작해 볼까요?

디딤돌 독해력

생각 읽기가 독해다!

생각독해 II

디딤돌

생각 읽기가 독해다!

'독해력'이 곧 '공부력'이라는 말 들어 보셨나요?

세상의 모든 지식은 문자로 되어 있고, 그 문자를 읽고 이해해서 자기 것으로 만드는 일이 바로 '공부'입니다. 모든 학습의 기초가 되는 과목인 '국어'를 잘하면 '공부'도 잘한다는 말이 나온 이유가 바로 여기에 있습니다.

독해력이 부족한 친구들이 부딪히는 부분은 크게 두 가지입니다.

하나는 지문을 끝까지 집중하며 읽어 내지 못하는 것이고, 다른 하나는 글쓴이가 말하고자 하는 바, 다시 말해 글의 초점을 제대로 파악하지 못하는 것입니다.

한 편의 글을 다 읽어도 글쓴이가 말하고자 하는 바를 이해하지 못한다면, 안 읽느니만 못한 결과를 가져오게 되죠. **결국 독해의 승패는 '얼마나 많이 읽었느냐'가 아니라 '글을 얼마나 잘 읽을 수 있느냐'에 달려 있습니다.**

수능은 교과 내용을 알기만 한다고 풀 수 있는 시험이 아니며, 높은 수준의 사고력이 뒷받침되어야 합니다. 제아무리 기술이 좋고, 멘탈이 강한 운동선수도 기본 체력이 따라 주지 않으면 시합에서 좋은 성적을 기대할 수 없는 것처럼 독해력이 뒷받침되지 않으면 우리가 곧 경험하게 될 입시에서도 성공할 수 없습니다.

한 편의 글에는 글쓴이의 고도화되고 정교하게 다듬어진 생각이 담겨 있습니다. 글을 읽을 때 글 속에 담긴 글쓴이의 생각을 따라가다 보면, 그 과정 속에서 글의 구조를 파악하게 되고, 글쓴이가 무엇을 말하고자 하는지도 알아낼 수 있습니다. 그리고 그 과정이 자연스러워질수록 글을 읽는 학습자의 생각은 깊어지고 독해력도 그만큼 높아지게 됩니다.

내신도, 수능도 독해력이 결국 답입니다.

글을 읽으면 핵심어와 중심 내용이 파악되고, 글쓴이가 무엇을 말하고자 하는 글인지가 머리에 들어와야 합니다. **글 안에 담겨 있는 정보를 이해하는 데서 그치는 것이 아니라 글 뒤에 숨어 있는 글쓴이의 생각까지 파악해야 하는 거죠.**

정독이냐, 속독이냐, 다독이냐 … 독해의 속도와 양은 중요하지 않습니다.

이제부터는 왜, 무엇을, 어떻게 제대로 생각하느냐가 중요합니다.

제대로 된 방법만 쓴다면 독해력, 더 나아가 수능 국어영역 점수를 올리는 것은 그다지 어려운 일이 아닙니다. 생각독해는 독해의 제대로 된 방법, '정도(正道)'를 제시합니다.

글쓴이와 맞장 뜰 수 있단 각오로 독해에 임하십시오!

생각독해가 여러분의 자신감에 날개가 되어 줄 것입니다.

글에 담긴 생각 어떻게 읽어야 하지?
생각읽기로 시작하자

생각의 발견

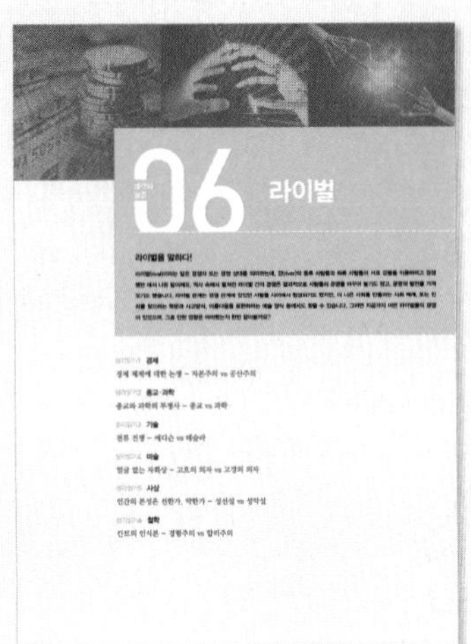

생각의 발견은 빅 아이디어에서 시작된다

우리를 둘러싼 수많은 이슈 중에서
중요하고 가치 있는 빅 아이디어를 선정했습니다.
빅 아이디어를 통해 다양한 생각을 발견하고
확장해 나갈 수 있습니다.

생각읽기

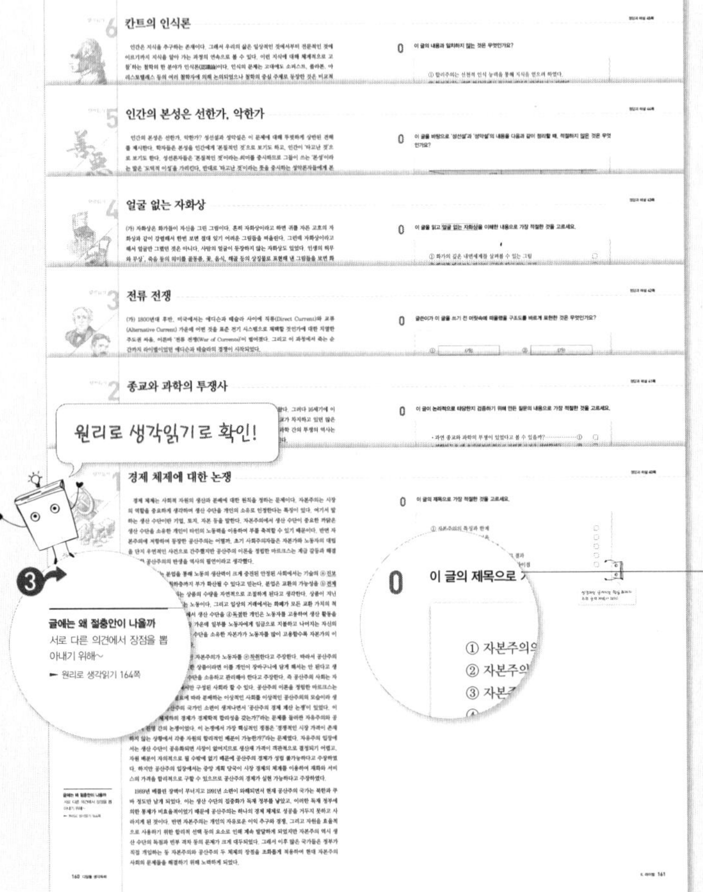

하나의 아이디어로 다양한 생각을 읽다

6개의 생각읽기에서는 빅 아이디어에 대한 다양한 영역의
이야기들이 펼쳐집니다. 같은 아이디어로 인문, 사회, 경제,
역사, 과학, 기술, 미술 등에서 어떤 생각들이 오고 가는지
궁금하지 않나요?

글쓴이의 생각이 궁금해?
0번 문제로 확인하자!

생각읽기 1~6의 0번 문제는 주제와 관련된
글쓴이의 생각을 묻고 있습니다. 글 안의 정보는 물론
글쓴이의 숨은 의도까지 볼 수 있어야 하는
종합적인 문제입니다.

글쓴이의 생각 어떻게 읽어야 하지?
원리로 생각읽기로 확인하자!

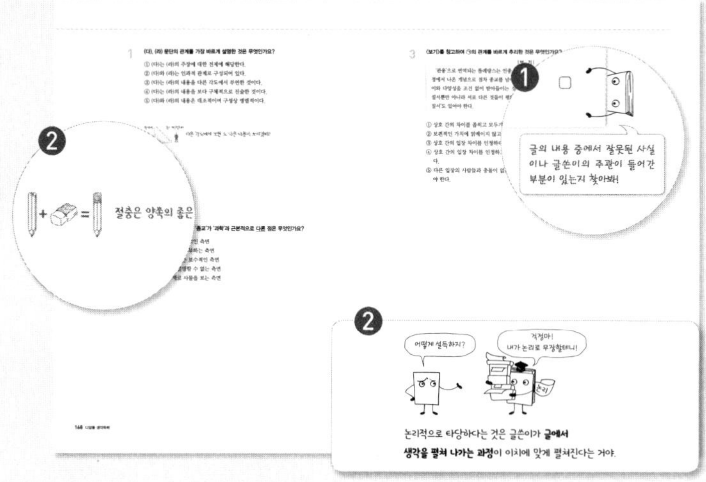

너무 어려워? 내가 도와줄게~
어려운 문제가 나와서 두렵거나, 문제를 풀다가 막히면 내가 하는 말에 힌트가 숨어 있으니깐 잘 봐 둬!

❶ 출제자의 마음이 궁금해?
도움팁으로 확인하자!

문제를 풀다 보면 출제자가 왜 이 문제를 냈을까 궁금하지 않나요? 문제를 풀 때 정말로 도움되는 꿀팁만 출제자의 마음으로 제시하였습니다.

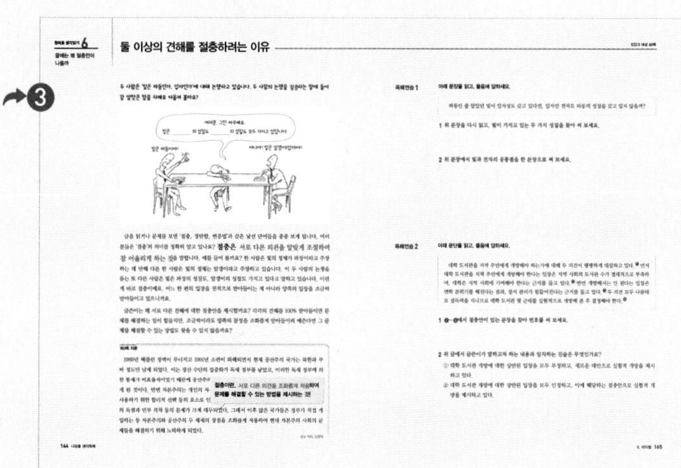

❷ 독해원리가 궁금해?
그림으로 원리를 확인하자!

개념을 안다고 독해 문제가 술술 풀릴까? 문제 속에 숨겨진 독해원리는 그림을 통해 개념은 물론 그 원리까지 익힐 수 있습니다.

❸ 글쓴이의 생각이 궁금해?
글쓴이의 생각이 곧 독해원리다!

글을 읽다가 글쓴이의 생각이 궁금하면, **원리로 생각읽기**에서 그 궁금증을 해결할 수 있습니다.
독해연습
독해연습1 → 문장독해 독해연습2 → 문단독해

생각의 통합

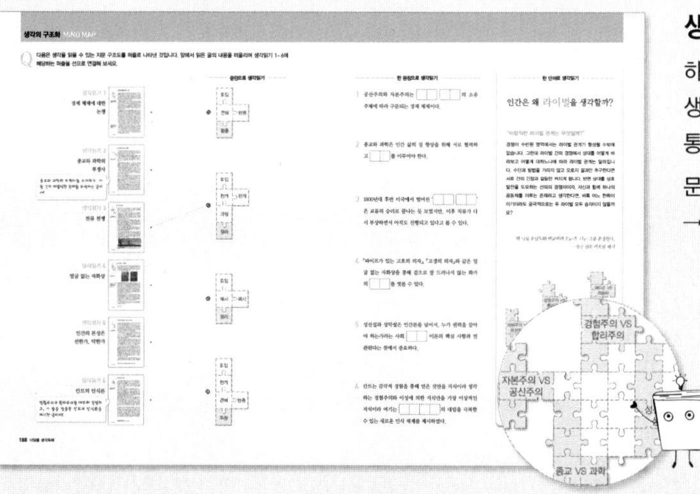

생각의 구조화로 다양한 영역의 생각을 통합하다

하나의 빅 아이디어로 6개의 생각읽기가 끝나면, 생각의 구조화로 빅 아이디어에 대한 다양한 생각을 통합할 수 있습니다.

문단으로 생각읽기 → 한 문장으로 생각읽기 → 한 단어로 생각읽기

놀이처럼 각 문단에 담긴 생각을 퍼즐로 만드는 훈련을 반복하면, 나도 모르는 사이 한 편의 글이 머릿속에 퍼즐 형태로 보여!

Contents

04 힘

05 신비

06 라이벌

07 존재

생각의 발견

01 발견

발견을 말하다!

몰랐던 것을 알게 되거나 이미 알고 있던 것을 새롭게 알게 되는 것을 발견이라고 합니다. 무언가를 처음 발견한 사람들은 발견 그 자체만으로도 커다란 기쁨과 성취감을 느끼게 되죠. 하지만 더 중요한 건 그 발견이 지식을 발전시키고, 나아가 세상을 바꾸기도 한다는 것입니다. 어떤 영역에서든 발견은 지식의 발전과 세상의 진보를 이끄는 힘이 될 수 있습니다. 지금까지 있었던 의미 있고 흥미로운 발견들에는 어떤 것들이 있었는지 한번 알아볼까요?

생각읽기1 **심리학**

마음의 재발견 – 프로이트의 발견

생각읽기2 **화학**

4원소설에서 원자론으로 – 진공과 산소의 발견

생각읽기3 **수학**

아무것도 없는 것을 표현하다 – 0의 발견

생각읽기4 **인물·사회**

노벨상은 누가 받을까 – 위대한 발견에 대한 보상

생각읽기5 **역사·고고학**

2000여 년의 세월 저편에서 – 병마용갱의 발견

생각읽기6 **세계사·지리**

세상의 끝을 향해 나아가다 – 엔리케 왕자의 발견

생각읽기 1

마음의 재발견

프로이트의 발견

Q 프로이트가 무의식을 발견하게 된 계기는 무엇인가요?

사람들은 흔히 이성적인 사고로 마음을 쉽게 다스릴 수 있다고 생각하지만, 실제로는 자신의 마음을 다스리는 일이 결코 쉽지 않다. 마음은 자신도 모르게 흘러가는 경우가 많은데, 그 이유는 우리의 마음이 이성이 아닌 무언가에 의해 영향을 받기 때문이다. ㉮그렇다면 마음을 지배하는 그 무언가는 무엇일까? 이 무언가를 처음으로 발견한 사람이 정신 분석학의 아버지라 불리는 지그문트 프로이트이다.

정신적인 원인 때문에 일시적으로 일어나는 비정상적인 흥분 상태를 히스테리라고 하는데, 정신과 의사였던 프로이트는 히스테리 환자들을 치료하기 위해 처음에는 최면술을 사용하였지만 효과가 없었다. 그래서 그는 환자들의 마음을 편안하게 해 주고, 어떤 말이든 주저하지 말고 머릿속에서 떠오르는 대로 자유롭게 말하게 하는 상담 치료를 지속적으로 시행하였는데, 그 이후 환자들의 히스테리 증상이 점점 호전되었다. 이러한 치료 경험은 나중에 그가 정신 분석학을 만드는 밑거름이 되었다. 정신 분석학이란 인간의 마음을 과학적으로 이해하는 방법을 말하는데, 인간의 마음을 이해하기 위해 프로이트가 선택한 출발점은 무의식이었다. 그는 상담 과정에서 듣게 된 환자들의 꿈, 환상, 공상, 말실수 등에서 그들의 무의식을 발견하게 되었다.

프로이트는 인간의 마음을 '㉠의식, ㉡전의식, ㉢무의식'으로 나누고, 이를 빙산에 비유해서 설명했는데, 수면 위로 드러난 빙산의 일부가 '의식'이고, 수면 바로 아래에 있는 부분이 '전의식'이며, 그보다 더 아래에 있는 빙산의 대부분을 '무의식'이라고 설명했다. '의식'은 깨어 있는 상태에서 무언가를 인식하는 마음의 작용이며, 논리적이고 이성적인 생각을 의미한다. '전의식'은 평소에는 전혀 생각하고 있지 않지만, 조금만 노력하면 떠오르는 지식과 기억을 의미한다. '무의식'은 억압된 생각과 기억, 욕망 등을 의미하는데, 깨어 있을 때에는 여간해서는 드러나지 않지만 꿈속에서는 자유롭게 드러난다. 무의식은 마음속 깊은 곳에 자리 잡고 있어서 본인조차 쉽게 들여다 볼 수 없다. 아무리 자신의 무의식이 무엇일지 생각해 본다고 하더라도 알 수 없는 것이다. 무의식에는 어린 시절 겪은 정신적인 충격과 같이 의식으로 올라오게 되면 너무 고통스러운 기억이나 생각이 있다. 또 남들에게 드러내지 못하는 공격성과 같이 본능적인 욕망들 중 금지된 것들도 있다. 무의식은 마치 어린아이와 같이 자신이 바라는 욕구를 당장 이루고자 하며, 비논리적이어서 이성적인 사고로는 이해할 수 없다. 그래서 꿈속에서 자신이 평소 바라는 욕망들이 바로 실현되기도 하며, 비현실적이고 비논리적인 일들이 일어나는 것이다. 그러나 잠에서 깨어났을 때부터 우리의 의식은 무의식이 떠오르지 못하도록 막아서, 깨어 있을 때에는 무의식이 쉽게 드러나지 않게 된다.

프로이트가 빙산에 비유한 인간의 마음

프로이트는 무의식이 의식을 지배하고 있다고 보았다. 무의식은 의식에 의해 억압되어 잘 드러나지 않지만, 우리가 알지 못하는 사이 계속해서 우리의 의식에 영향을 끼쳐서 우리의 마음을 지배한다고 본 것이다. 그래서 어떤 사람이 정신적인 문제를 겪을 때 자유 연상을 활용한 상담을 통해 그 사람의 무의식을 의식으로 끌어내어 문제의 원인을 파악하고, 이를 제거하면 문제를 해결할 수 있다고 보았다. 즉 그는 빙산의 저 아래 깊은 곳에 가두어 둔 무의식을 수면 위로 끌어올려서 문제의 원인을 찾아야 한다고 생각했던 것이다. 프로이트의 정신 분석학은 몇몇 한계점으로 인해 비판을 받기도 하였지만, 그가 발견한 무의식은 정신과 치료나 심리 상담에서 가장 중요한 개념으로 자리 잡고 있으며, 그가 개발한 자유 연상 기법 역시 가장 보편적인 상담 방법으로 활용되고 있다.

0 **이 글의 '프로이트'가 ㉮에 대해 대답할 말로 가장 적절한 것은 무엇인가요?**

① 깨어 있을 때 무언가를 인식하는 마음의 작용인 의식이다.
② 깨어 있을 때 꿈이 이루어지기를 바라는 욕망과 소망이다.
③ 깨어 있을 때 잘 드러나지 않는 억압된 생각과 기억, 욕망 등이다.
④ 깨어 있을 때 무의식이 의식으로 올라오지 못하게 막는 마음의 작용이다.
⑤ 깨어 있을 때 바로 떠오르지 않지만 조금만 노력하면 알게 되는 기억이다.

글쓴이가 스스로 묻고, 답하는 형식을 취하는 건 일종의 강조하기 기법이야! 질문이 나오면 그 질문의 답을 잘 찾을 수 있어야 해!

1 정신 분석학에 대해 이해한 내용으로 적절하지 않은 것은 무엇인가요?

① 최면술을 통해 자유롭게 생각을 말하게 하는 방법을 이용한다.
② 인간의 마음을 몇 가지로 나누어 과학적으로 이해하는 방법이다.
③ 정신적인 문제를 겪고 있는 사람을 치료하는 데 도움을 줄 수 있다.
④ 정신과 의사로서의 프로이트가 가진 치료 경험이 밑바탕이 되었다.
⑤ 프로이트가 창시한 이론으로 몇 가지 한계점 때문에 비판을 받기도 하였다.

2 ㉠~㉢을 이해한 내용으로 적절하지 않은 것은 무엇인가요?

① ㉠은 논리적이고 이성적인 데 비해, ㉢은 비논리적이고 본능적인 성향이 강하다.
② 잠이 들어 꿈을 꿀 때에는 ㉠이 ㉢을 억누르지 못해 ㉢이 드러날 수 있게 된다.
③ ㉢에 잠재된 금지된 욕망에 대한 ㉡의 작용이 멈추면 반사회적 행동을 할 수도 있다.
④ ㉡에 있던 기억 중에서 일부가 ㉢으로 이동되면 아무리 노력해도 떠오르지 않게 된다.
⑤ 빙산이 눈에 보이는 부분보다 보이지 않는 부분이 더 큰 것처럼 인간의 마음에서 ㉠보다 ㉢의 영역이 더 크다.

3 이 글을 읽고 〈보기〉의 사례에 대해 보인 반응으로 가장 적절한 것은 무엇인가요?

| 보 기 |

트라우마(Trauma)란 '외상 후 스트레스 장애(PTSD)'를 의미하는 의학 용어이다. 반드시 어린 시절이 아니더라도 살면서 겪은 충격적인 경험으로 인해 생긴 정신적인 충격과 고통이 원인이 되어, 이후에 과거 경험과 비슷한 상황이 될 때 고통스러움을 느끼는 정신적인 장애 현상을 의미한다. 트라우마는 사건 직후 한동안 지속적으로 나타나기도 하지만, 세월이 한참 지난 후에 나타나기도 한다. 트라우마를 겪게 되면 늘 불안한 심리 상태에서 잠을 자지 못하기도 하고, 환각을 보거나 공황 장애에 빠지기도 한다.

① 마치 어린아이와 같이 자신의 욕망을 즉시 이루려고 하는 마음 때문에 트라우마가 한동안 지속될 수 있겠군.

② 트라우마를 겪지 않도록 예방하려면 충분한 수면을 취하고 심리적 안정 상태를 유지하도록 하는 것이 중요하겠군.

③ 트라우마를 치료하기 위해서는 과거 경험과 비슷한 상황을 계속해서 겪도록 만들어 스스로 극복하게 만들어야 하겠군.

④ 트라우마가 의식으로 올라오게 되면 심각한 문제가 생기므로, 트라우마를 계속 억제할 수 있도록 하는 것이 중요하겠군.

⑤ 무의식에 잠재되어 있던 고통스러운 기억이 비슷한 상황으로 인해 의식으로 떠오르게 되면 트라우마 증세를 겪게 되겠군.

생각읽기 2

4원소설에서 원자론으로

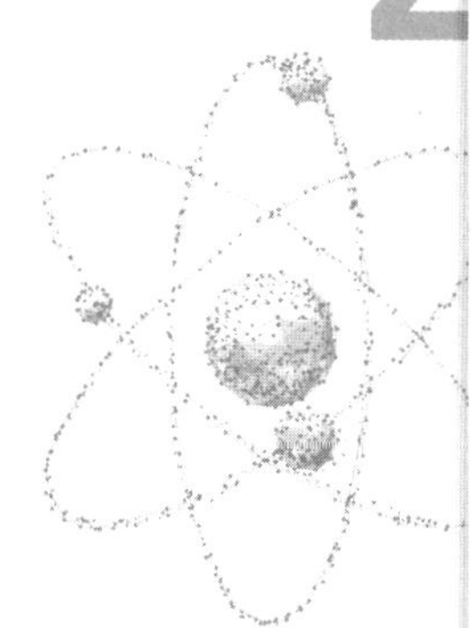

진공과 산소의 발견

Q 고대 그리스부터 근대 이전까지 원자설이 부정되고 4원소설이 사람들에게 받아들여진 이유는 무엇인가요?

우리 주변에는 무수히 많은 물체들이 있는데, 이러한 물체를 구성하는 재료를 물질이라고 한다. 그렇다면 물질은 무엇으로 이루어져 있을까? 지금으로부터 2500여 년 전 고대 그리스 철학자 엠페도클레스는 세상의 모든 물질들은 '물, 불, 흙, 공기'로 구성되어 있다는 4원소설을 주장했다. 그런데 비슷한 시기에 데모크리토스라는 철학자는 진공, 즉 아무것도 없는 상태가 존재하고, 세상의 모든 물질은 물, 불, 흙, 공기보다도 더 작은 원자로 구성되어 있다는 원자론을 주장했다. 당시 대부분의 사람들은 두 이론 중에서 엠페도클레스의 생각이 옳다고 생각했다. 왜냐하면 ㉠아무것도 존재하지 않는 상태가 있다는 것을 믿을 수 없었고, ㉡눈에 보이지도 않는 원자보다는 눈에 보이는 4원소로 세상이 이루어졌다는 설명이 더 설득력이 있었기 때문이었다. 그래서 원자론은 2천 년이 넘게 사람들에게 잊혀 갔다. 그런데 왜 지금은 4원소설이 아니라 원자론이 과학적 진리로 인정받게 되었을까?

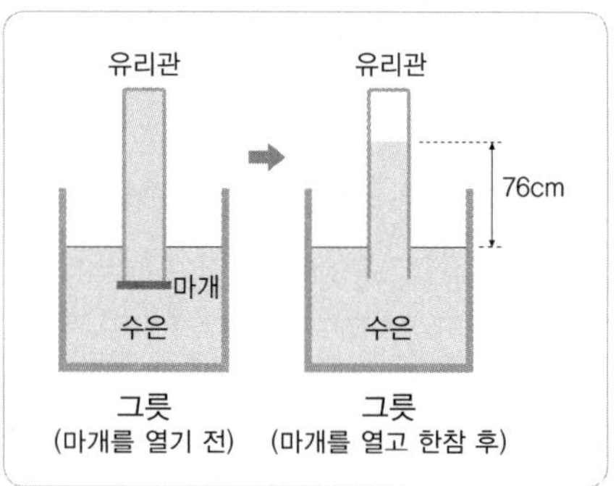

우선 17세기에 진공의 존재가 실험으로 입증되었기 때문이다. 갈릴레이의 제자였던 토리첼리는 비록 의도하지는 않았지만, 수은으로 실험을 하다가 진공의 존재를 입증했다. 토리첼리는 길이 1m의 긴 유리관에 수은을 가득 채워 공기가 들어가지 못하게 한 후 마개로 막고 이 유리관을 수은이 가득 찬 수조 가운데에 세워 두었다. 그 다음 유리관의 마개를 열고 시간이 지나자 유리관에 가득 차 있던 수은이 아래쪽으로 내려오기 시작했다. 그런데 끝까지 내려오지 않고 76cm의 높이에서 멈춘다는 사실을 발견했다. 그러면 ㉢막혀 있던 유리관의 윗부분부터 수은이 내려온 사이의 빈 공간은 어떻게 이해해야 할까? 유리관 위가 막혀 있어서 공기가 들어오지 못하는데 말이다. 그렇다고 이 공간은 물, 불, 흙이 있는 것도 아니었다. 그래서 이 공간은 아무것도 없는 상태, 즉 ㉣진공의 상태로 이해할 수밖에 없었다.

[A] 한편, 18세기 말 영국의 프리스틀리는 수은을 가열하여 붉은색 물질을 얻었다. 그가 돋보기로 햇빛의 초점을 모아 이 붉은색 물질을 태우자 연기가 피어올랐다. 그는 이 연기가 새로운 기체일지 모른다고 생각해서 이 연기를 유리병에 모은 다음, 공기로 채운 유리병과 비교하는 몇 가지 실험을 해 보았다. 새로운 기체로 채운 유리병과 공기로 채운 유리병에 촛불을 넣자, 새로운 기체로 채운 유리병의 촛불이 활활 타올랐다. 다음으로 두 유리병에 생쥐를 넣자, 새로운 기체로 채운 유리병 속의 생쥐가 더 오래 살아 있을 수 있었다. 그는 자신의 실험을 프랑스의 라부아지에에게 알렸는데 라부아지에는 프리스틀리의 실험을 바탕으로 이 기체는 연소와 호흡에 반드시 필요하다는 것을 밝혀냈고, 이 기체에 '산소'라고 이름 붙였다. 프리스틀리가 발견하고 라부아지에가 이름 붙인 '산소'는, 공기 속에 공기보다 더 작은 물질이 존재한다는 것을 의미한다.

진공이란 존재하지 않는다고 생각하던 사람들이 토리첼리의 실험에서 ㉤유리관 속의 빈 공간을 보면서 '이 공간은 왜 생겼지? 그렇다면 아무것도 없는 상태도 존재하겠군.'이라는 생각을 하게 되었다. 그리고 산소를 발견한 다음에는 '왜 공기보다 더 작은 것이 존재하지? 그렇다면 공기가 가장 작은 물질의 구성 요소가 아니겠군.'이라는 생각을 갖게 되었다. 이렇게 진공이 존재한다는 것과 공기보다 더 작은 산소가 존재한다는 것을 발견한 사람들은 결국 4원소설이 잘못되었고 원자론이 옳다고 생각하게 되었다. 그리하여 지금은 눈에 보이지는 않을지라도 모든 물질은 원자로 이루어져 있다는 원자론이 과학적 진리로 받아들여지고 있는 것이다.

0 **이 글의 내용을 다음과 같이 정리했을 때, Ⓐ~Ⓓ에 들어갈 말을 알맞게 나열한 것은 무엇인가요?**

시기	설명
고대 그리스	'(Ⓐ)'이 진리라고 생각함.
17세기	토리첼리의 수은 실험: (Ⓑ)의 존재 증명
18세기	프리스틀리가 새로운 기체를 발견하고, 라부아지에가 '산소'라고 이름 붙임. : 공기 중에 더 (Ⓒ) 물질인 산소가 존재함. (= 공기가 제일 작은 물질 단위가 아님.)
오늘날	'(Ⓓ)'이 과학적 진리라고 받아들여짐.

	Ⓐ	Ⓑ	Ⓒ	Ⓓ
①	원자론	진공	작은	4원소설
②	원자론	공기	큰	4원소설
③	4원소설	공기	작은	원자론
④	4원소설	진공	큰	원자론
⑤	4원소설	진공	작은	원자론

1 ㉠~㉤ 중, '토리첼리'의 실험과 관련이 없는 것은 무엇인가요?

① ㉠ ② ㉡ ③ ㉢ ④ ㉣ ⑤ ㉤

2 다음은 [A]의 '프리스틀리'의 실험을 정리한 내용입니다. ㉮~㉱에 대한 설명으로 적절한 것은 무엇인가요?

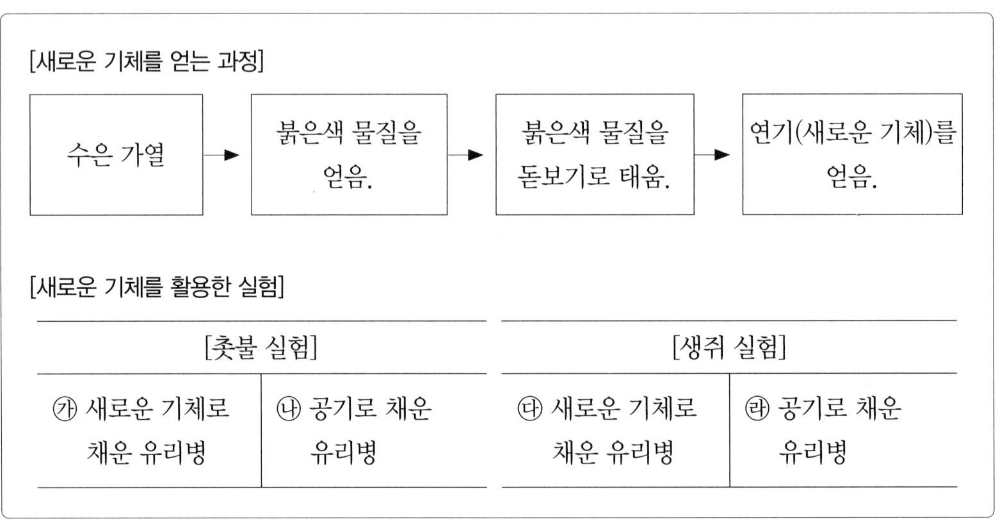

[새로운 기체를 얻는 과정]
수은 가열
붉은색 물질을 얻음.
붉은색 물질을 돋보기로 태움.
연기(새로운 기체)를 얻음.
[새로운 기체를 활용한 실험]
[촛불 실험]
[생쥐 실험]
㉮ 새로운 기체로 채운 유리병
㉯ 공기로 채운 유리병
㉰ 새로운 기체로 채운 유리병
㉱ 공기로 채운 유리병

① 프리스틀리는 ㉮보다 ㉯ 속에 넣은 촛불이 더 오래 타는 것을 보았을 것이다.
② 라부아지에는 ㉮와 ㉯를 비교하여 산소가 호흡에 필수적이라고 생각했을 것이다.
③ 프리스틀리는 ㉱보다 ㉰ 속의 생쥐가 더 오래 살아 있는 것을 보았을 것이다.
④ 라부아지에는 ㉰와 ㉱를 비교하여 산소가 연소에 필수적이라고 생각했을 것이다.
⑤ 프리스틀리는 ㉮, ㉯, ㉰, ㉱ 모두에는 산소로만 가득 차 있다고 생각했을 것이다.

과정이란,
시간의 흐름대로 순서와 단계가 보이는 걸 말해!

3 **ㄱ~ㄷ 중에서 이 글과 〈보기〉를 비교하여 이해한 내용으로 적절한 것은 무엇인가요?**

보 기

고대 그리스의 천문학자 아리스타르코스는 태양을 중심으로 지구가 돈다는 지동설을 주장하였으나, 당시 사람들은 지구를 중심으로 태양이 돈다는 프톨레마이오스의 천동설이 더 타당하다고 믿었다. 이러한 믿음은 천 년이 넘게 진리로 여겨졌다. 그러나 16세기 갈릴레이는 망원경으로 금성을 관찰하였는데, 천동설로 금성의 모양과 크기 및 밝기 변화를 설명할 수 없지만, 지동설로는 아주 잘 설명할 수 있다는 것을 발견하였다. 이후 오늘날에는 지동설이 과학적 진리라고 믿고 있다.

ㄱ. 오랫동안 사람들이 믿지 않았다는 점에서, 아리스타르코스의 '지동설'은 데모크리토스의 '원자론'에 대응된다.
ㄴ. 오랫동안 진리로 여겨졌다는 점에서, 프톨레마이오스의 '천동설'은 엠페도클레스의 '4원소설'에 대응된다.
ㄷ. 갈릴레이는 '4원소설'이 잘못되었다는 증거를 발견한 것처럼, '천동설'이 잘못되었다는 것을 발견하였다.

① ㄱ ② ㄴ ③ ㄷ ④ ㄱ, ㄴ ⑤ ㄴ, ㄷ

생각읽기 3

아무것도 없는 것을 표현하다

0

0의 발견

Q 0이 하는 기능에는 무엇이 있나요?

0은 본질적으로 기묘한 수다. 덧셈과 뺄셈을 할 때는 아무것도 할 수 없는 무력한 수이지만, 곱셈을 하는 순간 모든 것을 0으로 바꾸는 막강한 능력을 가진 수가 되며, 나눗셈의 경우엔 어떤 수도 0으로 나누면 안 되는 금단의 수이기도 하다. 0이 하는 기능은 '아무것도 없는 상태'를 의미하는 기능, 십의 자리, 백의 자리와 같은 '수의 자릿수'를 표시하는 기능, 그리고 2+0=2, 3×0=0처럼 '연산을 하는 수'로서의 기능이 있다.

0의 개념을 처음 사용한 사람은 인도의 수학자인 아리아바타이다. 아리아바타가 왜 0을 처음 사용하게 되었는지 정확하게 알려진 바는 없다. 요즘처럼 당시 인도인들도 힌두교를 많이 믿고 있었는데, 힌두교 사상에는 '아무것도 없이 비어 있음', 즉 '공(空)'이라는 개념이 있었다. 아리아바타는 이 개념을 바탕으로 0을 '아무것도 없는 상태'를 나타내는 수로 사용했다. 그리고 6세기경에 쓴 수학책『아리아바티아』에서 그는 0을 사용하여 10진법의 수를 썼다. 오늘날과 같은 아라비아 숫자로 기록한 것은 아니고, 당시 인도 문자로 기록했다. 이것은 0이 자릿수를 표시한 것에 해당한다. 아리아바타는 0이 '아무것도 없는 상태'를 의미하는 동시에, '수의 자릿수'를 표시한다는 개념을 처음으로 사용한 수학자인 것이다.

이러한 아리아바타의 생각을 더욱 발전시킨 사람은 인도의 수학자 브라마굽타이다. 그는 ㉠0에 대한 아리아바타의 생각에 더해, 0은 다른 수와 더하거나 빼는 연산을 할 수 있는 수라고까지 생각했다. 브라마굽타가 7세기에 쓴 책『우주의 창조』에는, "같은 두 수를 뺄셈하여 얻는 수"라고 0을 정의하고 있다. 즉 브라마굽타는 아무것도 남지 않은 상태, 즉 무(無)의 상태를 0이라고 부르고, 0이 실제 수라고 주장한 것이다. 이를 증명하기 위해 "어떤 수에 0을 더하거나 빼도 그 수는 변하지 않는다. 하지만 0을 곱하면 모든 수는 0이 된다."라고 했는데, 이것은 연산을 하는 수로서의 0의 기능을 의미하는 것이다. 그리고 여기에 더해 그는 0을 새로운 기호인 '•'으로 표시했다. '•'은 'ㅇ'으로 바뀌었다가, 오늘날과 같은 모습인 '0'으로 바뀌게 되었다.

이렇게 인도에서 탄생하고 발전한 0은 9세기경 아라비아 지역으로 전파되었다. 페르시아의 수학자 알 콰리즈미는 인도에서 전해진 0을 포함한 아라비아 숫자를 사용하여 사칙 연산뿐만 아니라 방정식 분야를 발전시켰다. 이때부터 아라비아 지역의 학자들은 물론 상인들도 인도에서 전해진 아라비아 숫자를 널리 사용했다. 한참 시간이 더 지나 13세기가 되었을 때, 이탈리아의 수학자 피보나치가 0을 포함한 아라비아 수 체계를 소개하고 나서야 비로소 유럽인들도 아라비아 숫자를 사용하기 시작했다. 사실 인도에서 만들어졌던 0~9의 숫자를 아라비아 숫자라고 부르는 이유는, 유럽인들이 보기에는 아라비아 사람들이 쓰는 숫자였기 때문이다. 그때까지 유럽인들은 'Ⅰ, Ⅱ, …'와 같은 로마 숫자를 사용했는데, 로마 숫자의 수 체계에는 0이 없었다. 피보나치가『산반서』*라는 책에서 "9, 8, 7, 6, 5, 4, 3, 2, 1과 0을 사용하면 나타내지 못하는 수가 없다."라고 소개한 것처럼, 아라비아 숫자는 수를 표시하는 데 무척 편리했다. 특히 0을 사용하여 자릿수를 표시할 수 있어서 수를 정확하게 표현할 수 있었다. 그래서 0을 포함한 아라비아 숫자는 유럽의 수학과 과학의 발전에 큰 공헌을 하게 되었다.

* 『산반서』: 피보나치가 아라비아 등 각국을 여행하며 발전된 수학을 유럽인들에게 소개한 책

0 **'0'에 대한 설명으로 적절하지 <u>않은</u> 것은 무엇인가요?**

① 사칙 연산 중에서 뺄셈을 할 때에 그 역할이 가장 크다.
② '아무것도 없이 비었다'는 뜻으로 '공(空)'이라고도 한다.
③ 0을 사용하여 비어 있는 수의 자릿수를 표현할 수 있다.
④ '•'과 'ㅇ'을 거쳐 오늘날과 같은 모습인 '0'으로 바뀌게 되었다.
⑤ 0을 포함한 아라비아 숫자는 유럽의 학문 발전에 도움을 주었다.

지문 내용을 살짝 바꿔 놓은 선지를 조심하자!
출제자가 파 놓은 함정이니까!

1 인도에서 '0'을 처음으로 사용한 이유를 추리한 내용으로 가장 적절한 것은 무엇인가요?

① 인도에서 세계 최초로 10진법 체계를 완성시켰기 때문에
② 아리아바타가 수학 연구를 하던 중 우연히 0을 발견했기 때문에
③ 힌두교라는 종교 사상을 바탕으로 한 철학적 사고가 있었기 때문에
④ 브라마굽타가 모든 수에 0을 곱하면 0이 된다는 것을 밝혔기 때문에
⑤ 인도에서는 사칙 연산뿐만 아니라 방정식 분야가 발전해 있었기 때문에

2 문맥을 고려할 때 ㉠의 의미로 알맞은 것은 무엇인가요?

① 0이 같은 두 수를 뺄셈하여 얻을 수 있는 수라는 것
② 0을 포함한 아라비아 숫자가 원래는 인도에서 탄생한 것이라는 것
③ 0과 함께 아라비아 숫자를 사용하면 모든 수를 표현할 수 있다는 것
④ 0이 '아무것도 없는 상태'를 의미하며, '수의 자릿수'를 표시한다는 것
⑤ 0에는 연산을 하는 수로서의 기능을 포함한 세 가지 기능이 있다는 것

3 **다음은 로마 숫자 표기법입니다. 아라비아 숫자와 로마 숫자를 비교한 내용으로 적절하지 <u>않은</u> 것은 무엇인가요?**

1	2	3	4	5	6	7	8	9	10
I	II	III	IV	V	VI	VII	VIII	IX	X
11	12	13	14	15	16	17	18	19	20
XI	XII	XIII	XIV	XV	XVI	XVII	XVIII	XIX	XX
30	40	50	60	70	80	90	100	200	1000
XXX	XL	L	LX	LXX	LXXX	XC	C	CC	M

로마 숫자의 수 체계도 10진법인데, 10단위가 증가할 때 다른 숫자를 썼다. 그래서 11~19까지 숫자에서 보듯이, 십의 자릿수인 X를 쓰고 그 오른쪽에 일의 자릿수를 썼다. 다른 사용의 예는 다음과 같다.

31 = XXXI　　33 = XXXIII
88 = LXXXVIII　　99 = XCIX
101 = CI　　111 = CXI

① 로마 숫자와 아라비아 숫자는 모두 10을 기본 단위로 삼는 10진법의 수 체계를 사용한다.
② 로마 숫자에는 0이 없어서 십의 자릿수나 백의 자릿수가 증가할 때마다 새로운 숫자를 썼다.
③ 로마 숫자로 300을 표현하면 'CCC'가 되고, '333'을 표현하면 'CCCXXXIII'이 된다.
④ 88, 99의 예를 보니, 아라비아 숫자가 로마 숫자 표기보다 더 간편하고 이해하기 쉽다.
⑤ 101과 111의 예를 보니, 아라비아 숫자처럼 로마 숫자도 모든 자릿수에 숫자를 사용하고 있다.

생각읽기 4

노벨상은 누가 받을까

위대한 발견에 대한 보상

Q 노벨상이 수여되는 부문에는 어떠한 것이 있나요?

노벨상은 세계에서 가장 권위 있는 상으로 널리 인정받고 있다. 그 이유는 노벨상이 세계 최초의 국제적인 상이며, 오랜 역사를 가지고 있을 뿐만 아니라, 상에 대한 신뢰성이 아주 높고, 인류를 위해 가장 헌신적으로 공헌한 사람이 ⓐ수상(受賞)하기 때문이다. 현재 노벨상은 '물리학상, 화학상, 생리 · 의학상, 문학상, 평화상, 경제학상'의 총 6개 부문으로 ⓑ수여(授與)하며, 1969년 추가로 제정된 경제학상을 제외한 부문들은 노벨의 유언장에 쓰여 있는 내용을 수여 원칙으로 삼는다. 문학상은 문학 분야에서 이상적인 방향으로 가장 뛰어난 작품을 만든 사람에게, 평화상은 국가 간의 우의나 현존하는 군대의 폐지와 축소, 평화의 유지나 증진에 큰 기여를 한 사람에게 준다. 스웨덴 은행이 노벨을 기념하기 위해 추가로 만든 경제학상 역시 경제학 분야에서 큰 업적을 남긴 사람에게 준다.

이에 비해 과학 분야의 노벨상은 그 지난해에 각 분야에서 가장 큰 발견이나 발명을 한 사람에게 준다. 과학 분야의 노벨상은 1901년부터 2019년까지 공동 수상자들을 포함하여 총 616명이 수상했으며, 물리학상은 213명, 화학상은 184명, 생리 · 의학상은 219명이 각각 수상했다. 최근 10여 년 동안에는 90%가 공동 수상이었으며, 그중 70%는 3명 이상이 공동 수상한 경우였다. 한편, 수상자 중 여성의 비율은 매우 낮아 전체의 3%밖에 되지 않으며, 국가별 수상자 수는 미국, 영국, 독일, 프랑스의 수상자들이 거의 대부분을 차지한다. 수상자 선정 과정은 각 부문별로 노벨 위원회의 주도하에 이루어지며, 1년이 넘는 기간 동안 공정하고 엄격하게 진행된다.

과학 분야에서 노벨상을 받은 과학자들의 업적은 ㉠인류의 지식을 확장하고, ㉡새로운 과학 연구 분야를 개척하거나, ㉢이후의 연구에 바탕이 되었을 뿐만 아니라 또 다른 발견을 이끌어 내 왔다. 특히 새로운 발견을 한 경우에 이러한 특징은 더욱 두드러진다. 예를 들어 뢴트겐의 X선 발견(1901년 물리학상)과 레나르트의 음극선 발견(1905년 물리학상)은 이후 톰슨이 전자를 발견(1906년 물리학상)하게 하는 밑거름이 되었다. 또한 라듐과 폴로늄을 발견하고 방사성 물질을 연구한 마리 퀴리의 연구(1903년 물리학상, 1911년 화학상)는 러더퍼드의 원자핵 연구(1908년 화학상)와 채드윅의 중성자 발견(1935년 물리학상)으로 이어졌고, 이들의 연구는 이후 핵물리학이라는 새로운 물리학의 성립과 발전으로 이어졌다.

특히 생리 · 의학상의 경우 새로운 발견을 통해, ㉣인체 및 질병에 대한 이해를 높이거나 ㉤질병 치료에 획기적인 전기*를 마련한 경우가 많았다. 란트슈타이너의 인간의 혈액형 발견(1930년), 제임스 왓슨 등의 DNA의 분자 구조 및 기능 발견(1962년), 스텐리 코헨 등의 세포 성장을 촉진하는 성장 인자 발견(1986년) 등은 인체에 대한 지식을 확장했다. 또한 로베르트 코흐의 결핵균 발견(1905년), 프랜시스 페이턴 라우스의 종양을 일으키는 바이러스의 발견(1966년) 등은 질병을 유발하는 원인에 대한 이해도를 높였고, 이는 병원균에 대한 치료법 개발로도 이어졌다. 뿐만 아니라 알렉산더 플레밍 등의 페니실린과 그 치료 효과에 대한 발견(1945년), 조지프 머리 등의 질병 치료를 위한 세포 이식 발견(1990년) 등은 의료 기술의 커다란 진보를 가져왔다.

한편, 최근 10여 년 동안의 노벨상을 수상한 과학자들 역시 새로운 발견을 통해 과학적 지식을 심화 · 확장시키고 있으며, ㉮그동안 이론으로는 존재했지만 경험적으로 확인할 수 없었던 과학 이론을 증명하여 과학을 발전시키고 있다. 예를 들어 2011년 물리학상을 공동 수상한 솔펄머터 등은 우주 팽창 속도가 증가하고 있다는 것을 발견하여 우주의 근본 특성에 대한 연구의 새로운 방향을 제시했다. 이렇게 과학 분야의 노벨상은 시상 초기부터 현재까지 이전에 알지 못했던 새로운 과학적 발견을 통해 과학의 새 지평(地平)*을 열어 왔던 것이다.

* 전기: 전환점이 되는 기회나 시기.
* 지평: 사물의 전망이나 가능성 따위를 비유적으로 이르는 말.

0 **이 글에서 ㉠~㉤에 해당하는 노벨상을 연결한 내용이 적절하지 않은 것은 무엇인가요?**

① ㉠: 1905년 생리 · 의학상을 수상한 코흐의 연구
② ㉡: 1908년 화학상을 수상한 러더퍼드의 연구
③ ㉢: 1906년 물리학상을 수상한 톰슨의 연구
④ ㉣: 1962년 생리 · 의학상을 수상한 왓슨 등의 연구
⑤ ㉤: 1945년 생리 · 의학상을 수상한 플레밍 등의 연구

1 **이 글을 바탕으로 노벨상에 대해 이해한 내용으로 적절하지 않은 것은 무엇인가요?**

① 노벨상의 모든 부문의 수여 원칙은 노벨이 직접 정한 내용을 기준으로 하고 있다.
② 엄격하고 공정한 수상자 선정 과정은 노벨상에 대한 신뢰도를 높이는 요소로 작용한다.
③ 과학 부문 노벨상 수상자가 남성 및 서구 국가에 편중되었다는 점에서 비판받을 수 있다.
④ 과학 부문별로 노벨상 수상자 수가 차이 나는 이유는 공동 수상자가 있을 수 있기 때문이다.
⑤ 수상자 선정 과정을 고려해 보면 아무리 위대한 업적을 이루더라도 그해에는 수상할 수 없다.

2 **㉮의 사례로 가장 적절한 것은 무엇인가요?**

① 2014년 생리·의학상을 수상한 존 오키프 등은 뇌가 길을 찾는 원리를 찾아 사람이 어떻게 길을 찾는지에 대한 과학적인 분석을 가능하게 했다.
② 2016년 화학상을 공동 수상한 장 피에르 소바주 등은 분자의 움직임을 제어하여 마치 기계처럼 작동하는 분자 기계를 만들어 화학을 새로운 차원으로 발전시켰다.
③ 2017년 물리학상을 수상한 라이너 바이스 등은 아인슈타인이 100년 전 예측했던 중력파를 최초로 관측하여 시공간에 대한 아인슈타인의 생각이 옳았음을 증명했다.
④ 2015년 화학상을 공동 수상한 토마스 린달 등은 자외선이나 독성 물질에 의해 DNA 염기서열이 절단되었을 때 이를 복구하는 효소를 발견하여 암 치료에 새로운 전기를 마련했다.
⑤ 2011년 생리·의학상을 수상한 쥘 호프만 등은 인체의 면역 체계를 활성화하는 면역 메커니즘을 처음으로 밝혀 미생물이 일으키는 감염병에 대한 치료제 연구에 큰 기여를 하였다.

3 이 글을 바탕으로 〈보기〉에 대해 보인 반응으로 가장 적절한 것은 무엇인가요?

보 기

미국 하버드 대학교의 유머 과학 잡지 『기발한 연구 연감』에서는 1991년 '이그노벨상(Ig Nobel Prize)'을 제정하여 현재까지 매년 수여하고 있다. 이 상의 수상자를 선정하는 기준 중에서 가장 중요한 것은 "사람들을 얼마나 웃길 수 있는가?"이다. 특히 과학 부문은 실제 논문으로 발표된 연구 성과들 중에서 선정하여 수여한다. 예를 들어 2018년 의학상은 롤러코스터를 타면 몸 안에 생기는 딱딱한 물질인 결석을 치료할 수 있다는 것을 실험적으로 증명한 의사들에게 수여되었다. 과학 부문만 놓고 본다면 이그노벨상은 사람들이 과학을 친숙하고 재미있게 접근할 수 있게 만들어 준다는 점에서 그 의의가 있다.

① 과학 부문의 경우, 이그노벨상과 달리 노벨상은 실제 수행한 과학 연구들 중에서 선정하여 수여되는군.
② 과학 부문의 이그노벨상은 과학 연구를 희화화함으로써 노벨상이 지닌 세계적인 권위에 대해 맞서고 있군.
③ 과학 부문의 노벨상은 인류의 과학적 진보를 이끄는 데 비해, 이그노벨상은 과학의 대중화에 기여하고 있군.
④ 과학 이외의 부문에서는, 노벨상과 이그노벨상은 모두 이상적인 세계를 만드는 데 큰 공헌을 한 사람에게 주겠군.
⑤ 과학 부문의 경우, 노벨상과 달리 이그노벨상은 연구자들이 선정한 연구 주제에 대한 실험적 증명이 뒷받침되는군.

4 다음 중 ⓐ, ⓑ의 **관계**와 같은 단어의 쌍은 무엇인가요?

① 목격(目擊) – 목도(目睹)
② 세수(洗手) – 세면(洗面)
③ 특별(特別) – 각별(各別)
④ 매수(買受) – 매도(賣渡)
⑤ 계약(契約) – 약정(約定)

두 단어가 서로 **반대되는 의미를 가지고 있는 관계**를 반의 관계라고 해!

생각읽기 5

2000여 년의 세월 저편에서

병마용갱의 발견

Q 농부들이 발견한 병마용갱의 정체는 무엇인가요?

1974년 어느 봄날, 중국 산시성 여산의 남쪽 기슭에서는 마을 농부들이 가뭄을 해소하기 위한 우물을 파기 시작했다. 이내 ㉠그들은 진흙으로 만들어진 단단한 조각상과 청동 화살촉 등을 발견했지만 대수롭지 않게 생각했다. 하지만 한 기술자가 이 유물들이 심상찮은 물건임을 직감했고, 이 사실을 문화재 관리국에 알렸다. 이에 현장에 온 고고학자들은 조심스럽게 발굴하기 시작했고, 얼마 지나지 않아 ㉡그들은 엄청난 유물들과 마주하게 되었다.

고고학자들은 지표면으로부터 4.5~6.5m의 아래에서 동굴(1호 갱)을 발견했고, 그 안에서 수천 개의 흙 인형들로 구성된 군대를 발견했다. 고대 중국에서는 왕의 무덤 주위에 이를 지키는 상징적인 군대로서 흙으로 만든 인형을 함께 묻었다. 이런 흙 인형을 '도용' 혹은 '토용'이라고 하며, 병사 인형은 병용, 말 인형은 마용, ㉢그들을 모두 뭉뚱그려서 '병마용'이라고 한다. 그리고 구덩이나 동굴을 한자로 '갱(坑)'이라고 하므로, 이 동굴을 '병마용갱'이라고 부른다. 병용들은 갑옷을 입은 것과 평상복을 입은 것으로 구분되어 있었다. 놀랍게도 ㉣그들의 얼굴 표정과 자세는 제각기 달랐으며, 발견 당시 다양한 색으로 채색되어 있었으나 햇빛에 노출되자 불과 몇 시간 만에 모두 색이 바래 버렸다고 한다. 1호 갱 주변에서 추가로 발견된 2호 갱에서는 마용, 기마병용, 전차용, 활을 든 궁용(弓俑) 등이 발견되었다. 3호 갱에서는 전차용과 장군용(將軍俑), 그리고 청동으로 된 수레도 발견되었다. 발견된 토용들과 수레는 고대 중국의 뛰어난 예술적 면모를 보여 주는 유물로 평가받는다.

그런데 이 갱들은 사실 진시황릉 그 자체가 아니라 진시황릉 주변에 위치한 무덤을 지키는 군대가 주둔한 동굴이다. 진시황릉은 병마용갱에서 1.5km 정도 떨어져 있으며, 폭 500m, 높이 70m로 된 거대한 규모의 봉분으로 되어 있지만, 언뜻 보면 평범한 야산처럼 보인다. 병마용갱이 발견되기 전까지 진시황릉은 역사적 기록으로만 존재했을 뿐, 어디에 있는지 아무도 몰라 그저 흥미로운 전설로만 취급받았다. 한나라에 대한 공식 역사서인 『한서』와 사마천이 쓴 역사서인 『사기』에 진시황릉에 대한 기록이 일부 남아 있다. 이 기록에 따르면 진시황은 중국을 통일한 직후부터 본격적으로 무덤 조성 사업을 시작했다고 전해진다. 특히 묘실은 사각형으로 된 바닥의 정중앙에 황제의 관이 있고, 그 주위로 진나라의 영토를 축소하여 형상화했는데, 수은으로 된 상이 흘러 바다로 이어져 있다고 기록되어 있다. 그리고 네 면의 벽 하단에는 각종 금은보화 등의 부장품을 두었고, 벽은 당시 궁궐의 모습 그대로 형상화하였으며, 각각의 벽은 모두 6개의 계단 형식으로 층층이 쌓여 있을 것으로 추정된다. 그리고 천장은 둥근 형태로 만들어, 천원지방 사상*이 반영되어 있다고 추정된다.

병마용갱의 내부 모습

그러나 중국 당국은 이미 발견된 것 이외의 병마용갱이나 진시황릉에 대한 발굴을 시작조차 하지 않았으며, 2016년에는 향후 50년 동안 발굴하지 않겠다고 공식적으로 선언했다. 병마용갱 발견 당시 총리 저우언라이는 "해낼 능력이 없다면 후손을 위해 남겨두는 편이 낫다."라는 말로 섣부른 발굴을 금지하였다. 시간이 흐른 지금도 ㉤그들은 여전히 발굴을 하지 않고 있다. 춘추 전국 시대의 기나긴 분열을 끝내고 본격적인 중국 역사의 막을 올렸던 진나라와 진시황제에 대한 중국인들의 애정은 각별하다. 그래서 우연한 계기로 발견된 병마용갱과 진시황의 무덤을 서둘러 발굴했을 법도 하다. 그러나 서두르지 않는 중국의 모습은 고고학적 · 역사적 발견을 했을 때 우리가 어떠한 태도로 역사적인 유산을 대해야 하는지에 대해 많은 시사점을 주고 있다.

* 천원지방(天圓地方) 사상 : 땅은 네모나고 하늘은 둥글다는 고대 중국의 우주관.

0 **이 글을 읽고, '진시황릉'에 대해 심화 학습을 하기 위해 떠올린 질문으로 가장 적절한 것은 무엇인가요?**

① 진시황릉은 어디에 있으며 언제부터 만들기 시작했을까?
② 진시황릉의 묘실 내부가 어떠한지 파악할 수 있는 자료는 무엇일까?
③ 중국의 문화재 당국은 왜 아직도 진시황릉을 발굴하지 않고 있을까?
④ 진시황릉이 사람들에게 흥미로운 전설로 취급받은 이유는 무엇일까?
⑤ 진시황릉 묘실에 강과 바다를 표현하기 위해 왜 굳이 수은을 사용했을까?

1 이 글을 통해 알 수 있는 내용으로 적절하지 않은 것은 무엇인가요?

① 병마용갱 유적에서 토용을 처음 발견한 것은 고고학자들이다.
② 병마용갱 1호 갱과 2호 갱에서 같은 종류의 토용들이 발견되었다.
③ 병마용갱의 발견은 진시황릉의 실제 위치를 알게 되는 결정적 계기가 되었다.
④ 진시황의 관이 있는 공간은 고대 중국인들의 우주관이 반영되어 설계되었을 것이다.
⑤ 저우언라이는 현재의 호기심 충족보다 미래 세대를 위한 유물의 보존을 더 중시하였다.

2 이 글과 〈보기〉의 사례를 비교하여 이해한 내용으로 적절하지 않은 것은 무엇인가요?

보 기

이집트의 리비아 사막의 남서부에는 바하리야 오아시스가 있다. 1996년 한 남자가 당나귀를 타고 오아시스 근처를 지나가다가 당나귀에서 떨어졌다. 그가 탄 당나귀가 모래 구멍에 발이 빠졌기 때문이었다. 그는 당나귀의 발이 빠졌던 구멍을 자세히 살펴보았다. 그런데 그 아래에는 바위벽이 서 있는 동굴 같은 공간이 보였다. 그는 이 사실을 이집트 문화재청에 알렸고, 곧 이집트 고고학자들이 도착하여 조사하기 시작했다. 그리고 고고학자들은 이곳이 이집트를 정복하고 정착했던 고대 그리스와 로마 사람들의 공동묘지였다는 것을 알아냈다. 이 바하리야 유적지에는 지하에 여러 개의 묘지들이 있었고, 그곳에서 수백여 구의 미라를 발견했다. 미라들 중 어떤 것은 천으로만 싸여 있는 것도 있었지만, 어떤 것은 금박을 입힌 관 안에 안치되어 있었을 뿐만 아니라, 다양한 색으로 채색된 미라 커버와 황금 가면을 갖추고 있는 것도 있었다. 또한 어떤 미라들 곁에는 개인 유품들과 보석으로 만들어진 귀걸이나 목걸이가 함께 놓여 있었다.

① 병마용갱과 마찬가지로 바하리야 유적지도 우연한 사건을 계기로 발견되었군.
② 병마용갱과 마찬가지로 바하리야 유적지에서도 값비싼 부장품이 함께 묻혀 있었군.
③ 병마용갱은 황제의 무덤을 지키기 위한 것인 데 비해, 바하리야 유적지는 무덤 그 자체이군.
④ 병마용갱과 달리, 바하리야 유적지는 이 지역의 당시 매장 풍습을 알려 주는 역사적 자료가 되겠군.
⑤ 바하리야 유적지의 미라들과는 달리, 병마용갱의 토용들은 모두 제작 당시 채색되어 있었겠군.

3 **㉠~㉤이 가리키는 내용으로 적절하지 않은 것은 무엇인가요?**

① ㉠: 마을 농부들
② ㉡: 고고학자들
③ ㉢: 토용들
④ ㉣: 병용들
⑤ ㉤: 중국 당국자들

글자가 같다고 의미도 같을까?

생각읽기 6

세상의 끝을 향해 나아가다

엔리케 왕자와 지리상 발견

Q 포르투갈이 인도로 가는 항로를 개척하려고 한 이유는 무엇인가요?

포르투갈의 수도 리스본에는 대항해 시대의 지리적 발견을 기념하는 '발견 기념비'가 세워져 있다. 이 기념비의 하단에는 최초로 세계 일주를 한 마젤란을 비롯한 많은 탐험가들이 조각되어 있다. 그중 가장 앞에 서 있는 사람은 항해 왕자로 불리는 엔리케 왕자이다. 1394년 태어난 엔리케 왕자는 21살 때 모로코의 도시 세우타를 점령하는 전쟁에 참전했다. 당시 세우타는 이슬람 세력이 지배하고 있었는데, 포르투갈은 세우타를 점령하여 금과 향신료를 구입하기 위한 새로운 항로를 개척할 발판을 마련하고자 했다. 당시 포르투갈은 이슬람 상인들과 이탈리아 상인들이 독점한 향신료와 금 등에 대한 중계 무역에서 철저하게 소외되어 있었다. 게다가 포르투갈은 기독교 원리주의에 입각하여 이슬람을 격퇴하고 기독교 문명을 전 세계에 전파하고자 하는 야심을 가지고 있었다. 이러한 이유로 포르투갈은 인도로 가기 위한 새로운 항로를 개척하고자 한 것이다.

전쟁을 시작한 지 1년 뒤 포르투갈은 세우타를 점령했고, 엔리케 왕자가 총독으로 3년 동안 머물렀다. 그때 그는 이슬람 상인들과 아프리카 상인들 사이에 이루어지던 후추와 생강 등 향신료 무역을 보면서 무역의 중요성을 깨달았고, 무역을 통해 자신의 나라를 부강하게 만들기로 결심했다. 엔리케 왕자는 귀국 후 유럽 각 지역에서 항해가, 천문학자, 선박 기술자, 지도 제작자를 초빙했다. 그리고 그들을 적극 후원하여 먼 바다까지 항해할 수 있는 새로운 배인 캐러벨선을 개발하고, 천문학을 활용한 항해용 기기들을 만들었을 뿐만 아니라, 당시까지 알려진 지리적 지식을 바탕으로 새로운 지도를 만들었다.

글의 순서는 어떻게 알 수 있을까

시간을 나타내는 표현에 주목하자!
글에도 흐름이 있으니까~

► 원리로 생각읽기 34쪽

1419년 그는 자르코와 테이세이라에게 미지의 바다로 나아가는 모험 항해를 지시하였고, 이 항해를 통해 모로코에서 서쪽으로 500km 떨어진 북대서양의 마데이라 제도를 발견하게 되었다. 당시 유럽에서는 산림이 황폐화되어 대형 선박 건조에 필요한 목재가 거의 없었다. 무인도였던 마데이라 제도에는 풍부한 산림 자원이 있었으므로, 이 섬을 대형 선박 건조에 필요한 목재 공급원으로 삼았다. 1427년에는 포르투갈에서 서쪽으로 탐험 선단을 파견했고, 약 1,000km 떨어진 아조레스 제도를 발견하게 되었다. 아조레스 제도는 이후 아메리카 대륙을 향하는 신항로 개척을 위한 장거리 항해를 할 때 선박의 보수, 선원들의 휴식, 식수 및 식량 보급을 위해 반드시 거치게 되는 중간 기지가 되었다.

1430년대 유럽인들은 마데이라 제도보다 훨씬 남쪽에 카나리아 제도가 있다는 것도 알고 있었고, 그보다 조금 남쪽 아프리카 대륙 서해안의 보자도르 곶이 있다는 것도 알고 있었다. 다만, 그들은 보자도르 곶보다 남쪽은 부글부글 끓는 바다가 펼쳐져 있는 세상의 끝이라고 믿고 있었다. 그런데 1434년 엔리케 왕자가 파견한 선단은 보자도르 곶을 통과하여 북위 23°선인 북회귀선마저 통과해 버렸다. 이 사건은 포르투갈뿐만 아니라 전 유럽인들의 먼 남쪽 바다에 대한 두려움과 미신을 없앴을 뿐만 아니라, 미지의 땅과 바다에 대한 호기심과 모험심을 자극하게 되었다.

이후, 엔리케 왕자는 계속해서 탐험 선단들을 보내 1443년에는 보자도르 곶 남쪽의 아르긴 만에 도달하였으며, 이곳에 포르투갈의 요새를 쌓게 하고 군대를 주둔시켰다. 이때부터 포르투갈인들은 막대한 양의 금을 약

탈해 왔고, 아프리카인들을 마구 잡아와 노예 무역을 했다. 엔리케 왕자는 이를 장려했으며 국가 발전의 원천으로 삼았다. 그 결과 포르투갈은 1450년대, 유럽에서 가장 부유한 국가가 되었다. 이후 1456년에는 세네갈 서쪽 600km 지점에서 카보베르데 제도를 발견하였고, 1460년에는 그때까지 발견한 곳들 중 가장 적도에 가까운 아프리카 해안 지역인 시에라리온을 발견하였다. 엔리케 왕자가 주도한 아프리카 서부 해안의 탐험은, 그가 죽고 난 이후에도 이어져 아프리카 최남단 희망봉의 발견과 인도 항로의 개척으로 이어졌다. 비록 엔리케 왕자는 자신이 직접 항해를 나서지는 않았지만, 당시 사람들에게 미지의 땅과 바다를 탐험하도록 지시하고 이를 적극적으로 지원함으로써 포르투갈이 대항해 시대를 여는 데 결정적인 역할을 했다.

0 **포르투갈이 다른 유럽 국가들보다 먼저 지리적 발견에 뛰어들게 된 배경으로 가장 적절한 것은 무엇인가요?**

① 후추와 생강 같은 향신료를 생산하여 유럽 국가들과 무역했기 때문에
② 자신들이 믿는 종교를 전파하고자 하는 야심을 가지고 있었기 때문에
③ 당시 이슬람과 이탈리아 상인들 사이의 중계 무역을 방해했기 때문에
④ 인도로 가는 항로를 처음으로 개척하여 인도와 직접 무역했기 때문에
⑤ 세우타를 점령하여 아프리카 상인에게서 금을 확보할 수 있었기 때문에

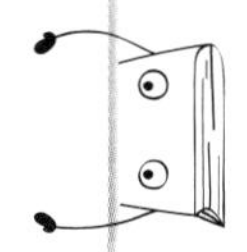

사건이 왜 발생했는지를 알려면 그 배경을 알아야 해!

1 **이 글을 바탕으로 엔리케 왕자를 평가한 내용으로 적절하지 않은 것은 무엇인가요?**

① 보자도르 곶 이남에 대한 탐험을 지원하여 당시 사람들의 세계관이 결정적으로 바뀌게 만들었군.

② 새로운 선박 개발, 항해용 기기 개발, 지도 제작을 지원하여 포르투갈의 아프리카 탐험의 기틀을 마련했군.

③ 미지의 바다에 대한 모험 항해를 지시하여 새로운 섬을 발견하게 함으로써, 장거리 항해의 중요한 거점을 확보하게 했어.

④ 모험 항해를 통해 자국에는 큰 이익이 생겼지만, 그것이 노예 무역 및 약탈에 의한 것이라는 점에서 비판받을 수 있겠어.

⑤ 발견 기념비의 맨 앞에 위치한 것은 다른 탐험가들보다 미지의 세계를 직접 항해하여 새롭게 발견한 지역이 가장 많았기 때문이군.

[2~3] 〈보기〉의 지도를 바탕으로 다음 두 물음에 답하세요.

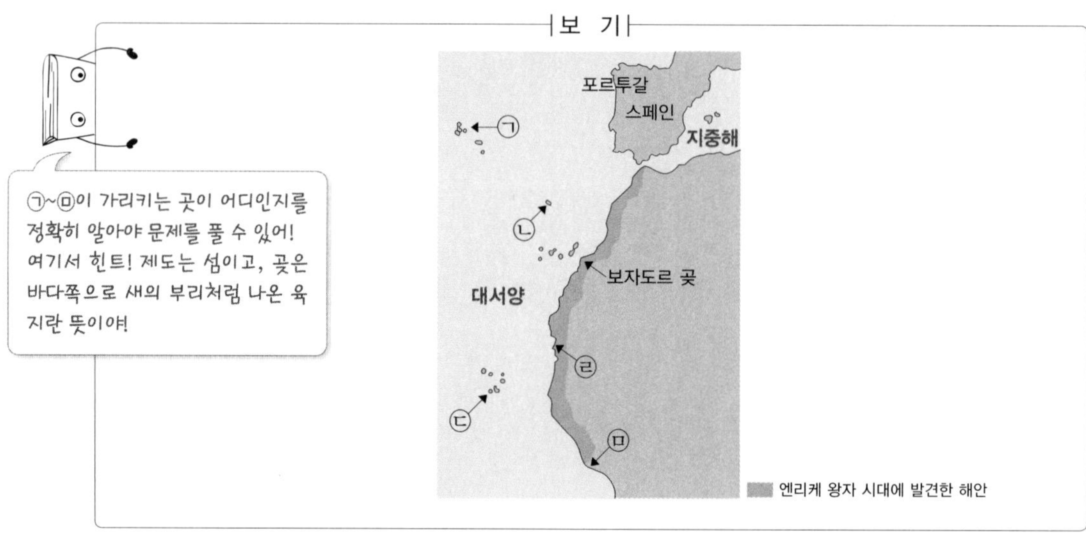

2 **㉠~㉤을 발견된 순서에 따라 바르게 나열한 것은 무엇인가요?**

① ㉠ – ㉡ – ㉢ – ㉣ – ㉤

② ㉠ – ㉡ – ㉣ – ㉢ – ㉤

③ ㉡ – ㉠ – ㉢ – ㉣ – ㉤

④ ㉡ – ㉠ – ㉣ – ㉢ – ㉤

⑤ ㉡ – ㉠ – ㉣ – ㉤ – ㉢

3 ㉠~㉤에 대해 추론한 내용으로 적절하지 않은 것은 무엇인가요?

① ㉠: 발견 이후 엔리케 왕자의 후원을 받은 탐험 선단들은 모두 이곳에서 중간 보급을 받았을 것이다.

② ㉡: 이곳에서 출발하여 포르투갈로 향하던 배에는 캐러벨선을 만들기 위한 나무가 가득 차 있었을 것이다.

③ ㉢: 이곳을 발견한 선단의 선원들은 남쪽 바다에 대한 두려움 대신 호기심과 모험심을 가졌을 것이다.

④ ㉣: 처음 발견 이후 이곳을 향해 출발한 포르투갈의 배에는 군인들이 많이 타고 있었을 것이다.

⑤ ㉤: 엔리케 왕자가 살아 있었을 때까지의 사람들은 이곳을 세상의 가장 남쪽 지역이라고 여겼을 것이다.

원리로 생각읽기 1

글의 순서는 어떻게 알 수 있을까

전개 과정을 알면 글의 흐름이 보인다

다음은 우리가 잘 아는 귀여운 빨간 모자 이야기를 그림으로 나타낸 것입니다. 이야기가 연결되도록 그림의 순서를 배열해 볼까요?

글은 여러 개의 단락으로 이루어져 있는데, 이 단락들은 매우 다양하면서도 긴밀한 관계를 맺으며 글 전체의 주제를 뒷받침합니다. 따라서 내용 전개 과정을 유기적으로 파악하면서 그 흐름이 어떻게 글 전체의 주제로 모아지고 있는지를 살펴보기 위해서는 우선 단락 간의 관계, 즉 글의 내용 전개 과정부터 정확하게 이해해야 합니다. 글의 내용 전개는 크게 시간의 흐름을 고려하는 방식과 시간의 흐름을 고려하지 않는 방식으로 나눌 수 있습니다.

그렇다면 글의 내용 전개 과정은 어떻게 알 수 있을까요? '초기, 중기, 후기', '15세기, 16세기, 17세기', '중세, 근대, 현대', '과거에는, 그 이후, 최근에는' 등과 같이 **시대나 시간의 흐름을 보여 주는 표현**이 나온다면, 그 글은 **대상이 어떻게 변화·발전하는지를 나타내기 위해 쓴 글**임을 알 수 있습니다.

30쪽 지문

1394년 태어난 엔리케 왕자는

1419년 그는 자르코와 테이셔

항해를 통해 모로코에서 서쪽으로

1394년 → 1419년 → 1427년으로 변화하고 있지?
이렇게 시간의 흐름을 나타내는 방식이 통시적 전개다!

1427년에는 포르투갈에서 서쪽으로 탐험 선단을 파견했고, 약 1000㎞ 떨어진 아조레스 제도를 발견하게 되었다.

정답: 2 – 5 – 1 – 6 – 3 – 4

독해연습 1 **아래 문장을 읽고, 물음에 답하세요.**

(가) 조선 초기에는 새 왕조를 연 왕실 주도로 다시 대형 종이 주조된다.
(나) 고려 시대에는 이러한 신라 종의 조형 양식이 미약한 변화 속에서 계승된다.
(다) 주조 공법이 발달했던 신라의 범종에는 섬세한 문양들이 장식되어 있어 중국 종이나 일본 종과 차이를 보인다.
(라) 고려 후기로 가면 전기 양식의 견대가 연꽃을 세운 모양으로 변하고, 원나라의 침입 이후 전래된 라마교의 영향으로 범자 문양 등의 장식이 나타난다.

1 (가)~(라)에서 시대나 시간의 흐름을 보여 주는 표현을 모두 찾아 써 보세요.

2 시간적 흐름에 유의하며 (가)~(라)의 순서를 다시 배열해 보세요.

독해연습 2 **아래 문단을 읽고, 물음에 답하세요.**

종이가 개발되기 전, 인류는 동물의 뼈나 양피지 등에 필요한 정보를 기록해 왔다. 하지만 담긴 정보량에 비해 부피가 방대하였고 그로 인해 보존과 가독에 어려움을 겪었다. 그런데 종이의 개발로 부피가 줄어들면서 종이로 된 책이 주된 기록 매체가 되었고 책의 보존성과 가독성, 휴대성 등을 더욱 높이기 위한 제책 기술의 발달이 요구되었다. 18세기 말에 유럽은 산업혁명으로 인쇄가 기계화되면서 대량 생산을 위한 기반이 갖추어지고, 경제의 발전으로 일부 계층에만 국한됐던 독서 인구가 확대되어 제책 기술도 대량생산이 가능한 방식으로 발전해야 했다. 그리고 20세기 중반에 접어들면서 화학 접착제가 개발되며 무선철이라는 제책 기술이 등장했다.

1 위 글에서 시대나 시간의 흐름을 보여 주는 표현을 모두 찾아 써 보세요.

2 위 글에서 시간의 흐름에 따라 변화하는 대상은 무엇인가요?

Q 다음은 생각을 읽을 수 있는 지문 구조도를 퍼즐로 나타낸 것입니다. 앞에서 읽은 글의 내용을 떠올리며 생각읽기 1~6에 해당하는 퍼즐을 선으로 연결해 보세요.

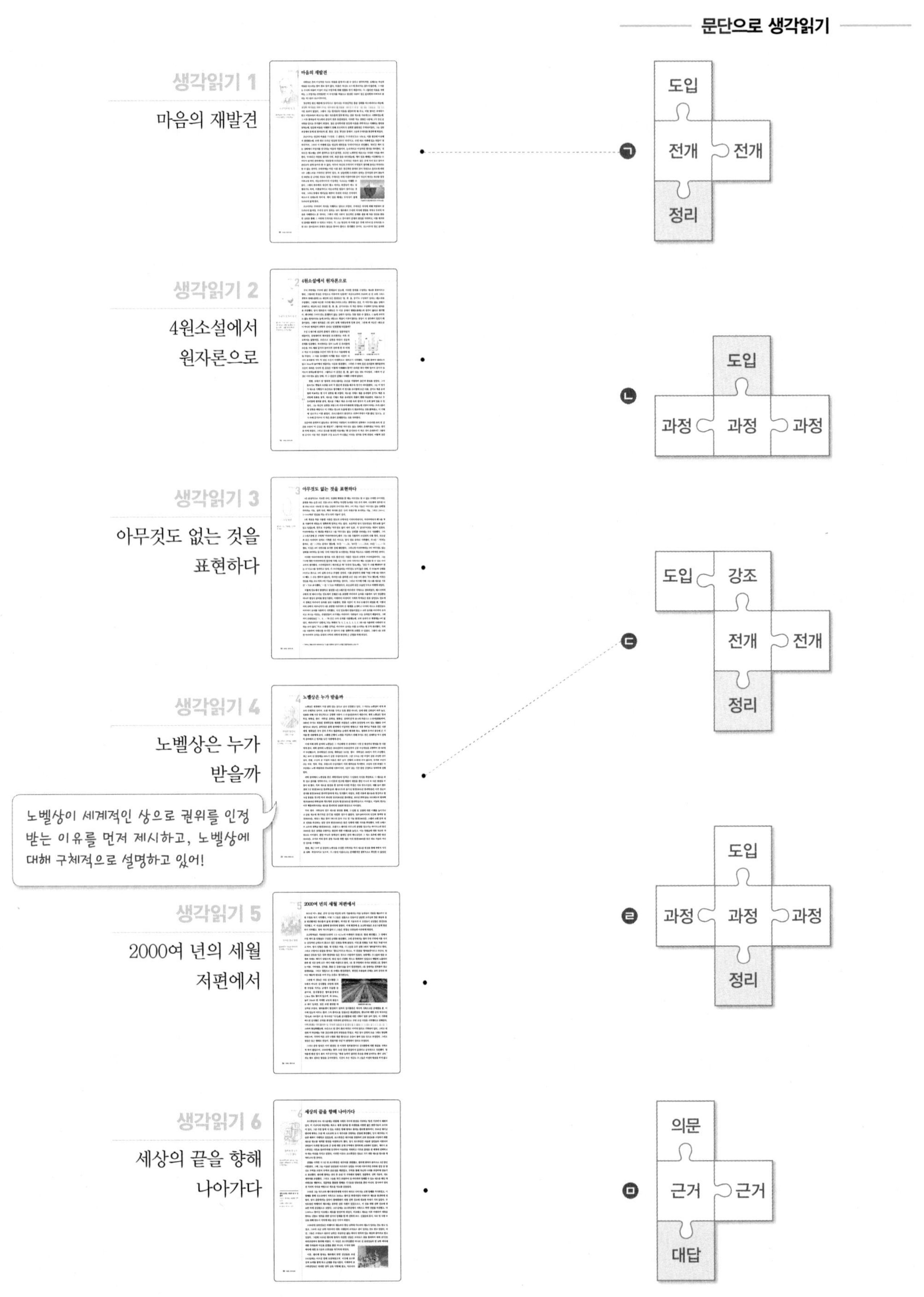

한 문장으로 생각읽기

1 프로이트의 정신 분석학은 인간의 마음을 의식, 전의식, [ ][ ][ ]으로 나누고 이를 빙산에 비유하여 분석하였다.

2 고대 그리스 시대부터 중세까지의 물질론이었던 '4원소설'은 근대 과학자들의 새로운 발견을 통해 폐기되고, '[ ][ ][ ]'이 과학적 진리로 받아들여지게 되었다.

3 숫자 0은 '아무것도 없는 상태'를 의미하는 기능, '수의 [ ][ ][ ]'를 표시하는 기능, '연산을 하는 수'로서의 기능이 있다.

4 [ ][ ][ ]은 지적인 업적에 수여되는 상들 가운데 세계에서 가장 권위 있는 상으로, 인류를 위해 가장 헌신적으로 공헌한 사람에게 수여된다.

5 병마용갱에서 발견된 [ ][ ]은 진시황릉을 지키는 상징적인 군대로서 흙으로 만든 인형인데, 고대 중국의 뛰어난 예술적 면모를 보여 주는 유물로 평가된다.

6 [ ][ ][ ] 왕자는 15세기 유럽에서 포르투갈이 가장 먼저 인도로 가는 항로를 개척할 수 있도록 기틀을 마련한 인물로 평가된다.

한 단어로 생각읽기

인간은 왜 발견에 주목할까?

"사소한 발견 하나가 세상을 바꿀 수 있다"

0의 발견, 진공과 산소의 발견 등 세상에는 작은 발견이나 발명 하나가 인류 전체를 변화시키는 예가 많습니다. 우리 생활에 꼭 필요한 것들을 맨 처음 발견한 사람은 누구일까요? 이들은 어떻게 이런 위대한 발견을 하게 된 걸까요? 세상을 뒤바꿀 위대한 발견을 한 사람들.

역사적으로 위대한 발견과 발명 중 많은 경우는 우연한 계기에서 출발했다는 사실을 알고 있나요? 고대 그리스의 철학자이자 수학자인 피타고라스는 방에 타일을 깔면서 직각삼각형의 원리를 발견했고, 고대 그리스의 과학자 아르키메데스도 우연히 개미들을 관찰하다가 지렛대의 원리를 발견했다고 합니다.

거창해 보이지만 위대한 발견도 그 시작은 어쩌면 별것 아닌 것에서 출발해 '위대한' 발견으로 명명되었을지도 모릅니다.

어떤 위대한 발견도
용감한 추측 없이는 발견될 수 없다
– 아이작 뉴턴

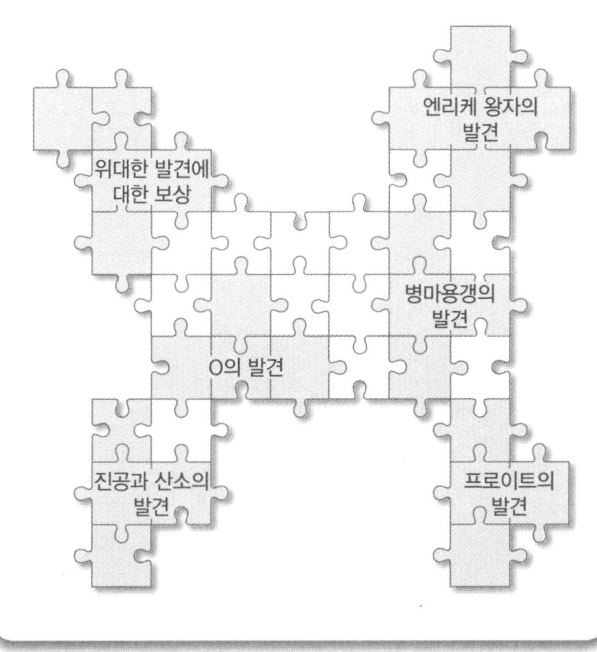

생각의 발견

02 빛

빛을 말하다!

밝고 환한 '빛'은 말 그대로 우리 삶을 빛나게 만듭니다. 햇빛은 낮을, 달빛과 별빛은 밤을 밝힙니다. 빛은 삶을 환하게 해 줄 뿐 아니라 새로운 화풍을 만들어 내고, 건축 양식과 만나 아름다운 성당을 만들기도 합니다. 하지만 인간이 만들어 낸 지나치게 많은 빛들은 인간과 동물들을 병들게 하고 생태계를 교란시키기도 해요. 여기서는 빛의 정체에 대해 생각해 보고, 빛이 우리에게 주는 밝고 어두운 모든 부분에 대해 고민해 볼까요?

생각읽기 1

별빛의 강, 은하수

황홀한 빛의 무리

Q 갈릴레이의 발견을 통해 알게 된 은하수의 실체는 무엇인가요?

(가) 이탈리아의 천문학자 갈릴레오 갈릴레이는 인류 최초로 자신이 만든 망원경으로 밤하늘을 보았다. 울퉁불퉁한 달의 표면, 목성 주변을 맴도는 작은 천체들. 그저 눈으로 밤하늘을 봤던 이전 시대에는 볼 수 없었던 밤하늘의 새로운 모습을 보게 되었다. 특히 그는 망원경을 통해 은하수를 보고 큰 충격을 받았고, 1610년 출간한 책에서 이때의 흥분과 황홀감을 상세히 기록했다. 갈릴레이 이전에 인류에게 은하수는 그저 밤하늘에 그려진 거대한 무늬에 불과했다. 여신이 우유를 흘리고 지나간 자리 같다고 해서 '우윳길(Milky Way)'이라고 불렸던 은하수는 실은 작게 빛나는 별들이 이어져 만들어 낸 황홀한 별빛의 강이었다. 갈릴레이의 발견을 통해, 인류는 이 우주는 여러 천체들이 새겨져 있는 거대한 돔*이 더 이상 아니며, 우주가 제각기 다른 거리에 놓인 별들로 가득한 무한의 공간이라는 것을 느끼기 시작했다.

(나) 갈릴레이의 발견 이후 은하수의 실체를 알게 된 천문학자들은 더 정확한 우주의 지도, 우리 은하계*의 지도를 그리고 싶어 했다. 은하계의 지도를 그리는 가장 간단한 방법은 우리 은하계가 한눈에 보이는 높은 곳에 올라 은하계를 조망*하는 것이다. 하지만 은하계는 너무 거대하기 때문에, 현재까지의 기술로는 은하계를 한눈에 바라볼 만큼 먼 거리까지 탐사선을 보내 사진을 찍을 수 없다. 멀리 떠 있는 달의 표면은 한눈에 보이지만, 정작 내가 살고 있는 마을은 한눈에 들어오지 않는 것처럼, 은하라는 거대한 숲에 갇힌 우리는 그 시야를 가로막고 있는 나무들로 이어진 '은하수'의 행렬만 볼 수 있을 뿐, 이 거대한 숲을 한눈에 볼 수 있는 방법은 없다.

(다) 그런데 관점을 달리하면 우리가 살고 있는 은하계의 지도를 간접적으로 그릴 방법을 떠올릴 수는 있다. 지구 주변에서 빛나는 별들 하나하나까지의 거리를 측정해 입체적으로 지도를 그리는 것이다. 이때 더 멀리 떨어져 있는 별일수록 원래 밝기보다 더 어둡게 보일 것이다. 그리하여 '별 세기'라고 불리는 이 작업이 18세기 말 천문학자들 사이에서 유행하였다. 1785년 천문학자 윌리엄 허셜은 우리 주변에서 빛나는 모든 별의 실제 밝기가 같다는 가정하에 관측되는 별들의 겉보기 밝기들을 비교하여 최초로 우리 은하계 지도책인 『천상 세계의 설계도』를 펴냈다. 이 책에서 그는 그동안 관습적으로 사용하던 '은하'를 '아주 길게 늘어지고, 이어진 수백만 개의 별들의 집합'이라고 천문학적으로 정의했다.

(라) 이후 천문학자들은 단순히 별의 위치를 파악하는 것뿐 아니라, 별이 현재 어떻게 움직이고 있는지 운동 상태에 대한 연구를 추가로 진행했다. 태양을 비롯한 은하계의 모든 별은 자기 자리에 가만히 떠 있는 것이 아니라, 은하계 가운데 거대한 질량 중심을 기준으로 함께 둥글게 맴돈다. 태양을 기준으로 은하계의 별들이 어떻게 움직이는지 그 상대적인 움직임을 알면, 태양계 밖의 별들이 각 은하계를 중심으로 어떻게 움직이는지도 유추할 수 있을 것이다.

* 돔: 공처럼 둥근 것을 절반으로 나눈 모양으로 되어 있는 지붕.
* 은하계: 은하를 이루고 있는 항성을 비롯한 수많은 천체의 집단. 태양계는 은하계의 한 부분이다.
* 조망: 먼 곳을 바라봄. 또는 그런 경치.

0 다음은 이 글의 '갈릴레이'와 나눈 가상 인터뷰 내용입니다. 이 글의 **화제**를 고려할 때, (   )에 각각 들어갈 말을 순서대로 나열한 것은 무엇인가요?

> 기자: 망원경으로 밤하늘을 관찰하셨다고 들었습니다. 무엇을 보셨고, 그때 기분은 어땠는지 말씀해 주세요.
>
> 갈릴레이: 작은 렌즈를 통해 들어온 밤하늘의 아름다운 풍경에 압도당했습니다. 모든 것이 감동이었지만 가장 놀라웠던 것은 (   )입니다. 그저 밤하늘에 그려진 커다란 무늬인 줄 알았는데 망원경을 통해 바라보니 작은 (   )들이 가득한 황홀한 풍경이더군요.

① 달, 우주
② 별, 목성
③ 달, 은하수
④ 은하수, 별
⑤ 은하수, 목성

글 또는 이야기의 재료를 화제라고 해. 주로 글에서 다루고 있는 주요 대상이나 관념을 말해. 보통 글의 첫 부분에 화제가 나와!

1 (가)를 읽고 알 수 있는 내용으로 적절한 것은 무엇인가요?

① 목성 주변을 맴도는 천체의 종류
② 갈릴레이가 발견한 은하수의 기원
③ 은하수가 우윳길이라고 불렸던 이유
④ 갈릴레이가 최초로 발명한 망원경의 구조
⑤ 사람들이 무한의 공간을 인정할 수 없었던 까닭

2 (나)에서 언급한 내용을 〈보기〉에서 모두 골라 바르게 짝지은 것은 무엇인가요?

보 기

ⓐ 천문학자들이 은하계의 지도를 그리고 싶어 한 계기
ⓑ 우리 은하계를 한눈에 볼 수 있는 구체적인 장소
ⓒ 은하계의 지도를 실제로 그리기 어려운 이유
ⓓ 은하계를 탐사, 관찰할 수 있는 기술이 발달된 배경

① ⓐ, ⓑ
② ⓐ, ⓒ
③ ⓑ, ⓒ
④ ⓑ, ⓓ
⑤ ⓒ, ⓓ

3 (다)를 토대로 '별'을 이해한 내용으로 적절하지 않은 것은 무엇인가요?

① 모든 별의 실제 밝기가 같은 것은 아니다.
② 별의 밝기는 지구와의 거리와 관계가 있다.
③ 수백만 개의 별들이 모여 있는 것이 '은하'이다.
④ 윌리엄 허셜은 별들의 겉보기 밝기를 비교하였다.
⑤ 인간이 은하계의 지도를 그리는 것은 사실상 불가능하다.

4 (라)의 뒤에 이어질 내용으로 가장 적절한 것은 무엇인가요?

① 태양과 가장 가까운 별의 정체
② 은하계 안에서의 별들의 움직임
③ 은하계에서 가장 중요한 태양의 역할
④ 천문학자들이 은하수에 관심을 갖는 이유
⑤ 은하수 연구를 위해 천문학이 나아갈 방향

뒤에 이어질 내용을 묻는다면? 앞서 언급한 내용과 특히 (라)의 내용을 꼼꼼하고 샅샅이 살필 것!!

생각읽기 2

빛의 두 얼굴

빛 공해

Q '빛 공해'는 생태계에 어떤 문제를 일으킬까요?

우리가 물체를 볼 수 있는 이유는 빛이 반사하는 성질을 갖고 있기 때문이다. 태양에서 나온 빛은 직진하다가 물체에 부딪혀 사방으로 반사된다. 이 반사된 빛들 중 일부가 우리 눈에 들어와서 우리가 물체를 인식할 수 있는 것이다. 그러나 밤에는 빛을 비춰 주는 태양이 없다. 달이 어둠 속에서 환하게 빛을 내고 있지만 달도 다른 물체와 마찬가지로 태양 빛에 반사되어 보이는 것일 뿐이다. 오히려 밤에 햇빛의 역할을 하는 것은 인공조명이다. 전등이나 스탠드, 가로등의 빛을 이용해 사람들은 밤에도 낮과 같이 활동하고 사물을 볼 수 있는 것이다.

하지만 인공조명의 고마움도 잠시. 최근에는 지나치게 많은 인공조명으로 인해 멋진 야경이 '빛 공해'로 ㉠전락했다. 수많은 가로등과 번쩍거리는 화려한 간판, 24시간 재생되는 전광판의 광고 영상들이 도시를 낮보다 더 밝게 비추고 있어 수면 장애를 겪는 사람들이 많아졌고, 밤과 낮을 구분하지 못해 정상적인 성장을 하지 못하는 식물들도 늘어나고 있다. 또한 야행성 동물은 먹이 사냥이나 짝짓기를 제대로 하지 못해 생태계가 ㉡교란되는 일이 벌어지고 있다고 한다.

인간의 생체 리듬은 빛을 쐬는 주기와 연관이 있다. 지구가 태양을 중심으로 자전과 공전을 하면서 자연광은 일주기와 월주기, 계절적인 변화가 생기는데, 이러한 변화들이 인간에게 생체 리듬을 갖게 한다. 즉 빛이 우리 몸의 신체적, 심리적인 변화에 중요한 자극제로서의 역할을 하는 것이다. 하지만 정상적이지 못한 빛 공해에 장기간 노출되면 뇌기능 ㉢저하는 물론 다양한 질병이 ㉣유발될 수 있다.

글쓴이는 왜 마지막 문단에 힘을 줄까

글쓴이에겐 화룡점정의 순간이 곧, 마지막 문단이니깐!

► 원리로 생각읽기 48쪽

빛 공해가 인체에 유해한 영향을 끼친다는 것이 다양한 연구와 사례를 통해 명확해지고, 빛 공해가 층간 소음만큼이나 사람들 간에 갈등을 불러오자 우리나라에서는 2013년 1월부터 '인공조명에 의한 빛 공해 방지법'을 시행하고 있다. 법 조항에 따르면 빛 공해는 인공조명의 부적절한 사용으로 인한 과도한 빛 또는 비추고자 하는 조명 영역 밖으로 ㉤누출되는 빛이 국민의 건강하고 쾌적한 생활을 방해하거나 환경에 피해를 주는 상태를 가리킨다. 빛 공해 방지법은 광역 자치 단체별로 빛 공해 방지 계획을 수립하고 시·도지사는 빛 공해가 발생하거나 발생할 우려가 있는 지역을 정도에 따라 1~4종 조명 환경 관리 구역으로 지정해 관리하도록 하고 있다. 또한 법을 어길 경우 과태료를 부과하여 많은 이들이 건강하고 쾌적하게 생활할 수 있도록 하고 있다. 우리의 삶에 꼭 필요한 빛, 그 소중한 빛에 대해 "빛 없이 살 수 없다."가 "빛 때문에 못 살겠다."로 바뀌지 않도록 우리 모두의 노력이 더욱 요구되고 있다.

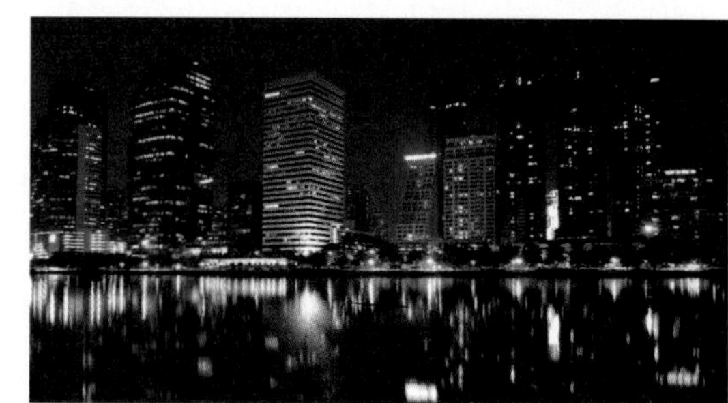

0 **다음은 이 글의 제목을 정하는 과정에서 글쓴이가 한 생각입니다. (   )에 각각 들어갈 말을 쓰세요.**

> 빛이 없는 세상은 상상도 할 수 없어. 하지만 지나치게 많은 빛에 둘러싸여 밤을 빼앗긴 채 살아가는 우리의 삶은 과연 건강한 걸까?
>
> 곰곰이 생각해 보면 빛이라는 것은 (   )적인 면도 있지만 (   )적인 면도 있어. 그러므로 이러한 빛의 두 가지 측면을 다 보여 주려면 제목으로 '빛의 두 얼굴'이라는 표현이 좋겠어.

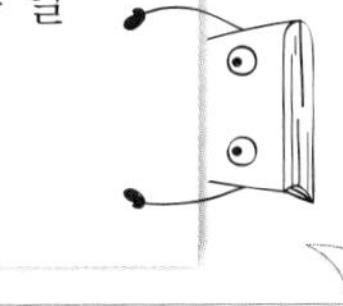

주장하는 글의 경우 제목을 통해서도 화제에 관한 글쓴이의 생각이나 태도를 드러낼 수 있어.

책에도 이름이 있구나!
너는 이름이 뭐야?
나? 내 이름은....

우리 모두 이름이 있는 것처럼 글에도 **글의 내용을 압축하는 이름**이 있어. 그게 바로 **제목**이야!

1 이 글의 내용과 일치하지 않는 것은 무엇인가요?

① 인간이 무언가를 볼 수 있는 것은 '빛' 덕분이다.
② 달은 밤에 빛나지만 스스로 빛을 내는 것은 아니다.
③ 밤에는 인공조명을 이용해 사물을 선명하게 볼 수 있다.
④ 빛을 쐬는 수기와 인간의 생체 리듬은 밀접한 관련이 있다.
⑤ 수면 장애를 겪는 사람들이 늘어나면서 인공조명의 필요성이 커졌다.

2 빛 공해 에 대한 설명으로 적절하지 않은 것은 무엇인가요?

① 인간의 정신적, 육체적 건강을 해치기도 한다.
② 식물의 건강하고 정상적인 성장을 방해하기도 한다.
③ 밤을 밝히는 인공조명은 빛 공해를 유발하는 원인이 된다.
④ 빛 공해의 유해성에 관해 정부와 민간 사이에 생각의 차이가 존재한다.
⑤ 빛 공해를 방지하기 위해 마련된 법 조항을 어기면 과태료를 내야 한다.

3 〈보기〉와 이 글의 공통점으로 가장 적절한 것은 무엇인가요?

보 기

밤 시간의 인공 빛 때문에 방향을 잃고 건물과 같은 인공 구조물과 충돌해 사망하는 새들이 늘고 있다고 한다. 또한 계절에 따라 다른 곳으로 이동해야 하는 철새들이 환한 조명 때문에 포식자의 눈에 잘 띄어서 잡아먹히는 비율 또한 증가하고 있다고 하니 이쯤 되면 누구를 위한 빛인지 고민해 볼 필요가 있다.

① 빛의 부정적인 측면만을 언급하고 있다.
② 인공조명의 중요성에 대해 공감하고 있다.
③ 빛 공해에 대해 부정적인 입장을 취하고 있다.
④ 인공 구조물의 증가에 관해 회의적인 입장을 갖고 있다.
⑤ 인간 위주의 사고방식이 얼마나 위험한지 경고하고 있다.

4 ㉠~㉤의 사전적 의미로 적절하지 않은 것은 무엇인가요?

① ㉠: 나쁜 상태나 타락한 상태에 빠짐.
② ㉡: 사람이나 사물을 다른 사람이나 사물로 대신함.
③ ㉢: 정도, 수준, 능률 따위가 떨어져 낮아짐.
④ ㉣: 어떤 것이 다른 일을 일어나게 함.
⑤ ㉤: 액체나 기체 따위가 밖으로 새어 나옴. 또는 그렇게 함.

단어의 사전적 의미를 묻는 문제를 풀 때에는 해당 단어 대신 뜻풀이를 넣어서 적절성을 판단해 볼 것!

원리로 생각읽기 **2**

글쓴이는 왜 마지막 문단에 힘을 줄까

가장 중요한 부분은 마지막에 완성된다

장승요가 마지막에 용의 눈동자를 그리지 않은 이유는 무엇 때문이었을까요?

남북조시대, 양(梁)나라에 그림 솜씨가 뛰어나 온갖 것을 살아 있는 듯 그리는 '장승요'라는 사람이 있었다. 하루는 그가 안락사란 절에서 벽에 용 네 마리를 그려 달라고 부탁받았다. 주지 스님의 간곡한 요청에 하는 수 없이 붓을 든 장승요는 그림을 완성하고도 용의 눈동자만은 그리지 않았다. 사람들이 모두 고개를 갸웃거리며 까닭을 물었다.

"훌륭한데 눈동자가 없어서 아쉽군. 왜 눈동자를 그리지 않소?"

"눈동자를 그리면 벽의 용이 하늘로 날아가 버린다오."

사람들은 그 말을 믿지 않고 오히려 코웃음을 쳤다.

"그런 얼토당토 않는 말이 어디 있소? 눈동자를 그리는 데 자신이 없는 거 아니오? 한번 그려 넣어 보시구려. 정말 용이 날아가는지 두고 봅시다."

사람들이 조르는 통에 어쩔 수 없이 붓을 잡게 된 장승요는 한 마리의 용에만 눈동자를 그렸다. 그 순간, 거짓말 같게도 갑자기 천둥소리가 울리고 번개가 치더니 벽이 깨지면서 그림 속 용 한 마리가 구름을 타고 하늘로 올라가 버렸다. 사람들이 놀란 마음을 진정하고 벽을 살펴보니, 눈동자를 그리지 않은 용만 그대로 벽에 남아 있었다.

'화룡점정(畵龍點睛)'은 "용을 그리고 눈동자를 넣는다"라는 뜻으로, 무슨 일을 할 때 가장 중요한 부분을 완성하거나 최고의 순간, 마무리 포인트 등을 빗대어 표현할 때 쓰는 사자성어이기도 합니다. 일상에서도 우리가 자주 쓰는 표현이지만 한 편의 글에서도 화룡점정의 순간이 나타나는 때가 있습니다.

일반적으로 한 편의 글은 '처음 – 중간 – 끝'의 3단 구성으로 이루어집니다. 대개 처음 부분에서는 글을 쓴 목적이나 글에서 다루게 될 중심 화제를 제시한다면, 중간 부분에서 중심 화제에 대해 자세히 풀어서 설명하거나 주장을 펼칩니다. 그리고 마지막 부분에서는 앞에서 다룬 내용을 요약하여 정리하거나 글쓴이가 말하고자 하는 바를 다시 한 번 강조하여 마무리합니다. 결국 글 전체 구성 중 **글쓴이가 궁극적으로 하고자 하는 말이 담겨 있는 부분, 즉 화룡점정의 순간**이 바로 **글의 끝 문단**인거죠. 글쓴이가 하고 싶은 말, 글에서 가장 중요한 부분을 알고 싶다면 글의 마지막 문단에 주목하세요. 글쓴이가 가장 하고 싶은 말은 마지막에 완성되니까요.

44쪽 지문

빛 공해 방지법은 광역 자치 … 지사는 빛 공해가 발생하거나 발생할 우려가 있는 … 역으로 지정해 관리하도록 하고 있다. 또한 법을 … 건강하고 쾌적하게 생활할 수 있도록 하고 있다. 우리의 삶에 꼭 필요한 빛, 그 소중한 빛에 대해 "빛 없이 살수 없다."가 "빛 때문에 못 살겠다."로 바뀌지 않도록 우리 모두의 노력이 더욱 요구되고 있다.

글의 마지막 문단에 주목하면
글의 목적과 글쓴이의 의도를 알 수 있다!

0 글쓴이가 이 글을 쓰기 전 머릿속에 〈보기〉와 같은 공식을 세웠다고 할 때, (   )에 들어갈 말을 순서대로 바르게 나열한 것은 무엇인가요?

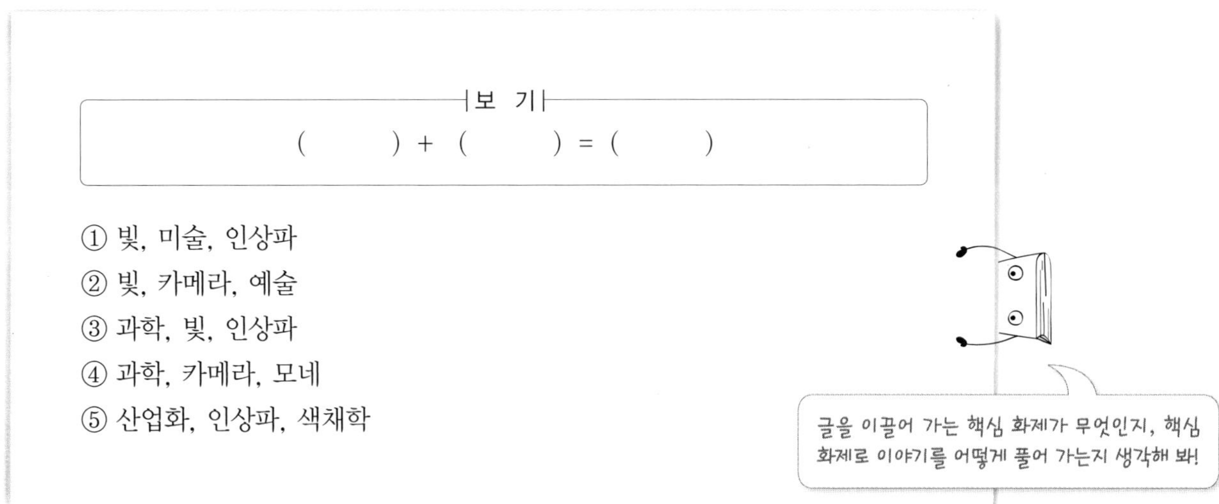

| 보 기 |

(   ) + (   ) = (   )

① 빛, 미술, 인상파
② 빛, 카메라, 예술
③ 과학, 빛, 인상파
④ 과학, 카메라, 모네
⑤ 산업화, 인상파, 색채학

글을 이끌어 가는 핵심 화제가 무엇인지, 핵심 화제로 이야기를 어떻게 풀어 가는지 생각해 봐!

1 **이 글의 내용을 바탕으로 할 때, ㉠에 영향을 끼친 요소를 〈보기〉에서 모두 골라 바르게 묶은 것은 무엇인가요?**

보 기	
ⓐ 과학의 발달	ⓑ 정치적인 동요
ⓒ 사진기의 발명	ⓓ 색채학의 발달
ⓔ 주제의 전통화	

① ⓐ, ⓑ, ⓒ
② ⓐ, ⓒ, ⓓ
③ ⓑ, ⓒ, ⓓ
④ ⓑ, ⓒ, ⓔ
⑤ ⓒ, ⓓ, ⓔ

햇빛, 물, 바람 …
식물이 자랄 때 영향을 주는 요소에는 또 무엇이 있지?

2 **㉡에 대한 설명으로 적절하지 않은 것은 무엇인가요?**

① 자연의 색은 고정되어 있지 않다고 생각했다.
② 빛의 각도나 방향에 따라 모든 것은 다르게 보인다고 여겼다.
③ 자연을 자연답게 표현하려면 빛의 미묘한 변화를 포착해야 한다고 생각했다.
④ 전통적인 그림이 어두운 것은 자연을 진실되게 표현하지 못했기 때문이라고 생각했다.
⑤ 빛을 활용하면 색깔에 대한 사람들의 혼란을 줄이고 색의 모호함을 해소할 수 있다고 생각했다.

3 인상파를 설명하는 문구를 만들려고 할 때 적절하지 않은 것은 무엇인가요?

① 나뭇잎의 여러 색을 발견한 인상파
② 사물의 고유한 색에 집중한 인상파
③ 조롱을 찬사로 바꾼 인상적인 인상파
④ 전통적인 회화 기법을 거부한 인상파
⑤ 빛의 작은 변화에도 관심을 가진 인상파

4 이 글을 바탕으로 할 때, '인상파'의 작품에 해당하지 않는 것은 무엇인가요?

①

②

③

④

⑤

선택지에 그림이나 이미지가 나오면, 제시된 그림들 간의 공통점과 차이점을 찾아볼 것!

생각읽기 4

스테인드글라스와 중세 성당

빛으로 만든 아름다움

Q 건축 양식상 스테인드글라스는 왜 고딕 시대에 전성기를 맞이했을까?

스테인드글라스란 색유리를 이어 붙이거나 유리에 색을 칠하여 무늬나 그림을 나타낸 장식용 판유리를 가리킨다. 스테인드글라스는 공간의 밝기, 시간에 따른 빛의 세기 및 방향, 색유리의 면적과 두께에 따라 투영되는 빛의 모양 등 여러 요인에 따라 그 색채가 매우 다양하다. 오래된 성당 안에서 만날 수 있는 스테인드글라스의 신비한 아름다움은 보는 사람을 숙연하게 만든다. 그렇다면 스테인드글라스는 언제 어떻게 시작된 것일까?

초기 그리스도교 교회의 벽면을 장식했던 기법으로 테세라 가 있다. 이는 석회석 반죽을 착색시켜 사용하거나 색깔 있는 작은 돌, 대리석 조각으로 모자이크*를 만들어 벽면을 장식하는 것을 말하는데, 여기에 색유리 조각을 유리 모자이크 형태로 벽면에 부착하면 광채를 내는 보석처럼 보였다. 이러한 테세라 기법이 스테인드글라스의 기원이라고 볼 수 있다. 이러한 장식법은 비잔틴*, 로마네스크* 시대를 거치면서 건축 양식의 변천과 밀접한 관계를 갖고 차차 창문에 응용되었고, 고딕 시대에 이르러 전성기를 맞이하였다. 고딕 시대에는 이전 로마네스크 시대에 비해 건축 양식이 화려해졌다. 고딕 시대 건축 양식은 대체로 공간이 높고, 수직적인 기둥이 많으며, 기둥과 기둥을 연결시키는 창도 많았다. 이러한 크고 많은 창에 스테인드글라스가 적극적으로 활용되었다. 또한 색유리가 개발됨에 따라 색채의 강렬함과 화려함, 그리고 고딕 건축 양식과 조화를 이루어 많은 걸작품들이 만들어졌다.

고딕 양식의 아름다움을 보여 주는 대표적인 건축물로는 프랑스 샤르트르 성당이 있다. 이 성당은 9세기에 지어졌으나 숱한 화재를 입어서 재건되었고, 13세기에 다시 지어진 것이 오늘날의 모습이다. 샤르트르 성당의 창문에는 수천 개의 조각이 새겨져 있는데, 이 중 스테인드글라스 작품이 절반 정도에 달한다고 한다. 스테인드글라스를 통해 들어온 여러 색의 밝은 빛과 석재의 흰 빛이 만나 많은 이들에게 오랫동안 황홀함을 선물하고 있는 샤르트르 성당은 현존하는 가장 아름다운 성당 중 하나로 손꼽힌다.

스테인드글라스는 빛을 통한 화려한 광채로 교회 건축물에 신비한 미적 공간을 마련해 주었으며, 종교적 주제나 성경 내용을 담아 신자들에게 시각적으로 교리를 전하는 역할을 하였다. 또한 당시 교육의 근본 취지와 생활상 등을 상징적이면서도 장식적으로 표현하였다. 이렇듯 중세 교회 건축 내부를 장식하는 예술로 시작된 스테인드글라스는 당시 가난한 사람들에게는 신의 말씀을 전해 주는 성경 그 자체였다고 한다. 이후 현대에 이르며 종교에서 벗어나 건축, 공예, 회화 등의 다양한 분야에 접목되며 그 가치를 새롭게 인정받고 있다.

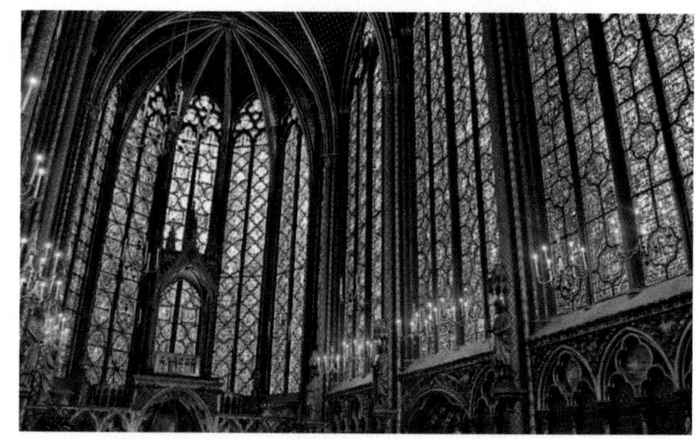

* 모자이크: 여러 가지 빛깔의 돌이나 유리, 금속, 조개껍데기, 타일 따위를 조각조각 붙여서 무늬나 회화를 만드는 기법.
* 비잔틴: 비잔티움 제국의 영토 및 그 지배하에 있던 국가들의 미술 양식. 큰 돔을 얹은 집중식 교회 건축이 특색이고, 내부는 모자이크나 대리석으로 화려하게 장식하였다.
* 로마네스크: 고딕에 앞서 서유럽에서 성행한 기독교 미술 양식. 게르만 민족이나 고대 로마, 고대 오리엔트의 요소를 포함하고 있는 양식으로, 1075~1125년에 절정에 달했고 12세기 중반에 고딕 양식으로 발전하였다.

0 **〈보기〉의 조건에 따라 이 글의 제목을 바르게 작성한 것은 무엇인가요?**

┤보 기├

- 글의 중심 화제를 포함할 것.
- 스테인드글라스의 중요한 특성을 언급할 것.
- 비유적 표현을 활용할 것.

① 빛과 고딕 양식
② 빛의 시작과 끝, 스테인드글라스
③ 빛의 오케스트라, 스테인드글라스
④ 고딕 건축 속 스테인드글라스의 아름다움
⑤ 로마네스크 시대와 고딕 시대 건축의 차이점

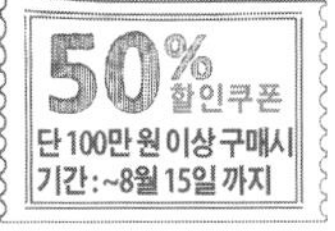

출제자의 요구 조건을 무시하지마~
조건이 모두 맞아야 정답!

1 **이 글의 내용 전개 방식에 대한 설명으로 가장 적절한 것은 무엇인가요?**

① 대상의 장단점을 비교하여 설명하고 있다.
② 대상의 개념을 밝히고 대상의 발전 과정을 제시하고 있다.
③ 대상과 관련하여 대립되는 두 가지 이론을 소개하고 있다.
④ 설명 대상에 대한 전문가들의 다양한 견해를 소개하고 있다.
⑤ 지역에 따라 달라지는 대상의 특징을 사례를 통해 설명하고 있다.

인간의 진화에도 순서가 있듯, 글에도 순서가 있다!

2 **테세라 에 대해 이해한 내용으로 적절하지 않은 것은 무엇인가요?**

① 벽면을 장식할 때 활용되었던 기법이다.
② 스테인드글라스의 기원으로 볼 수 있다.
③ 석회석 반죽을 재료로 하여 만들기도 했다.
④ 색깔 있는 돌이나 대리석 조각을 활용하기도 했다.
⑤ 고딕 시대에 처음으로 시작되어 현재까지 남아 있다.

3 이 글을 바탕으로 추론한 내용으로 적절하지 않은 것은 무엇인가요?

① 스테인드글라스의 광채는 빛과 밀접한 관련이 있다.
② 로마네스크 시대의 건축 양식은 고딕 시대에 비해 간결했다.
③ 샤르트르 성당은 고딕 양식으로 지어진 대표적인 건축물이다.
④ 로마네스크 시대의 건축 양식은 스테인드글라스의 발달에 큰 영향을 주었다.
⑤ 교회에서는 스테인드글라스를 활용해 성경의 내용이나 교훈을 전달하기도 했다.

4 이 글을 바탕으로 〈보기〉의 자료를 평가한 내용으로 적절한 것은 무엇인가요?

보 기
스테인드글라스는 교회 내부의 공간을 빛이 가득한 천국으로 연상시키기에 충분한 방법이었다. 스테인드글라스는 교회 전체 창에 활용됐지만, 하나님이 있는 가장 거룩한 곳이라고 여겨진 지성소* 영역에 대체로 집중하는 형태를 보여 주고 있다. 그러나 대성당 시대가 지나면서 스테인드글라스의 수요는 점차 감소하는 추세를 보여 왔으며, 지금은 사람들의 기억 속에서 사라져 가고 있다. * 지성소: 구약 시대에 성전 또는 막 안의, 하나님이 있는 가장 거룩한 곳.

① 스테인드글라스의 역할을 잘못 이해하고 있다.
② 빛과 스테인드글라스의 관계를 제대로 파악하지 못했다.
③ 스테인드글라스의 수요가 어떤 계기로 감소했는지 설명하지 못했다.
④ 스테인드글라스가 교회의 어떤 부분에서 주로 활용되었는지 밝히지 못했다.
⑤ 현대 사회에서 스테인드글라스가 새롭게 가치를 인정받고 있음을 인정하지 않았다.

기존 글을 바탕으로 새롭게 주어진 자료를 평가하는 문제는 결국 두 글의 내용을 비교해 보고 다른 부분을 찾아내라는 문제야.

생각읽기 5

빛은 입자일까, 파동일까

빛의 정체 논란

Q 아인슈타인은 광전 효과에 대한 설명을 통해 빛의 어떤 속성을 증명했나요?

과학에서 입자란 쉽게 말하면 '물질'이다. 물질을 아주 작게 쪼갠 원자도 입자이고, 원자 안에 있는 전자나 양성자 등도 입자다. 반면에 파동은 사전적으로는 진동이 멀리 퍼져 나가는 현상을 가리킨다. 예를 들어 호수에 돌멩이를 던지면 돌멩이가 떨어진 곳을 중심으로 동심원 물결이 만들어진다. 이때 물결이 만들어지는 이유는 물방울들이 움직여서가 아니라 에너지가 옆에 있는 물방울들로 전달되어 움직임이 나타난 것이다. 즉 입자는 그 자체가 움직이지만 파동은 에너지를 전달해 움직임을 만든다. 그렇다면 빛은 입자일까, 파동일까?

뉴턴은 1704년 발표한 저서에서 빛은 눈에 보이지 않을 정도로 작은 입자라고 주장했다. 빛은 입자이기 때문에 직진하고, 다른 물체에 들어갈 때 다른 물체의 입자를 끌어당겨 굴절되며, 물체에 부딪치면 반사한다고 설명하였다. 당시에는 빛이 파동이라는 주장 또한 만만치 않았으나 많은 이들이 뉴턴의 입자설을 지지했다.

한편, 19세기 초 영국의 토마스 영은 '이중 슬릿 실험'을 통해 빛이 '간섭'을 보인다는 것을 증명하였다. 간섭이란 진동수*와 진폭*이 같고 위상*이 다른 빛이 만나 밝고 어두운 무늬를 만드는 것을 뜻하는데, 이는 파동의 중요한 성질이다. 이에 따라 빛은 파동이라는 주장이 힘을 얻게 되고, 19세기 중반 이후 제임스 맥스웰이 빛이 전자기파*라는 것을 증명하면서 빛의 정체에 관한 논란은 파동설로 정리가 되는 듯 보였다.

하지만 파동설의 승리도 오래가지 못했고 빛의 정체에 관한 혼란스러운 논란은 계속되었다. 그러다 이러한 상황을 정리한 사람이 그 유명한 아인슈타인이다. 빛은 파동으로는 설명할 수 없는 현상들을 보이는데, 대표적인 것이 금속에 빛을 쪼일 때 전자가 튀어나오는 현상인 '광전 효과'이다. 아인슈타인은 이를 근거로 파동설에 대해 의문을 제기하였다. 금속에 자외선이나 X선처럼 주파수가 높은(파장이 짧은) 빛을 쪼이면 전자가 튀어나온다. 빛의 에너지를 전자가 흡수하기 때문이다. 하지만 가시광선이나 전파처럼 빛의 주파수가 낮으면(파장이 길면) 아무리 빛의 강도를 높여도 전자가 방출되지 않았다. 빛이 파동이라면 빛이 전자에 주는 에너지는 빛의 세기와만 상관이 있어야 하고, 주파수와는 관계가 없어야 한다. 긴 파장의 빛이라도 여러 개 중첩되면 충분히 에너지가 커져 전자를 방출할 만한 힘을 가져야 하기 때문이다.

아인슈타인은 이러한 광전 효과를 빛이 에너지 덩어리인 입자라고 가정하면 설명할 수 있다고 주장했다. 빛의 주파수가 높다는 것은 빛의 입자, 즉 '광자'가 가진 에너지가 높아 전자를 빨리 흔들어 튕겨 낼 수 있다는 뜻이다. 밝다는 것은 광자의 수가 많다는 것일 뿐 광자의 에너지와는 상관이 없다. 파장이 긴 빛은 아무리 광자의 수가 많아도 광자 하나의 에너지가 작기 때문에 전자를 튀어나오게 할 수 없다. '파장이 짧은 빛은 에너지가 큰 입자들의 모임이고, 파장이 긴 빛은 에너지가 작은 입자들의 모임'이라는 것이다. 이로써 현대 과학에서 빛은 입자와 파동의 특성을 모두 지닌 독특한 존재로 정의되는데, 이를 빛의 이중성이라고 한다.

* 진동수: 연속적인 주기 현상에서, 단위 시간에 같은 상태가 몇 번이나 반복되는가를 나타내는 양.
* 진폭: 진동하고 있는 물체가 정지 또는 평형 위치에서 최대 변위까지 이동하는 거리.
* 위상: 진동이나 파동과 같은 주기적 현상에서, 일주기(一週期) 내에서 어떠한 상태에 있는가를 특징지어 나타내는 변수.
* 전자기파: 전자파, 공간에서 전기장과 자기장이 주기적으로 변화하면서 전달되는 파동. 파장이 긴 것부터 마이크로파, 가시광선, 엑스선, 감마선이라고 이른다.

0 다음은 이 글에 등장하는 과학자들이 나눈 대화 내용입니다. 이 글을 참고하여 ⓐ~ⓓ에 각각 들어갈 알맞은 말을 쓰세요.

주제: 빛의 정체는 무엇일까

뉴턴: 빛은 물체에 부딪치면 반사하고 다른 물체로 들어갈 때 그 물체의 입자를 끌어당겨 굴절됩니다. 빛이 (ⓐ)이기 때문이지요.

토마스 영: 저는 그렇게 생각하지 않습니다. 실험을 해 보니 빛은 서로 간섭하는 성질을 보였습니다. 빛이 (ⓑ)이기 때문에 나타나는 현상이지요.

아인슈타인: 자, 두 분 말씀이 다 맞습니다. 뉴턴 말대로 빛은 (ⓒ)이고, 토마스 영 말대로 빛은 (ⓓ)이기도 하니까요.

1 이 글의 서술 방식과 그 효과를 이해한 내용으로 적절한 것은 무엇인가요?

① 대상이 지닌 장점을 병렬적으로 제시해서 대상의 특징을 다양하게 이해할 수 있도록 했다.
② 대상의 다양한 유형을 소개하여 독자들이 주체적으로 대상의 본질을 이해할 수 있도록 도왔다.
③ 대상에 관한 의문을 나열하고 그것에 대한 답을 순서대로 제시하여 독자들의 궁금증을 해소하였다.
④ 대상의 본질에 관한 이론의 변화 과정을 시간 순서에 따라 제시하여 대상에 대한 논란을 통시적으로 살펴볼 수 있도록 했다.
⑤ 대상의 특성을 둘러싼 각 이론의 장점을 소개한 후 그것들을 절충한 새로운 이론을 제시하여 독자들이 대상의 현대적 가치를 발견할 수 있도록 했다.

통시란 말이 어려워? 시대를 관통하는 걸 떠올려 봐!
어떤 **대상의 변화를 시대별**로 다루면 '통시적',
같은 시대에서의 변화를 다루면 '공시적'이라고 해!

2 이 글을 이해한 내용으로 적절하지 <u>않은</u> 것은 무엇인가요?

① 뉴턴은 빛이 물질의 성격을 갖는다고 생각했다.
② 제임스 맥스웰은 빛의 성질에 관해 뉴턴과 입장을 같이하였다.
③ 빛이 입자인지 파동인지에 관한 논란은 오래전부터 있어 왔다.
④ 토마스 영은 실험을 통해 빛이 파동의 성질을 가진다는 것을 밝혀냈다.
⑤ 아인슈타인은 가정에 기반한 설명을 통해 빛의 정체에 관한 논란을 정리하였다.

3 **이 글의 '입자'와 '파동'에 대해 이해한 내용으로 적절하지 않은 것은 무엇인가요?**

① 입자는 물질의 성격을 갖는다.
② 입자는 여러 번 쪼개도 입자이다.
③ 호수의 물결이 퍼지는 것은 파동의 원리로 설명할 수 있다.
④ 운동의 원리로 이해하면 호수에 던진 돌멩이 자체가 파동이다.
⑤ 입자와 파동은 둘 다 움직이지만 움직임을 만들어 내는 원리가 다르다.

4 **이 글을 읽고 난 후 학생들이 나눈 대화입니다. 글의 내용을 잘못 이해한 학생은 누구인가요?**

경서: 아인슈타인이 아니었다면 빛의 정체에 관해 우리는 아직도 혼란을 겪고 있겠지?
서영: 맞아. 아인슈타인은 금속에 빛을 쪼일 때 전자가 튀어나오는 현상을 파동설로는 설명하기 어렵다는 것을 근거로 파동설에 대해 의문을 가졌어.
하윤: 특히 빛이 파동의 성질만 가진다면 빛이 전자에 주는 에너지는 주파수와는 관계가 없어야 하는데 그렇지 않은 것은 빛이 입자로서의 성질을 가지고 있기 때문임을 밝혔기 때문이겠지.
은수: 아인슈타인은 빛의 입자 크기와 파장의 길이가 무관하다는 것을 밝히며 빛의 이중성을 입증해 낸 거지.
소희: 그러니까 '빛의 이중성'이란 한마디로 말하면 빛이란 입자이기도 하고 파동이기도 하다는 거잖아.

① 경서 ② 서영 ③ 하윤 ④ 은수 ⑤ 소희

생각읽기 6

빛을 숭배한 조로아스터교

빛의 종교

Q 조로아스터교에서는 '어둠'을 어떻게 정의하고 있나요?

(가) 조로아스터교는 흔히 '빛의 종교'라고 불린다. 조로아스터교를 믿는 사람들에게 빛은 선의 상징이자 신성 그 자체다. 6세기 이래 중국으로 전파된 이 종교를 중국인들은 불에 절을 한다는 의미를 담아 '배화교(拜火敎)'라고 했다. 그런데 엄밀히 말하면 조로아스터교는 불을 숭상하는 것이 아니라 이 종교가 필수적으로 해야 하는 하루 다섯 번의 예식에 쓰이는 불을 소중히 했던 것이다. '불의 집'이라는 뜻의 아테슈카데 사원은 조로아스터교가 신성시하는 불이 보존되어 있는 가장 중요한 불신전이었다. 470년경부터 타오른 불씨가 현재까지 꺼지지 않고 있으니, 그 기간만도 자그마치 1500년이 넘는다.

(나) 조로아스터교는 현재 신도 수가 20만 명도 되지 않는 아주 작은 종교이지만, 세계 종교를 이야기하면서 빼놓을 수 없는 종교이기도 하다. 왜냐하면 이 종교에서 가르치는 많은 것이 유대교로 유입되었고, 유대교를 통하여 그리스도교로, 그리고 그 후 이슬람교로 들어갔기 때문이다. 성경 복음서 중 「마태복음」에 보면 아기 예수가 태어났을 때 동방 박사들이 아기 예수를 찾아왔다는 이야기가 나오는데, 이 동방 박사들이 바로 조로아스터교 제사장들을 가리킨다.

(다) 조로아스터교의 창시자는 조로아스터이다. 독일 철학자 니체의 저서 『자라투스트라는 이렇게 말했다』에 나오는 주인공이 바로 이 조로아스터이다. 그의 출생이나 생애에 대해서는 알려진 바가 거의 없으나 여러 자료에 의하면 그는 성인이 되어 삶의 문제로 고민하다가 해답을 얻기 위해 방랑의 삶을 시작했다고 한다. 그러던 중 크기가 사람의 아홉 배나 되는 거대한 천사를 만나, 세상에 오로지 한 분 참된 신이 계시는데, 그분이 바로 아후라 마즈다이고 자신은 그의 예언자임을 전해 듣는다. 진리를 깨달은 조로아스터는 사람들을 전도하는데 처음에는 다들 그를 정신이 이상한 사람이라고 생각했지만 결국 왕과 조정을 설득하는 데 성공하여 조로아스터교는 전국으로 급속히 퍼져 나갔다.

(라) 교리를 살펴보면 조로아스터교는 기본적으로 창조신이자 유일신인 아후라 마즈다를 중심으로 선악의 세계를 구분한다. 아후라 마즈다에서 선한 영과 악한 영이 나왔는데 선한 영은 '빛'이고, 악한 영은 '어둠'에 해당한다. 조로아스터교에 따르면 어둠은 결국 빛에게 패배하고 빛의 원리하에 어둠이 존재하게 되지만 빛과 상반되는 어둠, 즉 악에 대해 인정했다는 점이 특이하다. 또한 당시 대부분의 종교가 많은 신을 섬기는 다신론적 종교였음을 생각하면 이렇게 철저하게 유일신관*을 선포한 것은 놀라운 일이었다.

(마) 대개 서양 종교라고 하면 유대교, 그리스도교, 이슬람교를 말한다. 종교의 규모나 영향력 등을 고려할 때 이 셋을 대표적인 서양 종교라고 말하는 것에는 무리가 없다. (㉠) 조로아스터교가 없었다면 유대교, 그리스도교, 이슬람교는 존재하지 않았을 지도 모른다. (㉡) 조로아스터교가 세계 종교사에 끼친 영향을 고려할 때 조로아스터교의 중요성은 인정하지 않을 수 없을 것이다.

* 유일신관: 다른 신적 존재는 없고 '오직 절대자는 한 분뿐이다.'라고 믿는 신앙.

0 **다음은 '조로아스터교'에 대한 설명입니다. 이 글을 바탕으로 (　　)에 들어갈 알맞은 말을 〈보기〉에서 찾아 차례대로 쓰세요.**

보 기
빛, 불, 조로아스터교

(　　　　)의 종교라고 불리는 (　　　　)는 예식에 사용하는 (　　　　)을 신성시하며 소중히 여겼다.

1 (가)를 바탕으로 추론할 수 있는 내용으로 적절하지 않은 것은 무엇인가요?

① 조로아스터교는 중국에서 시작되었다.
② 조로아스터교는 빛과 관련 있는 종교이다.
③ 조로아스터교는 6세기 이전에도 존재했다.
④ 조로아스터교의 아테슈카데 신전에는 신성한 불이 있었다.
⑤ 조로아스터교에서 예식 때마다 사용하는 불은 '빛'을 상징한다.

2 (나)~(다)에서 설명한 조로아스터교의 특징으로 적절한 것만 〈보기〉에서 모두 골라 바르게 묶은 것은 무엇인가요?

보 기

ⓐ 유대교에 영향을 끼쳤다.
ⓑ 이슬람교의 영향을 받았다.
ⓒ 아후라 마즈다를 신으로 섬긴다.
ⓓ '조로아스터'는 창시자의 이름이다.
ⓔ 성경에 등장하는 동방 박사와 관련이 있다.
ⓕ 왕실을 중심으로 조로아스터교에 의문을 갖기 시작했다.

① ⓐ, ⓑ, ⓒ, ⓓ
② ⓐ, ⓑ, ⓔ, ⓕ
③ ⓐ, ⓒ, ⓓ, ⓔ
④ ⓑ, ⓒ, ⓓ, ⓕ
⑤ ⓒ, ⓓ, ⓔ, ⓕ

3 이 글을 참고할 때, 조로아스터교에서 말하는 '빛'과 '어둠'의 관계를 잘못 이해한 학생은 누구인가요?

> 정우: 어둠은 빛을 이길 수 없어.
> 서준: 빛은 선하고, 어둠은 악한 것이야.
> 현서: 빛은 어둠보다 먼저 생겨서 먼저 사라져.
> 로이: 아후라 마즈다를 중심으로 구분되는 개념이야.
> 희재: 선한 빛이 존재하는 한 악한 어둠 또한 존재하지.

① 정우 ② 서준 ③ 현서 ④ 로이 ⑤ 희재

4 (마)의 내용 흐름을 고려할 때, ㉠, ㉡에 들어갈 접속어를 순서대로 나열한 것은 무엇인가요?

① 그래서, 고로
② 왜냐하면, 즉
③ 예컨대, 요컨대
④ 그러나, 그러므로
⑤ 하지만, 그렇지만

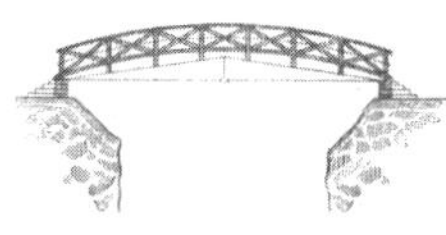

접속어는 문장과 문장을 연결해 주는 다리와 같아!

Q 다음은 생각을 읽을 수 있는 지문 구조도를 퍼즐로 나타낸 것입니다. 앞에서 읽은 글의 내용을 떠올리며 생각읽기 1~6에 해당하는 퍼즐을 선으로 연결해 보세요.

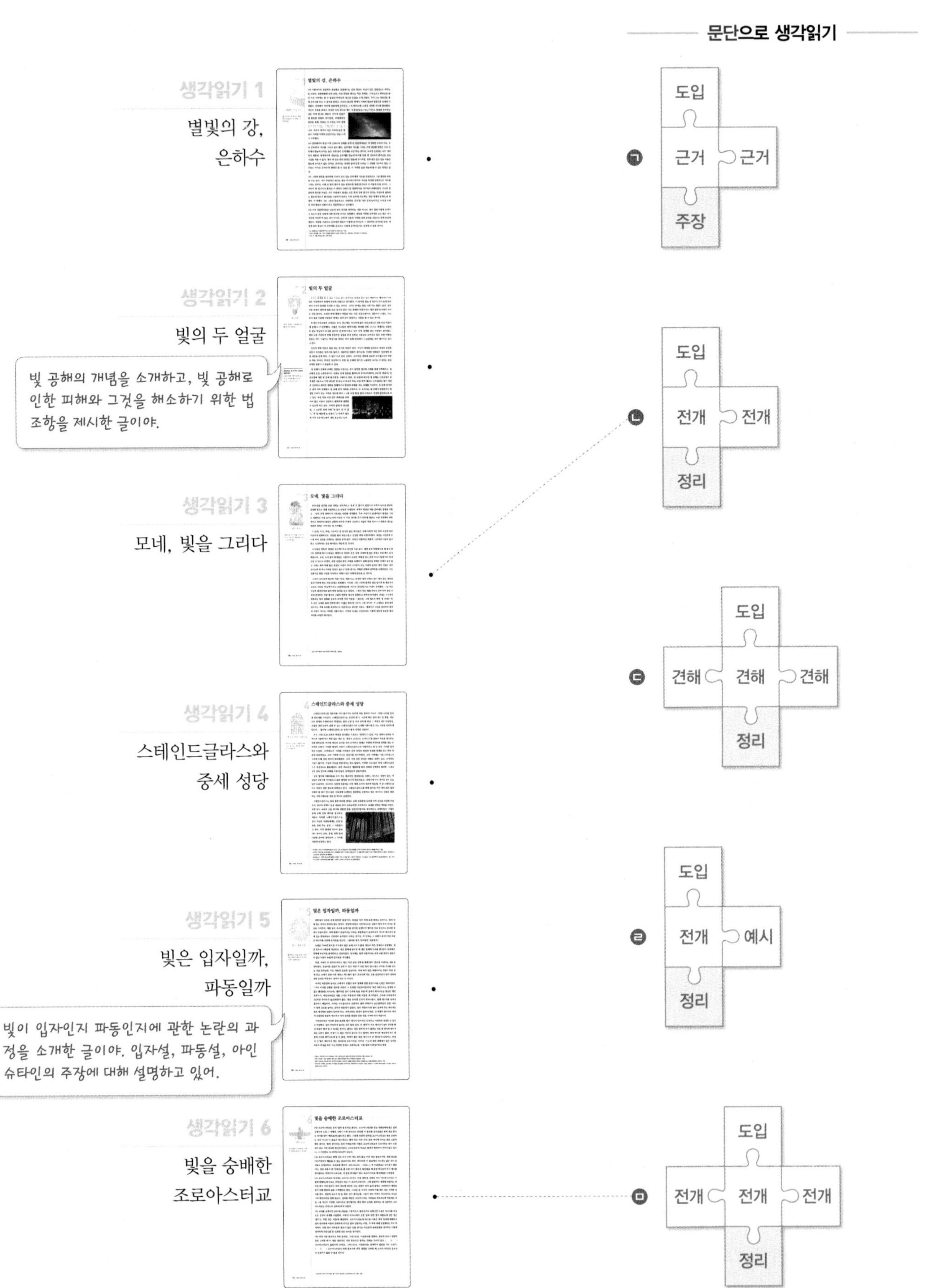

한 문장으로 생각읽기

1 갈릴레오 갈릴레이가 망원경으로 밤하늘을 처음으로 관찰하여 [| |]의 실체를 밝힌 이후, 이를 탐구하는 천문학자들의 노력이 계속 이어지고 있다.

2 빛은 사람들이 활동하고 물체를 볼 수 있게 하지만, 최근에는 [| | |]으로 인한 빛 공해 문제가 심각하여 관련 법까지 제정되었다.

3 [| |]를 대표하는 모네 등의 화가들은 빛의 움직임이나 각도에 따라 변화되는 자연의 다양한 색채와 분위기를 그림으로 형상화하였다.

4 빛이 창을 통과해 들어와서 다채로운 아름다움을 만들어 내는 스테인드글라스는 [|] 양식의 아름다움을 더해 주었으며, 현대에도 다양한 분야에 활용되며 그 가치를 인정받고 있다.

5 빛은 입자설이나 파동설만으로는 완전하게 설명되지 않은 채 오랫동안 논란이 지속되어 오다가 아인슈타인이 빛의 [| |]을 밝혀내면서 그 논란이 종식되었다.

6 [ ]의 종교라고 알려진 조로아스터교는 유일신인 아후라 마즈다에게서 선과 악이 나왔고 이것은 각각 빛과 어둠을 의미하며, 어둠은 빛을 이길 수 없다고 믿는다.

한 단어로 생각읽기

인간은 왜 빛을 생각할까?

"인간의 삶에는 항상 빛이 함께한다"

오래전부터 빛은 인간의 삶이 시작되기 전부터 존재해 왔고 인간의 삶 구석구석에 많은 영향을 끼쳤으며, 지금 이 순간에도 끼치고 있습니다.

입자이면서 파동이기도 한 오묘한 빛은 미술의 한 장르를 만들고, 건축물의 아름다움을 창조했으며, 종교의 형성에도 영향을 주었습니다. 더 많은 빛을 추구한 인간의 욕심은 '빛 공해'라는 불행한 상황을 만들기도 했습니다. 빛을 어떻게 사용하느냐에 따라 빛은 아름다움을 선사하기도 하고 인류의 삶에 해가 되기도 합니다. 우리에게 너무나 소중한 이 빛을 어떻게 사용해야 할지 고민해 볼 필요가 있지 않을까요?

우리는 살갗을 통해 빛을 먹고 마신다
– 빛과 공간 예술가, 제임스 터렐

생각의 발견

03 아름다움

아름다움을 말하다!

인간에게 아름다움(美)에 대한 지향이나 관심이 없었다면 그에 기반한 아름다운 문화도 꽃피우지 못했을 것입니다. 아름다움을 느끼고, 아름다움을 추구하면서 우리는 예술과 과학, 기술 등 여러 분야를 융성하게 만들었습니다. 동시에 우리가 추구하는 것과는 다른 아름다움도 있음을 인정하면서 세계를 포용하는 태도를 갖추기도 했습니다. 아름다움이 우리 삶의 다양한 분야에서 어떤 형태로 표현되고 나타나는지 생각해 볼까요?

생각읽기 1

자연에서 발견한 피보나치수열

수학의 아름다움

Q 식물이 피보나치수열에 따라 꽃잎이나 잎을 피우는 이유는 무엇일까요?

우리가 흔히 클로버라고 부르는 토끼풀은 잎이 세 장이다. 행운을 상징한다고 알려진 네 장의 잎이 달린 클로버도 있지만 여간해서는 찾기 어렵다. 네잎클로버는 세 장의 잎을 가진 토끼풀들 중에서 대략 1/10,000의 확률로 나타나는 돌연변이이기 때문이다. 그런데 왜 토끼풀은 잎이 네 장이 아니라 세 장일까? 비단 풀잎뿐 아니라 주변에서 볼 수 있는 꽃들의 꽃잎도 4장으로 이루어진 경우는 찾아보기 어렵다. 꽃잎 1장으로 이루어진 나팔꽃, 2장으로 이루어진 등대풀꽃, 3장으로 이루어진 백합, 5장으로 이루어진 채송화, 8장으로 이루어진 코스모스, 13장으로 이루어진 금잔화, 21장으로 이루어진 과꽃 등 꽃잎을 이루는 숫자들은 대체로 '1, 2, 3, 5, 8, 13, 21, 34, 55, ……'의 배열에서 벗어나지 않는다. 4장, 6장, 7장으로 된 꽃잎은 예외적인 경우가 아니면 나타나지 않는다. 꽃잎을 이루는 이와 같은 수의 배열을 피보나치수열이라고 한다.

피보나치수열은 이탈리아의 수학자 레오나르도 피보나치가 낸 다음과 같은 문제에서 만들어졌다. 첫 달에는 새로 태어난 토끼 한 쌍만이 존재한다. 토끼는 태어난 지 두 달이 넘어야 번식이 가능한데 번식 가능한 토끼는 매달 암수 한 쌍만을 낳는다. 토끼가 죽지 않는다고 가정할 때, 1년 후 토끼는 모두 몇 쌍일까? 월별로 암수 토끼의 쌍을 나열하면 '1, 1, 2, 3, 5, 8, 13, 21, 34, 55, 89, 144, 233, ……'의 피보나치수열이 만들어진다. 이 수열은 앞의 두 수를 더하면 다음 수가 만들어진다는 특성을 확인할 수 있다.

시간	토끼			합계
	아기 토끼	성장기	번식 가능	
첫 달	1쌍			1쌍
둘째 달		1쌍		1쌍
셋째 달	1쌍		1쌍	2쌍
넷째 달	1쌍	1쌍	1쌍	3쌍
다섯째 달	2쌍	1쌍	2쌍	5쌍
여섯째 달	3쌍	2쌍	3쌍	8쌍
⋮	⋮	⋮	⋮	⋮

〈표〉

피보나치수열은 꽃잎의 수 외에도 우리 주변에서 쉽게 발견할 수 있다. 대표적인 경우가 해바라기 씨앗이다. 해바라기 꽃에는 무수히 많은 씨앗이 촘촘하게 박혀 있다. 해바라기 씨는 시계 방향으로 또는 시계 반대 방향으로 나선을 그리며 박혀 있는데 이 나선의 개수가 시계 방향일 때 21개, 시계 반대 방향일 때 34개로 나타난다. 해바라기 꽃이 더 큰 경우에는 55개, 89개의 배열과 89개, 144개의 배열이 나타나기도 한다. 물론 이들은 모두 피보나치수열에 해당한다. 해바라기 씨앗이 피보나치수열에 따른 나선형 구조를 취함으로써 얻는 이점은 무엇일까? 피보나치수를 따라 나선형으로 씨앗을 배치하면 빈자리가 줄어 중심에서 주변까지 골고루 많은 씨를 담아낼 수 있다. 또한 촘촘하고 균일한 배열은 비바람에도 견딜 수 있는 최적의 환경을 만들어 준다. 꽃잎이나 식물의 잎이 피보나치수열을 따르는 것도 이와 유사한 이유에서이다.

꽃은 가장 효율적으로 암술과 수술을 보호하기 위해 피보나치수의 꽃잎으로 암술과 수술을 감싸고 있으며, 식물의 잎은 피보나치수에 따른 잎차례를 통해 서로를 가리지 않고 햇빛을 최대한 받을 수 있다. 식물은 자신의 생장에 유리한 효율적인 환경을 만들기 위해 피보나치수열을 선택한 것이다. 피보나치수열은 인간이 가장 아름답다고 느끼는 '황금 비율'을 만들어 내기도 한다. 피보나치수열에서 뒤의 수를 바로 앞의 수로 나누어 가다 보면 그 몫이 황금비 1.618에 가까워지는데, 최적의 생장 환경을 위한 해바라기 씨앗의 나선무늬나 식물의 잎 모양 선택이 최상의 아름다움과도 이어지는 것이다.

0 **이 글을 학교 신문의 기사로 실을 때, 가장 적절한 제목을 고르세요.**

① 우연히 알게 된 원리들
　- 피보나치수열과 돌연변이의 관계 ☐
② 수열의 규칙성과 법칙성
　- 피보나치수열에 대한 논쟁 ☐
③ 수학과 인간의 삶
　- 인간의 고정 관념을 깬 피보나치수열 ☐
④ 일상에서 찾은 수학 원리
　- 식물에서 나타나는 규칙인 피보나치수열 ☐
⑤ 자연에서 발견하는 수학 법칙
　– 피보나치수열과 황금 비율의 관계 ☐

기사문에는 두 개의 제목이 있다고 했지?
표제와 부제 모두 적절한지 확인해야 해!

1 **이 글을 읽고 알 수 있는 내용으로 적절하지 않은 것은 무엇인가요?**

① 꽃잎은 암술과 수술을 보호하는 기능을 한다.
② 20장의 꽃잎으로 이루어진 꽃은 흔하지 않을 것이다.
③ 일반적인 토끼풀 잎의 개수는 피보나치수열에 해당한다.
④ 해바라기 씨는 방향에 따라 서로 다른 개수의 나선을 확인할 수 있다.
⑤ 해바라기 꽃의 크기가 달라져도 피보나치수열에 따라 나선의 개수는 동일하다.

2 **이 글의 〈표〉에 대한 이해로 가장 적절한 것은 무엇인가요?**

① 첫 달과 둘째 달의 토끼의 마릿수는 서로 다르다.
② 셋째 달에 태어난 토끼는 넷째 달에 출산이 가능하다.
③ 셋째 달에 태어난 토끼는 여섯째 달에 출산하지 못한다.
④ 셋째 달과 넷째 달 토끼 쌍의 합은 다섯째 달 토끼 쌍의 합계와 같다.
⑤ 여섯째 달에 번식 가능한 토끼 쌍은 모두 두 달 전에 태어난 토끼 쌍이다.

O야? X야?
묻는 방식만 다를 뿐 결국엔 내용 일치 여부를 묻는 문제다!

3 이 글을 토대로 할 때, 〈보기〉의 밑줄 친 물음에 대한 답으로 적절한 것은 무엇인가요?

보 기

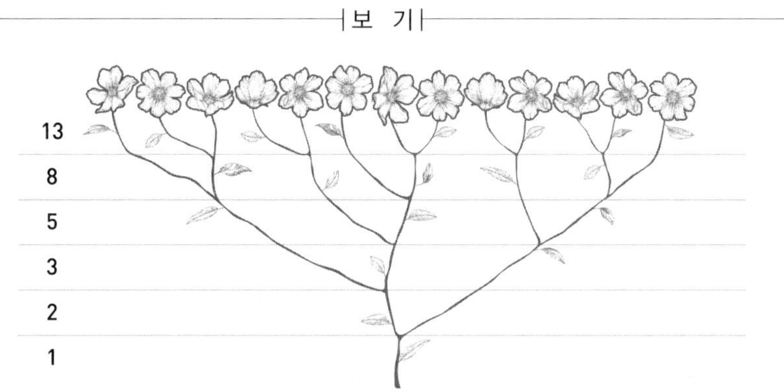

나뭇가지들에 골고루 영양분이 분배되는 것이 아니기 때문에, 두 개의 가지 중 한쪽이 다른 쪽보다 왕성하게 성장한다. 그리고 왕성하게 성장한 쪽이 다시 두 개의 나뭇가지로 갈라져 자라게 된다. 한번 성장을 쉰 가지는 그다음 단계에서 다시 왕성하게 성장하여 두 개의 가지로 갈라지면서 여러 개로 뻗어 나간다. 이렇게 성장한 나뭇가지의 수를 아래서부터 세어 보면 피보나치수열을 확인할 수 있다. 이처럼 나무가 피보나치수열에 따라 가지를 뻗어 나가는 이유가 무엇일까?

① 서로 공존하는 최적의 상황을 추구하기 때문이다.
② 전체보다는 부분을 보호하려는 본능이 있기 때문이다.
③ 성장에 필요한 공간을 최대한 줄이려고 하기 때문이다.
④ 빠름과 느림의 반복을 통해 성장 속도를 조절하기 때문이다.
⑤ 질서의 유지를 통하여 서열에 따른 성장을 추구하기 때문이다.

4 이 글에 나타난 자연의 모습에 가장 어울릴 만한 내용을 고르세요.

① 체육 대회에 우승하기 위해 모두 힘을 모아 준비하였다. ☐
② 모두가 모닥불을 골고루 쬘 수 있도록 자리를 알맞게 배열하였다. ☐
③ 한 학생의 선행이 전교생에게 알려져 모두 그 학생을 본받아 행동하였다. ☐
④ 토론 대회에 대표로 나가는 학생들을 위해 다른 학생들이 자료를 준비하였다. ☐
⑤ 선생님은 학교생활에서 소외되는 친구가 없도록 한 명씩 불러서 상담하였다. ☐

이 글에서는 자연의 모습을 피보나치수열과 연결지어 설명하고 있어. 피보나치수열의 규칙성과 효율성이 강조되고 있다는 점을 염두에 두고 선택지의 내용을 살펴보도록 해.

생각읽기 2

아름다움의 기준

Q 철학자 볼테르의 견해를 인용해 글쓴이가 말하고자 한 것은 무엇인가요?

글의 얼굴, 제목은 어떻게 달까
목적지에 가려면 지도를 펼치듯 제목부터 시작하자!
► 원리로 생각읽기 78쪽

양귀비는 지금 봐도 예쁠까

(가) 클레오파트라가 서양을 대표하는 미녀라면, 동양을 대표하는 미녀로는 양귀비가 있다. 당나라 현종의 후궁으로 ㉠<u>나라를 기울게 할 만한 미모</u>를 가졌다고 평가받았던 양귀비는 과연 어떤 모습이었을까? 날씬한 몸매에 오뚝한 콧날, 깊은 쌍꺼풀을 가진 외모였을까? 역사서에 따르면 실제 양귀비는 학처럼 긴 목에 동그란 얼굴, 건강한 팔다리를 가졌다고 한다. 이런 양귀비가 절세의 미녀로 평가되었던 것은 아름다움을 바라보는 기준이 시대와 문화에 따라 다르기 때문이다.

(나) 기계가 없던 고대에는 사람, 곧 노동력이 생존을 위한 가장 중요한 가치였다. 따라서 아이를 많이 낳을 수 있는 건강한 몸이야말로 아름다움의 기준이었기 때문에 몸에 살이 많은 여성을 아름답다고 여겼다. 이러한 건강미는 석기 시대의 조각 '빌렌도르프의 비너스상'에서도 확인할 수 있다. 오스트리아의 빌렌도르프 지역에서 발견된 이 나체의 여인상은 커다란 엉덩이와 풍만한 가슴, 불룩하게 나온 배를 드러낸 모습을 하고 있다. 건강한 여성의 육체를 과장되게 표현하여 조각으로 남긴 것은 다산이 곧 풍요를 가져오는 원천이라는 생각이 바탕에 깔려 있었기 때문이다. 반면 로마 제국에 이르러서는 날씬한 몸매에 짙게 화장을 한 여성들이 미인으로 인정받았다. 여러 식민지 국가를 거느리며 부를 축적한 로마 귀족들은 경쟁적으로 자신들의 부와 지위를 과시하려고 하였다. 로마 귀족들은 노예들에게 노동을 맡기고 하루에도 서너 시간씩 화장을 하는 데에 시간을 쏟았는데, 화려한 화장은 결국 자신들의 부와 지위를 증명하는 방법이었다. 이에 비해 교회의 권위가 막강했던 중세 시대에 와서는 그 어떤 것보다 종교적 가치가 우선시되었다. 종교적 기준에서 볼 때 여성의 아름다움은 풍만한 육체에서 느껴지는 것이 아니라 정숙과 순결과 같은 정신적 면모에서 비롯하는 것이었다. 따라서 화려한 화장이나 날씬한 몸매를 가진 여성보다는 순결을 상징하는 하얀 피부의 여성들을 미인으로 여겼다.

빌렌도르프의 비너스상

(다) 그런데 미의 기준은 꼭 시대적 차이에 의해서만 나타나는 것은 아니다. 철학자 볼테르는 두꺼비에게 아름다움을 물어보면 두꺼비는 "조그마한 머리 위에 커다란 두 개의 눈동자가 튀어나오고, 입이 귀 밑까지 째어지고, 네 발을 짚고 땅에 엎드린 모습이다."라고 답할 것이라고 하였다. 두꺼비의 입장에서는 두꺼비만의 기준에서 만들어진 아름다움이 있듯이, 사회 문화적 환경에 따라서도 미의 기준은 다르게 나타난다. 아프리카의 무르시족 여성들은 입술에 큰 접시를 끼울수록 아름답다고 여기며, 태국의 국경 지역에 사는 카렌족은 목에 여러 개의 고리를 끼워 기린처럼 목을 늘여야 아름다운 여성이라고 생각한다. 동시대를 살고 있지만 자신이 속해 있는 사회 문화적 기준에 따라 미인의 모습도 달라지는 것이다.

(라) 이처럼 시대의 흐름에 따라 또는 사회 문화적 환경에 따라 미인의 기준이 달라지는 것으로 보아 절대적인 미의 기준은 존재하지 않는다고 볼 수 있다. 특정 시대의 기준에서 본 미인이 있거나, 특정 문화권의 기준에서 본 미인이 있을 뿐이다. 따라서 아름다움을 고정불변의 절대적인 것으로 보기보다는 시대와 장소에 따라 다양하게 나타나는 상대적인 것으로 볼 필요가 있다.

0 **이 글을 읽고 난 후, 독서 기록장에 작성한 글의 주제문으로 가장 적절한 것을 고르세요.**

① 아름다움을 바라보는 기준은 상대적인 것이다. ☐
② 우선하는 가치 기준에 따라 미를 판단해야 한다. ☐
③ 특정 시대의 가치가 미인을 판단하는 기준이 된다. ☐
④ 미를 바라보는 시각에 따라 사회 문화적 환경이 다르다. ☐
⑤ 아름다움은 외면적 가치보다 내면적 가치에 따라 판단해야 한다. ☐

글의 주제는 글에서 가장 중요한 생각을 말해!
글쓴이가 글을 통해 정말 하고 싶은 말이 뭘까?

1 다음 중 이 글의 짜임을 나타낸 것으로 가장 적절한 것은 무엇인가요?

①
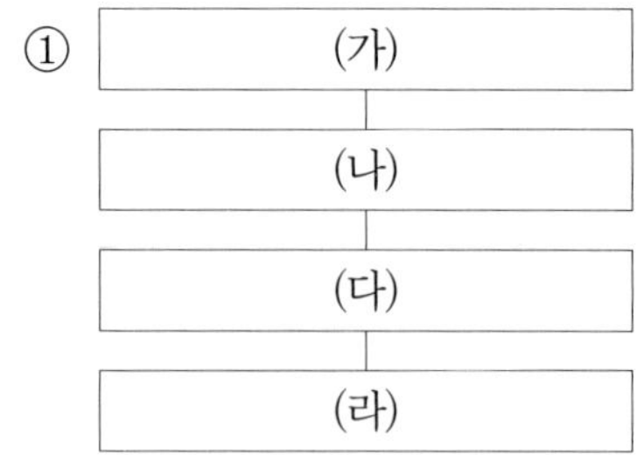

②
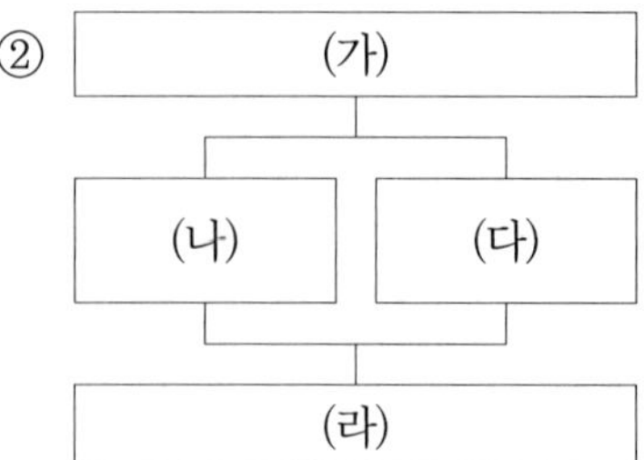

③
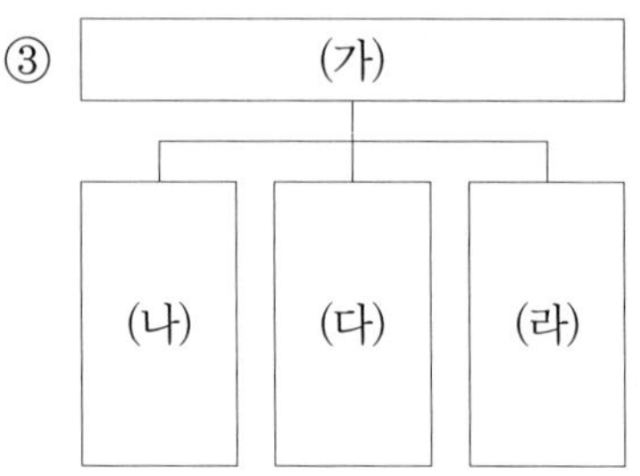

④
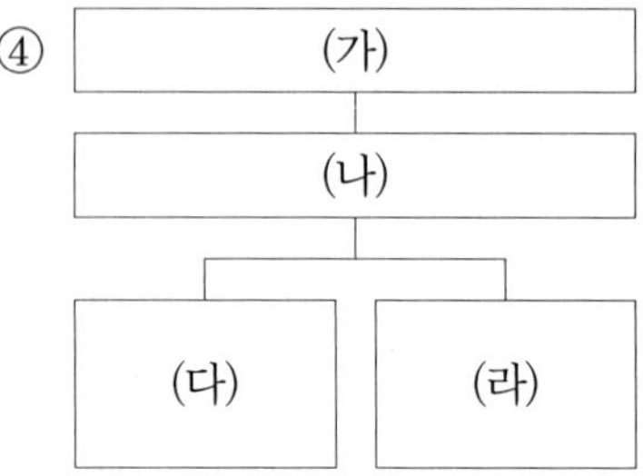

⑤
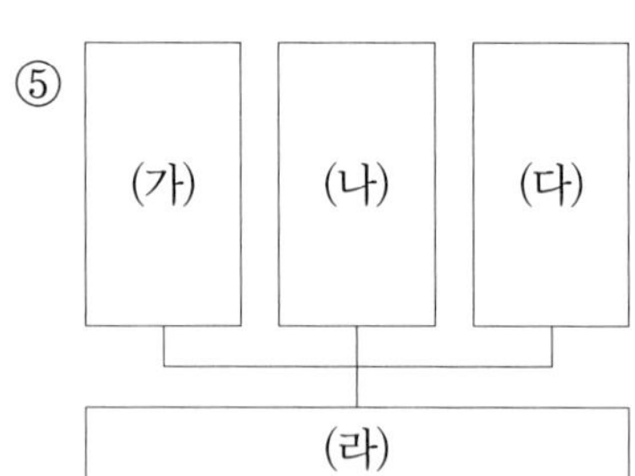

2 (나)의 내용 전개상 특징으로 적절한 것은 무엇인가요?

① 여러 입장을 제시한 후 이를 통합하고 있다.
② 시간의 흐름에 따라 변화하는 내용을 다루고 있다.
③ 대상의 종류를 나누고 각각의 특징을 설명하고 있다.
④ 비유를 활용하여 글쓴이의 생각을 뒷받침하고 있다.
⑤ 구체적인 사례를 들어 상대의 견해를 반박하고 있다.

3 이 글과 〈보기〉의 공통된 생각으로 적절한 것은 무엇인가요?

보 기

문화의 내용은 누구나 공유하는 보편적인 것으로 볼 수 없다. 어떤 문화이든지 각 집단이 처해 있는 특수한 환경의 영향을 받으며 주변의 다른 집단과 교류하면서 오랜 기간에 걸쳐 축적된 결과물이기 때문에 그 나름대로의 가치를 지니고 있다. 따라서 특정한 문화를 제대로 이해하고 해석하기 위해서는 그 문화가 생겨난 특수한 사회적 상황이나 배경, 그리고 그 안에서 살아가는 사람들의 특수한 역사적 경험을 이해해야 한다. 이런 입장에서 보면 서로 다른 문화 간에는 열등하거나 우월한 것을 평가할 수 없다.

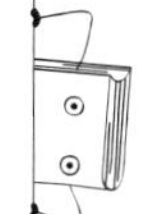

〈보기〉에서 문화에 대해 글쓴이가 어떤 생각을 하고 있는지를 파악하고, 이 글에 나타난 미에 대한 글쓴이의 생각과의 공통점을 찾아보도록 해.

① 보편적 원리가 특수한 상황보다 더욱 중요하다.
② 다른 대상과의 교류를 통해 얻은 가치가 의미 있다.
③ 다양한 가치를 인정하면 자신의 중심 가치를 잃는다.
④ 대상을 바라보는 절대적 기준만 고집하지 말아야 한다.
⑤ 시대에 따라 나타나는 보편적 가치의 우열을 평가할 수 없다.

단군 신화 속 곰과 호랑이의 공통된 생각은?
"인간이 되고 싶어!"

4 ㉠에 해당하는 한자 성어로 적절한 것은 무엇인가요?

① 경국지색(傾國之色)
② 군계일학(群鷄一鶴)
③ 조강지처(糟糠之妻)
④ 팔방미인(八方美人)
⑤ 현모양처(賢母良妻)

글에 어울리는 제목을 다는 방법

다음은 우리가 잘 아는 영화 포스터의 원 제목과 한글 제목을 나타낸 것입니다. 원 제목과 비교할 때, 한글 제목이 나타내고자 하는 내용은 무엇인가요?

문학과 비문학의 가장 큰 차이가 무엇일까요? 그것은 바로 '제목의 유무'입니다. 문학 작품에는 '제목'이 존재하고, 해당 작품을 쓴 사람이 누구인지가 정확히 밝혀져 있죠. 그런데, 독해 지문에는 '제목'이 따로 존재하지 않습니다. 그래서 글의 제목이 무엇인지를 묻는 문제가 자주 출제됩니다. 누군가의 글을 읽고 그 제목을 생각해 낸다는 건 그 글의 80%는 이해했다는 뜻이거든요.

사람과의 만남에서 첫인상은 매우 중요합니다. 글과의 만남에서 첫인상의 역할을 하는 것이 바로 이 제목입니다. 그렇다면 글을 읽을 때 제일 먼저 보게 되는, **글의 얼굴인 제목**은 어떻게 달까요? 글에 제목을 붙이는 가장 기본적인 방법은 **글의 전체 내용을 압축하는 것**입니다. 그리고 글쓴이가 글에서 말하고자 하는 바를 효과적으로 전달할 수 있어야 합니다. 그러면 독자는 제목만 봐도, 글의 주제에 대한 정보 외에도 다양한 정보들을 알아차릴 수 있게 되는 것입니다.

74쪽 지문

양귀비는 지금 봐도 예쁠까

(가) 클레오파트라가 서양을 대표하는 미

나라 현종의 후궁으로 ㉠나라를 기울게 할

떤 모습이었을까? 날씬한 몸매에 오똑한

면 실제 양귀비는 학처럼 긴 목에 동그란 얼굴, 건강한 팔다리를 가졌다고 한다. 이런 양귀비가 절세의 미녀로 평가되었던 것은 아름다움을 바라보는 기준이 시대와 문화에 따라 다르기 때문이다.

글의 제목만 봐도,
글의 주제 외에도 이어질 내용을 예측할 수 있다!

정답: '박물관이 살아있다!'라는 제목을 통해 박물관 안의 전시물들이 밤마다 살아 움직인다는 내용을 잘 표현하고 있습니다.

독해연습 1 **아래 문단을 읽고, 물음에 답하세요.**

최저 임금제는 정부가 노동자의 임금을 일정 수준 이하로 지불하지 못하도록 규제하는 제도이다. 최저 임금제는 수준 이하의 노동 조건이나 빈곤을 없애고, 임금 생활자의 노동력 착취를 방지하며 저임금을 해소하여 노동자의 생활 안정을 이룰 수 있다. 또 산업 간, 직종 간 임금 격차가 완화되어 직종별 소득 불평등 상태를 개선할 수 있다. 더 나아가 최저 임금제로 인한 임금 상승은 사회 전반적인 소득 분배 개선에 기여하여 빈부 격차를 완화하는 효과도 있다.

1 위 글을 읽고, 핵심어를 찾아 써 보세요.

2 **1**에서 찾은 핵심어를 포함하여 위 글에 어울리는 제목을 붙여 보세요.

독해연습 2 **다음 문단을 읽고, 물음에 답하세요.**

인공 지능이 발달해 인간보다 더 뛰어난 지능을 가지게 되는 역사적 기점이 얼마 남지 않았음을 염려하는 목소리가 높다. 이들은 인공 지능이 영화 「터미네이터」의 스카이넷 같은 존재가 되어 자신보다 하등한 존재인 인간을 지배하려 들지도 모른다는 우려를 나타낸다. 그런데 다른 한편으로는 인공 지능은 인간이 극복해야 할 미래의 도전이 아니라 인간이 사용하고 협업해야 할 현실적인 도구로 본다. 알파고의 승리는 인공 지능의 승리가 아니라 인간의 승리이고 좀 더 자세히 들여다보면 알파고 개발사의 승리다. 알파고 개발사는 알파고를 통해 인간과 인공 지능이 어떻게 협업해야 하는지에 대한 가능성을 제시한 것이다.

1 위 글의 주제를 강조하기 위해 비유적 표현을 사용하여 제목을 붙여 보세요.

2 위 글의 주제를 의문문으로 만들어 보세요.

생각읽기 3

뉴턴의 아름다운 실험

Q 무지개의 색에 대한 데카르트의 주장이 타당하지 않음을 밝히기 위해 뉴턴이 사용한 방법은 무엇인가요?

무지개는 왜 여러 색을 띨까

(가) 문구점에서 쉽게 구할 수 있는 프리즘은 빛을 일곱 가지 색으로 나누어 보여 주는 광학 도구이다. 이 프리즘이 무지개 빛깔을 만들어 낸다는 것은 누구나 아는 사실이지만, 뉴턴의 실험에서 빛의 본성을 알게 해 준 결정적인 도구라는 것을 아는 사람은 많지 않다. 뉴턴이 살았던 시대의 사람들은 빛에는 색이 없다고 믿었다. 어릴 때부터 유난히 호기심이 많고, 다양한 실험을 통해 그 호기심을 해결하려고 했던 뉴턴은 빛이 만들어 내는 무지개의 색깔에 의문을 품었다. 그리고 결국 빛의 성질을 ⓐ규명해 내었다.

(나) 아리스토텔레스와 같은 고대 학자들은 색을 물체 자체의 고유한 성질이라고 생각했다. 사과가 빨간 것은 사과 자체에 빨간색의 성질이 있다고 본 것이다. 그런데 이 관점에서 보면 무지개의 일곱 빛깔은 설명하기 어려운 현상이었다. 색이 물체가 갖는 고유한 성질이라면 나타났다가 사라지는 ㉮무지개의 일곱 색깔은 어떻게 설명해야 할까? 고대의 학자들은 무지개의 색깔은 진정한 색이 아니라며 모순을 피해 갔다. 이후 데카르트는 색을 가지지 않은 빛이 프리즘의 재질로 인해 여러 가지 색깔을 가진 빛으로 변하는 것이라고 주장했다.

(다) 뉴턴은 무지개의 색과 관련한 의문을 풀기 위해 여러 학자들의 연구 결과를 ⓑ섭렵했지만 만족스러운 답을 얻을 수 없었다. 결국 뉴턴은 스스로 이 의문을 해결하기 위해 도구를 만들어 실험에 ⓒ착수했다. 데카르트의 주장대로 프리즘의 재질로 인해 여러 색이 만들어졌다면 프리즘을 통해 만들어진 색깔은 다른 프리즘을 통과하게 되면 바뀌어야 한다. 이를 확인하기 위해서 뉴턴은 검은 종이에 구멍을 뚫고, 그 구멍으로 들어오는 빛을 삼각기둥 모양의 프리즘에 통과시켰다. 꺾이는 정도에 따라 색깔이 달라지는 것을 확인하고 다시 빨간색 빛만 통과하는 위치에 구멍을 뚫고, 그 빨간색 빛을 또 다른 프리즘에 통과시켰다. 그 결과, 두 번째 프리즘을 통과한 빨간색 빛은 굴절되며 똑같은 빨간색을 띠었다. 이를 통해 뉴턴은 데카르트의 주장대로 재질에 따라 빛이 달라지는 것이 아니라, 여러 색이 섞인 빛이 동일한 ⓓ재질을 통과하며 꺾이는 정도에 따라 각각의 색깔로 나뉘는 것이라고 생각했다. 빨간색이 가장 적게 꺾이고, 보라색은 가장 크게 꺾여 나타났기 때문이다.

(라) 햇빛에 여러 색이 포함되어 있다는 것을 확인하기 위해 뉴턴은 두 번째 실험을 진행하였다. 그는 첫 번째 프리즘을 통과하며 나뉜 빛을 볼록렌즈를 이용하여 한 곳으로 모았다. 모아진 빛은 원래의 빛과 같은 백색광이었다. 볼록렌즈를 통해 모아진 빛을 다시 또 다른 프리즘에 통과시켰더니 처음 프리즘을 통과할 때와 차이가 없이 일곱 가지 색으로 분리되어 나타났다. 이 결정적 실험을 통해 뉴턴은 여러 색의 빛이 합쳐진 햇빛은 흰색으로 보이지만, 그 속에 들어 있는 다양한 색들은 물질을 통과하면서 꺾이는 정도가 달라 무지갯빛이 나타난다는 결론에 이르게 되었다.

프리즘을 통과하는 빛

(마) 뉴턴의 이 무지개 빛의 아름다운 실험은 당대를 지배하던 아리스토텔레스식 사고에서 벗어나는 데 크게 ⓔ기여하였다. 또한 뉴턴은 일상에서 일어나는 일들을 주로 다루던 실험 방식에서 벗어나 인공적인 조작을 통해 일상적 감각을 넘어서는 상황을 만들어 냄으로써 이후 수많은 과학 실험의 선구적 모델이 되었다.

0 다음은 이 글을 쓰기 전 글쓴이의 가상 인터뷰 내용입니다. ㉠~㉤ 중 이 글에 반영되지 않은 것은 무엇인가요?

인터뷰에서 글쓴이는 뉴턴의 실험과 관련하여 어떤 내용을 어떻게 구성할 것인지를 밝히고 있어. 글쓴이가 설명한 내용이 이 글에 제시된 내용인지 아닌지를 확인해 보도록 해.

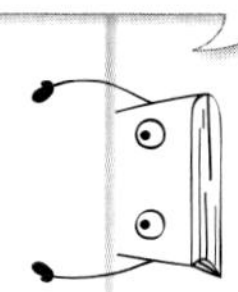

> 기자: 선생님께서는 어떤 내용의 글을 쓰실 계획이신가요?
>
> 글쓴이: 우선 ㉠뉴턴의 성격과 뉴턴이 실험을 하게 된 배경을 연관 지어 제시하려고 합니다. 또 ㉡대상에 대한 뉴턴 이전 학자들의 생각도 함께 제시할 계획입니다. 그리고 ㉢뉴턴의 실험을 구체적으로 제시하고 이를 통해 뉴턴이 얻게 된 결론도 제시해야겠죠. ㉣뉴턴이 자신이 한 실험의 문제점을 해결하기 위해 진행한 두 번째 실험도 바로 이어서 소개할 겁니다. 마지막으로 ㉤뉴턴의 실험이 과학계에 미친 영향도 언급하려고 합니다.

① ㉠　② ㉡　③ ㉢　④ ㉣　⑤ ㉤

저건 내 모습이랑 다른데?
내 모습이 반영된 게 아니야!

1 (가)~(마)에 대한 설명으로 적절하지 않은 것은 무엇인가요?

① (가): 일상에서 접할 수 있는 소재를 들어 중심 화제를 소개하고 있다.
② (나): 중심 화제에 대한 기존의 견해를 시간 순서에 따라 소개하고 있다.
③ (다): 중심 화제와 관련한 실험 과정을 순차적으로 제시하고 있다.
④ (라): 중심 화제와 관련된 기존 학사들의 실험 방식을 단계별로 설명하고 있다.
⑤ (마): 중심 화제가 갖는 의의를 제시하며 글을 마무리하고 있다.

2 이 글을 통해 알 수 있는 뉴턴의 생각이 아닌 것을 고르세요.

① 빛은 여러 가지 색깔로 구성되어 있군. ▢
② 빛이 꺾이는 정도에 따라 색이 다르게 나타나는군. ▢
③ 빛이 합쳐졌을 때와 나누어졌을 때의 색은 차이가 있군. ▢
④ 프리즘의 재질에 따라 빛의 색이 바뀐다고 보는 것은 잘못되었군. ▢
⑤ 물체마다의 고유한 성질로 인해 빛이 꺾이는 정도가 다른 것이군. ▢

3 **이 글을 읽은 학생이 〈보기〉를 참고하여 ㉮에 대해 답한 것으로 가장 적절한 것은 무엇인가요?**

보 기

비가 내리고 있거나 비가 내린 직후에는 공기 중에 물방울이 많이 포함되어 있다. 이는 마치 맑은 날 분무기로 허공에 물을 분사하는 것과 같은 상태가 되어 무지개가 만들어진다.

무지개의 일곱 색깔을 설명하기 위한 뉴턴의 실험과 관련지어 '공기 중의 물방울'이 무엇을 의미하는지 판단해 보도록 해.

① 공기 중에 들어 있는 다양한 물방울의 성질이 섞여 나타난 것이다.
② 여러 색의 빛이 공기 중의 물방울을 통과하면서 각기 다른 색으로 바뀐 것이다.
③ 색이 없는 햇빛이 공기 중의 물방울의 성질로 인해 여러 가지 색으로 변한 것이다.
④ 공기 중에 물방울이 많이 포함된 때에만 나타나는 것이므로 진정한 색으로 볼 수 없다.
⑤ 빛에 섞여 있던 색들이 공기 중의 물방울을 통과할 때 꺾여 각기 분리된 색으로 나타난 것이다.

4 **ⓐ~ⓔ의 사전적 의미가 적절하지 않은 것은 무엇인가요?**

① ⓐ: 연구하여 새로운 안을 생각해 냄.
② ⓑ: 많은 책을 널리 읽거나 여기저기 찾아다니며 경험함.
③ ⓒ: 어떤 일에 손을 댐. 또는 어떤 일을 시작함.
④ ⓓ: 재료가 가지는 성질.
⑤ ⓔ: 도움이 되도록 이바지함.

자연을 닮은 가우디의 건축 세계

건축의 아름다움

Q 가우디를 빼어난 건축가로 손꼽는 이유는 무엇인가요?

스페인의 안토니오 가우디는 근대 건축에서 빼놓을 수 없는 인물이다. 가우디는 기존 건축의 흐름에 얽매이지 않은 인류 역사상 가장 창의적인 건축가였다. 직선으로 이루어진 반듯한 건축물에 익숙한 사람들에게 밀가루로 반죽한 듯 구불구불하게 만들어진 가우디의 건축물은 강렬한 인상을 남겼다. 어떠한 건축 사조에도 속하지 않았던 가우디에게 스승이 있다면 그것은 바로 자연이었다. 그는 자연에서 아이디어를 찾아 합리적이고 아름다운 건축물들을 만들어 냈다.

그가 건축가로서 첫걸음을 떼었던 19세기 바르셀로나는 도시 전체가 공사 중이라고 할 만큼 도시 재생 사업이 활발하게 이루어지던 시기였다. 위생적이지 못한 도시 환경을 ⓐ개조하기 위해 정사각형 모양으로 ⓑ구획을 나누어 도로를 만들고, 건물의 높이를 6층으로 제한하여 모든 집에 햇빛이 잘 들고 통풍도 잘 되도록 했다. 그 결과 도심의 주택에는 어느 정도 채광과 환기가 이루어졌지만 블록의 모퉁이에 지어진 집은 햇빛이 잘 들지 않고, 바람도 잘 통하지 않았다.

스페인의 사업가 밀라는 모퉁이에 지을 자신의 집을 가우디에게 ⓒ의뢰했다. 가우디는 이 문제를 해결하기 위해 수직과 수평에 ⓓ근거한 고전적인 건축의 엄격함을 벗어던지고, 자유로운 형태로 건물을 디자인함으로써 역동성과 활기가 느껴지는 자연스러운 건물을 설계했다. '카사밀라(밀라의 집)'는 바위로 이루어진 몬세라트산의 모양을 본떠 내부에 직각으로 이루어진 부분이 하나도 없다. 그는 지붕을 햇빛 방향에 따라 비스듬하게 설계하고 옥상 난간을 반투명 철망으로 만들어 주택 안으로 빛과 바람이 최대한 들어올 수 있게 하였다. 그뿐만 아니라 철골 구조를 적절하게 이용함으로써 석조 건물의 유기적인 형태를 만들어 냄과 동시에 당시 스페인에 하나도 없었던 철근 콘크리트 건물이라는 새로운 주거 환경을 마련하였다.

바르셀로나에는 카사밀라 말고도 가우디의 다양한 건축물이 남아 있다. '뼈로 지은 집'이라는 별명이 있는 '카사바트요'는 창문과 창살이 뼈 모양으로 디자인되어 있다. '구엘 공원'에는 자연을 돌 자체로 묘사해 놓은 '돌로 만든 세상'이 펼쳐져 있기도 하다. ㉠'사그라다 파밀리아 성당'의 기둥에는 플라타너스 나무의 모습을 덧입혔다. 그 덕분에 그곳을 찾는 사람들은 숲에 와 있는 듯한 느낌을 받는다. 이와 같이 가우디의 건축물들은 자연에서 모티프를 가져온 것들이 많으며, 직선이나 대칭보다는 포물선과 나선 등의 곡선과 자연스러운 비대칭으로 이루어진 것들이 주를 이룬다.

그렇다고 가우디가 단순히 자연을 흉내만 낸 것은 아니다. 오늘날에 비해 건축 재료가 한정되어 있었고, 컴퓨터를 통해 복잡한 계산을 할 수도 없었던 시대였지만 가우디는 세심한 관찰과 모형을 통한 구조 실험을 통해 거대한 건축물을 만들 수 있었다. 중력까지 치밀하게 계산한 건축 모형을 만들며 10여 년의 시간을 바친 결과 고딕 건축에서 필수적이었던 버팀벽이 없이도 날렵하고 균형 잡힌 건축물을 설계할 수 있었다. 이러한 기술력과 창의성의 결합체인 사그라다 파밀리아 성당은 그 자체가 거대한 예술 작품으로서 뛰어난 예술성을 보여 준다. 그는 자연을 본뜨는 것에 그치지 않고 중력이라는 자연의 본성을 합리적으로 ⓔ사고함으로써 건축에 감성을 담아낼 수 있었다.

0 **이 글의 중심 내용을 바탕으로 가우디를 소개하는 전시전을 연다고 할 때, 그 제목으로 가장 적절한 것은 무엇인가요?**

① 자연 속 건축물을 만든 건축가
② 기존 건축의 흐름을 거부한 반항아
③ 스페인이 배출한 걸출한 근대 건축가
④ 건축에 감성을 불어넣어 예술로 승화시킨 건축가
⑤ 자연에 대한 이해를 바탕으로 건축에 감성을 담은 건축가

1 이 글의 내용과 일치하지 않는 것은 무엇인가요?

① 가우디의 건축물은 직선보다 곡선으로 이루어진 것들이 대부분이다.
② 가우디가 건축한 '카사바트요'는 외관의 모습에서 유래한 별명을 가지고 있다.
③ 사람들은 '사그라다 파밀리아 성당'에서 숲에 와 있는 듯한 느낌을 받을 수 있다.
④ 가우디는 '카사밀라'를 지을 때 도시 전체 건물과 조화를 고려하여 직선과 대칭을 활용하였다.
⑤ 가우디는 세심한 관찰과 모형을 통한 구조 실험으로 자연의 본성을 합리적으로 이해한 건축물을 만들었다.

2 이 글을 학급 신문에 게재하려고 인터넷에서 찾은 사진 자료들입니다. 가우디 건축의 특징을 설명하기에 적절하지 않은 것은?

이 글에서 설명한 가우디 건축물의 특징을 정리하고, 이를 각 사진 속 건축물들에 적용해 봐.

①

②

③

④

⑤

3 **이 글과 다음 자료를 읽고 ㉠과 ㉡을 비교하여 평가한다고 할 때, 적절하지 않은 것은 무엇인가요?**

> 삼척 ㉡죽서루를 보면 이 누대 기둥들을 떠받치고 있는 '덤벙주초'의 희한한 조화미를 볼 수 있다. 생긴 그대로의 절벽, 바위 둔덕 위에 울멍진 높고 낮은 자연 암석들을 적당히 의지해서 주초로 삼고 불가피한 곳에만 자연석을 옮겨 놓아 주초의 수를 채웠으므로 기둥 길이를 여기에 맞추어 길게 짧게 마름질한 것이 덤벙주초였다. 결국 죽서루의 길고 짧은 기둥들과 크고 작은 암반들로 이루어진 초석들이 마치 태초의 것인 양 조화를 이루고 있다. 덤벙주초는 과거 한국인들의 자연애와 자연에 대한 깊은 외경, 그리고 자연과 인위의 조화미에 대한 안목에서 우러난 멋진 조형 예의 하나이다.
>
> – 최순우, 「무량수전 배흘림기둥에 기대서서」

학생 1 ㉠과 ㉡ 모두 '자연스러움'을 잘 살린 건축물이야. ………… ①
학생 2 ㉠과 달리 ㉡은 실제 그대로의 자연물이 건축물의 일부가 되고 있어. ………… ②
학생 3 ㉠의 기둥이 자연물을 그대로 활용한 것이 아니라, 자연의 모습을 본떠 구현한 것이라는 점에서 ㉡의 덤벙주초와는 차이가 있어. ………… ③
학생 4 ㉠이 특정 예술가의 창의성이 두드러진 건축물이라면, ㉡은 특정 민족의 문화적 안목을 보여 주는 건축물이야. ………… ④
학생 5 ㉠과 ㉡ 모두 과학적 원리를 바탕으로 한 기술력과 탁월한 창의성이 결합된 건축물이야. ………… ⑤

글에서 파악한 내용이 정확하지 않으면,
그 평가도 모래 위의 집처럼 허물어질 거야!

4 **ⓐ~ⓔ의 문맥적 의미를 활용하여 만든 문장 중 적절하지 않은 것은 무엇인가요?**

① ⓐ: 낙후된 오늘의 농촌 현실을 개조할 일꾼을 길러내 보자.
② ⓑ: 간척지를 용도에 따라 공업 용지, 주택 용지, 농업 용지로 구획하였다.
③ ⓒ: 이 반지가 모조인지 아닌지 알아보기 위해 감정을 의뢰했다.
④ ⓓ: 험준한 산악에 근거를 두고 본격적인 방어 준비에 착수했다.
⑤ ⓔ: 근시안적인 사고는 국가의 장기적 발전에 전혀 도움이 안 된다.

생각읽기 5

한국의 전통미와 자연

한국적 미의 원천

Q 한국적 곡선미가 형성되는 데 영향을 준 독특한 한국의 자연 조건은 무엇인가요?

㉠우리의 전통적인 미는 부드러움 속에 넉넉함이 담긴 선과 형태에서 만들어진다. 이러한 형태미가 나타나게 된 가장 큰 이유는 우리만의 독특한 자연 조건에 있다. 인간의 정서는 환경의 영향을 크게 받아 형성된다. 거칠고 척박한 환경에서의 삶은 거칠고 투박한 심성을 만들고, 그에 따라 투박한 미의 형태가 나타난다. 반면 부드럽고 따뜻한 환경에서 가꾸어진 여유로운 심성은 부드러운 형태의 미로 나타난다. 굳이 ㉡'맹모삼천지교(孟母三遷之敎)'를 들지 않더라도 환경이 인간에게 끼치는 영향은 실로 크고, 그에 따라 만들어지는 미의식도 차이가 나는 것이다.

한반도는 지질학적으로 노년기 지형에 해당한다. 오랜 침식의 과정을 거쳐 완만한 산과 평평한 들을 이루는 노년기 지형에서는 그에 따른 부드러운 선과 형태가 만들어진다. 물론 우리나라 지형도 지리산과 같은 웅장한 형태와 설악산처럼 힘 있고 선 굵은 형태가 나타나기도 한다. 그러나 이러한 강한 선과 형태는 전체적인 부드러움 속에서 적절히 조화를 이루는 정도이지 우리 지형의 보편적 특성이라고 보기는 어렵다. 우리 민족은 부드러운 선과 형태를 이루는 공간에서 삶을 이어 오면서 부드럽고 따뜻한 정서를 지니게 되었고, 그에 따라 미술에서도 부드러운 곡선과 넉넉한 형태감이 나타나게 된 것이다.

우리의 대표적인 전통 가옥인 초가집 지붕의 형태를 보자. 주위의 야트막한 야산을 머리에 얹은 듯한 자연스러운 곡선은 우리에게 낯설지 않은 인상으로 다가온다. 또한 이 완만한 곡선은 마을 뒤로 이어지는 산들의 곡선과 이어져 조화를 이룬다. 초가지붕뿐 아니라 기와지붕에서도 한국적인 곡선미는 잘 드러난다. 전통적인 기와집의 지붕은 유려한 처마의 곡선뿐 아니라 지붕 전체의 곡선미를 유지하기 위해 엄청난 공력을 들였다. 처마의 양끝에서만 곡선을 살리는 중국의 지붕 양식이나 집중 호우나 지진에 대비해 기울기를 크게 만든 일본의 지붕 양식에서는 볼 수 없는 우리만의 운치 있는 곡선미를 만들어 낸 것이다. 전통 가옥의 곡선미는 우리 주변에서 흔히 볼 수 있는 자연의 선과 형태가 생활 속에서 발현된 것으로, 한국의 자연이 우리의 미의식에 큰 영향을 주어 나타난 것으로 볼 수 있다.

우리의 따뜻한 정서가 살아 있는 조선 백자도 마찬가지이다. 중국의 자기(瓷器)처럼 '대칭과 완벽'의 아름다움을 찾을 수는 없지만, 보름달을 닮았다고 하여 '달 항아리'라는 예쁜 이름을 갖게 된 백자는 넉넉한 곡선과 비대칭의 아름다움, 그러면서도 여유 있고 균형 잡힌 형태감으로 우리에게 다가온다. 중국이나 일본의 자기에서는 결코 느낄 수 없는 아름다움이다. 이러한 아름다움은 우리의 한복에서도 나타나고, 풍속화나 산수화의 부드러우면서도 때로는 힘찬 선과 형태감, 수수하면서도 때로는 파격적인 곡선의 민화 등 다양한 분야에서 나타난다. 이들을 통해 우리의 정서가 담겨 있는 선과 형태의 전반적인 특징은 우리의 자연에서 영향받은 '부드러움'이었으며, 자연과의 조화를 드러내는 아름다움이라는 것을 확인할 수 있다.

선과 형태에 관한 전통적인 개념이 현대 미술에까지 계승되고 있다고 자신 있게 말하지는 못한다. 그러나 우리 자신의 것을 바탕으로 하지 않는 문화는 사상누각*에 불과하다. 우리는 우리 문화의 근원이라 할 수 있는 우리의 자연에 관심을 가져야 한다. 쉼 없이 이어지는 산의 부드러우면서도 때로는 힘 있는 곡선과, 자연 그대로의 오솔길, 산 따라 골 따라 순응하면서 흘러가는 냇물과 뚜렷한 사계절의 흐름을 우리의 그림과 도자기, 생활 문화와 비교해 보면 우리 미의 근원이 바로 자연임을 알 수 있을 것이다.

* 사상누각: 모래 위에 세운 누각이라는 뜻으로, 기초가 튼튼하지 못하여 오래 견디지 못할 일이나 물건을 이르는 말.

0 **이 글에 나오는 구체적 사례를 바탕으로 이 글의 주제문을 만들어 보세요.**

초가지붕의 완만한 곡선은 마을 뒤로 이어지는 산들의 곡선과 조화를 이룬다.

기와집 지붕의 곡선미는 우리 주변에서 흔히 볼 수 있는 자연의 선과 형태가 생활 속에서 발현된 것이다.

주제문: ______________________________

한복에 담겨 있는 선과 형태의 전반적인 특징은 우리의 자연에서 영향받은 '부드러움'이다.

풍속화나 산수화의 부드러우면서도 때로는 힘찬 선과 형태감은 우리의 자연에서 찾아볼 수 있다.

1 **이 글의 내용과 일치하지 <u>않는</u> 것을 고르세요.**

① 한국의 전통미는 부드러움 속에 담긴 넉넉함으로 나타난다. ☐
② 풍속화나 산수화에서 힘 있고 선 굵은 형태미가 나타나기도 한다. ☐
③ 한반도의 지형은 노년기 지형이지만 웅장하고 힘 있는 형태도 있다. ☐
④ 한국의 전통 가옥에서는 수수하면서도 파격적인 곡선미를 찾아볼 수 있다. ☐
⑤ 우리 민족은 한국의 자연 안에서 부드럽고 따뜻한 정서를 지니게 되었다. ☐

2 **이 글을 읽고 〈보기〉의 ⓐ를 평가한 내용으로 적절하지 <u>않은</u> 것은 무엇인가요?**

보 기

보물 제1437호

사선 각도로 짧게 벌어진 구연과 단정하고 부드러운 둥근 형태를 가진 ⓐ<u>이 항아리</u>는 17세기 후반부터 18세기 전반에 경기도 광주의 분원관요(分院官窯)에서 만든 것으로 추정되는 조선 백자이다. 몸통의 이음새가 비교적 완전하여 비틀림도 거의 없고, 전체적인 비례가 안정감이 있다.

① ⓐ는 비교적 완만하고 넉넉한 곡선의 아름다움을 보여 주는군.
② ⓐ에는 중국의 자기에서 보이는 대칭의 완벽함은 나타나지 않는군.
③ 형태가 보름달을 닮은 것으로 보아 ⓐ는 '달 항아리'라고 볼 수 있겠군.
④ ⓐ에 나타난 선과 형태는 현대 미술에 그대로 계승되고 있다고 말할 수 있겠군.
⑤ ⓐ는 전체적인 비례가 안정적이어서 이를 본 사람들은 균형적인 형태감을 느끼겠군.

3 <보기>를 참고할 때, ㉠의 대전제로 적절한 것은 무엇인가요?

보 기

연역은 **전제**로부터 결론을 도출해 내는 것이므로 일정한 명제를 출발점으로 한다. 그 과정을 일반화하여 나타내면 다음과 같다. 여기서 P는 대개념, S는 소개념, M은 매개념이다.

M은 P이다. (대전제)	모든 사람은 죽는다.
S는 M이다. (소전제)	소크라테스는 사람이다.
따라서 S는 P이다. (결론)	따라서 소크라테스는 죽는다.

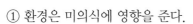

<보기>에 제시된 예시를 바탕으로 대전제가 무엇인지 파악해야 해. 대전제, 소전제, 결론의 관계를 볼 때, 대전제가 전체 내용을 포괄하고 있음을 확인할 수 있어.

① 환경은 미의식에 영향을 준다.
② 우리 문화의 근원은 자연이다.
③ 한반도는 지질학적으로 노년기 지형에 해당한다.
④ 우리의 전통적인 미는 선과 형태를 통해 나타난다.
⑤ 우리 민족은 부드럽고 따뜻한 정서를 지니게 되었다.

결론 소크라테스는 죽는다.
결론의 기초가 되는 것이 전제!
모든 사람은 죽는다.
전제
소크라테스는 사람이다.

돌탑을 쌓아 올리듯이 글을 쓰기 전에 먼저 내세우는 생각이나 추리를 말해.
결론의 기초가 되는 판단이 곧 전제야.

4 문맥상 ㉡과 바꾸어 쓰기에 가장 적절한 속담을 고르세요.

① 아니 땐 굴뚝에 연기 날까 ☐
② 윗물이 맑아야 아랫물이 맑다 ☐
③ 가는 말이 고와야 오는 말이 곱다 ☐
④ 콩 심은 데 콩 나고 팥 심은 데 팥 난다 ☐
⑤ 검은 데 가면 검어지고 흰 데 가면 희어진다 ☐

생각읽기 6

음악을 들으면 어떻게 정서가 느껴질까

음악의 아름다움

Q 키비는 표현주의와 형식주의 이론을 어떤 방식으로 접목시켰나요?

우리는 음악을 들으면서 흥겨움을 느끼기도 하고, 때로는 슬픔의 감정을 느끼기도 한다. 음악은 우리의 정서와 어떤 관계를 맺고 있을까? 전통적으로 표현주의자들은 음악이란 정서를 표현하는 것으로 보고 이를 증명하고자 했다. 이와 달리 형식주의자들은 음악 속에 정서가 포함되어 있지 않으므로 음악 안에 담긴 형식에 주목해야만 그 본질을 파악할 수 있다고 보았다.

표현주의와 형식주의는 모두 음악에서 중요한 요소들을 강조하고 있기 때문에 오랫동안 대립이 이어져 왔다. 표현주의는 음악이 어떤 예술보다 정서와 긴밀한 관계를 맺고 있다고 보고, 특정 정서를 표현하는 음악은 청자에게 직접 그 정서를 느끼게 만든다고 말한다. 하지만 이들은 음악 내부에 있는 어떤 요소에 의해 정서가 느껴지는지 명확히 설명하지는 못한다. 결국 청자가 흥겨움을 느낀 것은 흥겨운 음악을 들었기 때문이라는 ㉠순환 논증의 오류에 빠지고 만다. 반면 형식주의자들은 정서가 대상, 믿음, 판단 등의 인지적인 요소에 의해 만들어진다는 입장에 기반하여, 인지적인 요소를 가지고 있지 않은 음악은 정서를 표현할 수 없다고 주장한다. 이들은 음악이 정서를 느낄 수 있다는 점에서 아름다운 것이 아니라, 음악적 형식에 담긴 고유의 요소들에 의해 아름다운 것이라고 주장한다. 형식주의자들은 음악 자체의 아름다움을 드러낸다는 점에서는 타당하지만 청자들이 음악을 들음으로써 느끼는 정서를 완전히 배제하여 삶으로부터 음악을 분리시킨다는 ㉡문제를 갖는다.

이러한 대립에 대해 키비는 청자들이 음악을 들으면서 느끼는 주관적 반응인 정서가 어떤 음악 내적인 요소에서 기인하는지를 보여 주고자 했다. 키비는 정서가 대상이나 믿음과 같은 인지적인 요소를 반드시 포함한다는 형식주의자들의 입장에서 어떻게 음악이 정서를 나타내는가 하는 표현주의자들의 입장을 접목하려고 했던 것이다. 키비에 의하면, 우리가 정서를 드러내지 못하는 대상에서 어떤 특정한 정서를 인식할 수 있는 이유는 그 대상에서 발견되는 표정, 행동 등의 형태적 요소가 특정 정서와 관련된 우리 인간의 표정 및 행동의 형태적 요소와 유사하기 때문이다. 예컨대 두 눈이 축 쳐진 외양을 가진 개를 보고 슬픔을 느낀다고 할 때, 이는 개의 얼굴을 보는 관찰자의 주관적 감정이 아니라 개의 얼굴 형태에서 보여지는 객관적 요소에서 비롯한 것으로 보는 것이다.

키비는 비정서적 대상인 동물의 특정한 표정이나 행동이 우리에게 정서를 인식할 수 있게 해 주는 것처럼, 음악에도 정서를 느낄 수 있게 만들어 주는 형식적 요소들이 있다고 말한다. 특정한 악기를 사용하거나, 박자나 음과 같은 음악 내적인 형식 요소들을 적절히 선별하여 음악을 구성하면 정서를 환기하는 다양한 패턴을 만들어 낼 수 있다. 키비는 이러한 패턴을 '음악의 윤곽선'이라고 이름 붙였는데, 청자는 음악의 형식 요소들을 종합하여 감상함으로써 음악의 윤곽선을 파악하고 이와 유사한 인간의 표정이나 행동 특징을 판단하여 정서를 인식한다는 것이다. 예를 들어 빠른 박자와 높은 음을 사용하여 장조 선법으로 조합된 음악은 인간이 기쁨을 느낄 때의 표정이나 행동 패턴과 유사하게 인지됨으로써 청자는 이를 기쁨을 표현한 음악으로 판단한다. 이처럼 키비는 음악 외적 요소인 정서를 음악의 내재적 형식과 연관 지음으로써 정서가 단순히 청자의 주관적 반응이 아니라, 음악을 듣고 인지되는 객관적 속성에서 비롯된 것으로 설명하였다. 이는 표현주의와 형식주의자들이 중시하는 음악적 요소를 모두 포괄한다는 점에서 의미가 있다.

0 **이 글을 읽고 '음악을 들으면 어떻게 정서가 느껴질까?'라는 질문에 대해 답변한다고 할 때, 가장 적절한 것을 고르세요.**

① 음악이 주관적 정서와 객관적 정서를 동시에 전달하기 때문에 정서를 느끼는 것이다. ☐
② 음악에는 작곡가의 정서가 표현되어 있기 때문에 음악을 들을 때 정서를 느끼는 것이다. ☐
③ 음악이 다른 예술과 달리 정서 표현에 치중하기 때문에 청자가 그 정서를 느끼는 것이다. ☐
④ 음악이 고유한 형식적 요소들를 활용하여 청자의 정서를 담아내기 때문에 청자가 정서를 느끼는 것이다. ☐
⑤ 음악의 형식적 요소들이 환기하는 정서와 관련된 패턴을 파악하여 이와 유사한 인간의 표정이나 행동 특징을 판단함으로써 정서를 느끼는 것이다. ☐

질문보다 중요한 대답!
질문에 대한 대답이 곧 글의 주제가 된다!

1 이 글을 다음과 같이 도식화할 때 내용과 일치하지 않는 것은 무엇인가요?

논제	음악과 정서는 어떤 관계를 가질까	
	표현주의자	**형식주의자**
주장	음악은 특정한 정서를 표현하며, 청자에게 그 정서를 느끼게 만든다. ······ ①	음악은 정서를 표현할 수 없으며, 음악이 아름다운 것은 음악적 형식에 담긴 고유한 요소들 때문이다. ···②
한계	음악 내부에 있는 어떤 요소에 의해 정서가 느껴지는지 명확히 설명하지 못한다. ······ ③	음악을 들음으로써 청자들이 느끼는 정서를 완전히 배제하여 삶으로부터 음악을 분리시킨다. ······ ④
	키비의 주장	
절충	음악 내적 요소인 정서를 음악의 외재적 형식과 연관 지음으로써 음악을 듣고 인지되는 청자의 주관적 반응이 정서임을 설명한다. ······ ⑤	

이 글에서는 상반된 두 견해와 이에 대한 절충 의견을 정리하고 있어. 각각의 견해와 절충 의견이 제시된 부분을 찾아보고 도식화한 내용과 일치하는지 파악해 봐.

2 이 글을 읽은 후 심화 학습을 하기 위해 〈보기〉의 자료를 찾았다고 할 때, 〈보기〉에 대한 이해로 적절하지 않은 것은 무엇인가요?

보 기

플라톤은 고대 그리스의 음악 중에서도 리디아 음계는 나약한 정서를 불러일으키고 도리아 음계는 용감하고 엄숙한 정서를 유발한다고 평가했다. 근대의 라비냐은 올림 바장조가 나약한 정서를 유발하는 반면 라단조는 엄숙한 정서를 유발한다고 평했는데, 고대의 리디아 음계는 현대의 올림 바장조와 구조가 흡사하고 도리아 음계의 형식은 라단조와 닮아 있다. 모차르트의「레퀴엠」이 라단조의 대표적인 곡이다.

① 플라톤과 라비냐은 음악이 정서와 관계가 있다고 여기고 있군.
② 플라톤과 라비냐은 모차르트의「레퀴엠」이 엄숙한 정서를 유발한다고 보겠군.
③ 형식주의자들은 나약한 정서나 엄숙한 정서들은 음악의 본질에 해당하지 않는다고 보겠군.
④ 표현주의자들은 모차르트의「레퀴엠」에서 느린 박자와 낮은 음이 사용된 단조 선법이 엄숙한 정서를 유발했다고 보겠군.
⑤ 키비는 라디아 음계와 도리아 음계, 올림 바장조와 라단조 등은 모두 정서를 환기하는 음악의 윤곽선이 된다고 판단하겠군.

3 〈보기〉를 참고할 때, ㉠과 유사한 오류를 범하고 있는 것은 무엇인가요?

보 기

순환 논증의 오류는 참이 증명되지 않은 전제에서 결론을 도출하거나, 전제와 결론이 순환적으로 서로의 논거가 될 때 나타나는 오류를 말한다. 구체적으로는 결론에서 주장하고자 하는 바를 전제로 제시하거나, 없는 전제로부터 결론을 도출하거나, 증명하고자 하는 바로 그 결론을 논증의 전제로 삼을 때 나타난다.

① 모든 인간은 죄인이다. 따라서 모든 인간은 감옥에 가야 한다.
② 성경에 적힌 것은 진리이다. 성경에 그렇게 적혀 있기 때문이다.
③ 나의 주장은 정의로운 것이다. 만일 반대하는 사람 있다면 그는 불의한 사람이다.
④ 신은 존재한다. 왜냐하면 누구도 신이 존재하지 않는다는 것을 증명하지 못했기 때문이다.
⑤ 모든 차량은 교통 규칙을 지켜야 한다. 그러므로 신호를 위반한 구급차는 벌칙을 받아야 한다.

도대체 뭐가 먼저라는거야!
이런 게 바로 순환 논증의오류!

증명해야 하는 결론을 오히려 전제로 삼아 증명하려는 것으로,
논증의 형식을 가지고 있지만 **실제로 논증이 되지 않는 오류**를 말해.

4 〈보기〉를 참고할 때, 밑줄 친 말 중 ㉡의 문맥적 의미로 쓰인 것은 무엇인가요?

보 기

문제 問題 [문ː제] 「명사」

1. 해답을 요구하는 물음.
2. 논쟁, 논의, 연구 따위의 대상이 되는 것.
3. 해결하기 어렵거나 난처한 대상. 또는 그런 일.
4. 귀찮은 일이나 말썽.
5. 어떤 사물과 관련되는 일.

① 그것은 법의 문제가 아니라 양심의 문제이다.
② 그것은 대강 배분해도 별 문제가 없을 것이다.
③ 이 장치는 사용에 편리하지만, 가격이 비싸다는 문제가 있다.
④ 지금부터라도 우리는 환경 오염 문제에 대해 관심을 가져야 한다.
⑤ 선생님의 설명을 듣고서야 삼각 함수 문제를 푸는 방법을 알게 되었다.

Q 다음은 생각을 읽을 수 있는 지문 구조도를 퍼즐로 나타낸 것입니다. 앞에서 읽은 글의 내용을 떠올리며 생각읽기 1~6에 해당하는 퍼즐을 선으로 연결해 보세요.

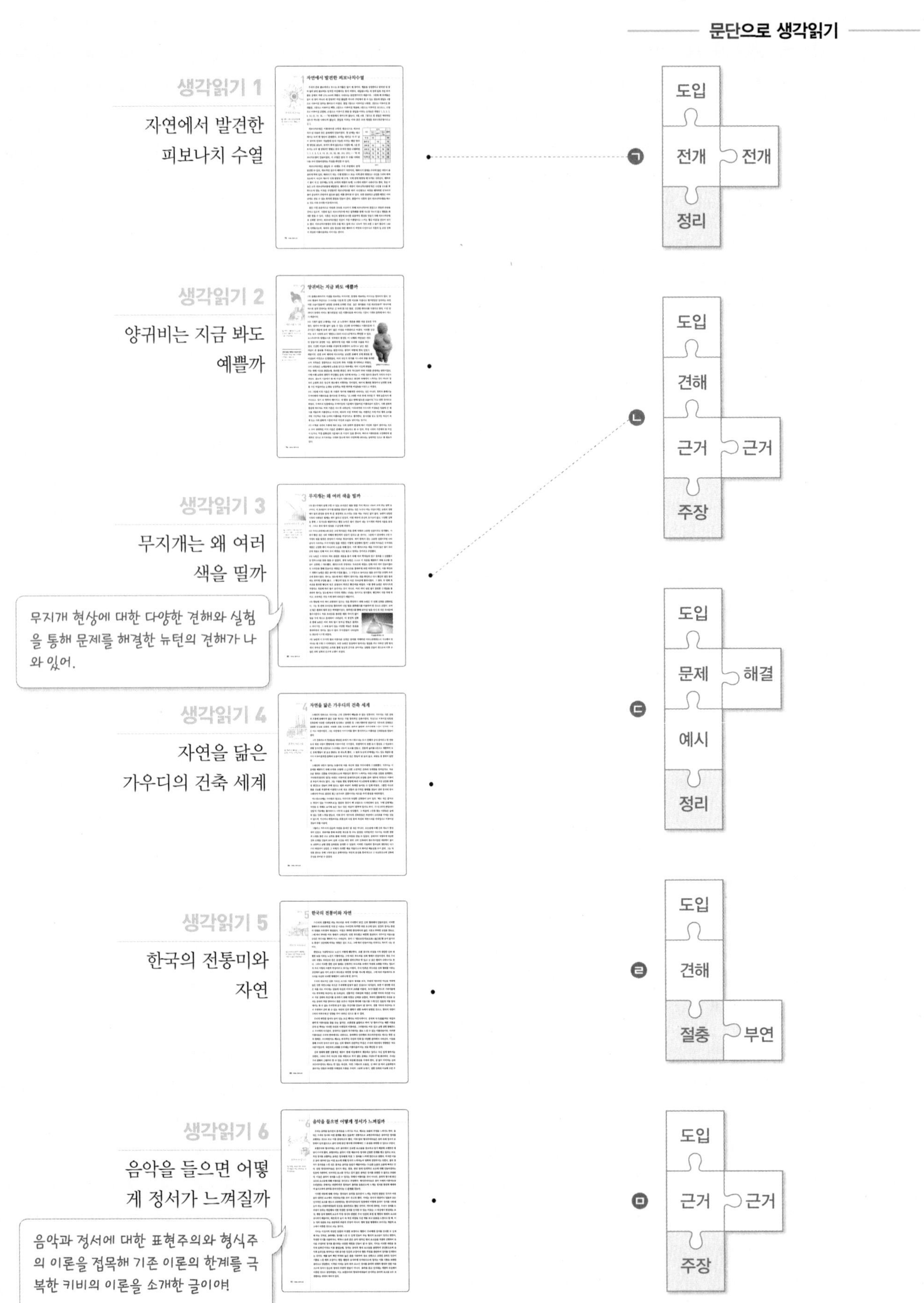

한 문장으로 생각읽기

1 식물은 자신의 생장에 유리한 최적의 환경을 만들기 위한 자연의 법칙으로써 □□□□ 수열을 선택하였다.

2 □□□□의 기준은 시대의 흐름이나 사회 문화적 환경에 따라 달라지며 절대적인 기준은 존재하지 않는다.

3 뉴턴은 프리즘을 이용한 실험을 통해 □□□의 색에 대한 의문을 해결하고 빛의 본질을 규명하였다.

4 스페인의 건축가 □□□는 자연을 모티프로 삼고 자연의 본성을 합리적으로 사고하여 건축에 감성을 담아내었다.

5 우리의 전통 가옥인 초가집과 기와집, 조선 백자, 풍속화와 산수화, 민화의 사례에서 보듯, 한국적 미의 원천은 한국의 □□이다.

6 음악과 정서의 관계에 대해 표현주의와 형식주의 입장이 대립되는데, □□는 이들 두 입장을 접목하여 음악과 정서의 관계를 설명하였다.

한 단어로 생각읽기

인간은 왜 아름다움을 추구할까?

"인간의 최고 지성은 아름다움에 대한 안목이다"

새들의 지저귐이나 반딧불이의 깜빡임을 보고 우리는 아름답다고 말합니다. 물고기의 화려한 비늘이나 공작새의 깃털은 우리에게 아름다움을 넘어 경이로움까지 느끼게 해 주죠. 아름다움은 과연 우리에게 즐거움과 경이로움을 주는 것들에만 한정되는 것일까요?

아름다움은 인류의 감탄과 감동을 이끌어 내기도 하지만, 사회적 혼란을 만드는 원인이 되기도 하였습니다. 아름다움이란 무엇일까요? 아름다움에 대한 판단을 어떻게 할 수 있을까요? 클레오파트라와 주름 가득한 노파의 손을 모두 아름답다고 말할 수 있는 것은 인간이 유일할 것입니다. 인간은 다른 자연물과는 달리, 세계를 아름다움과 추함으로 나누어 받아들일 수 있는 '눈'을 가진 유일한 존재니까요.

아름다움은
그것을 볼 수 있는 '눈'을 가졌을 때만 볼 수 있다.
– 주광첸의 「아름다움이란 무엇인가」에서

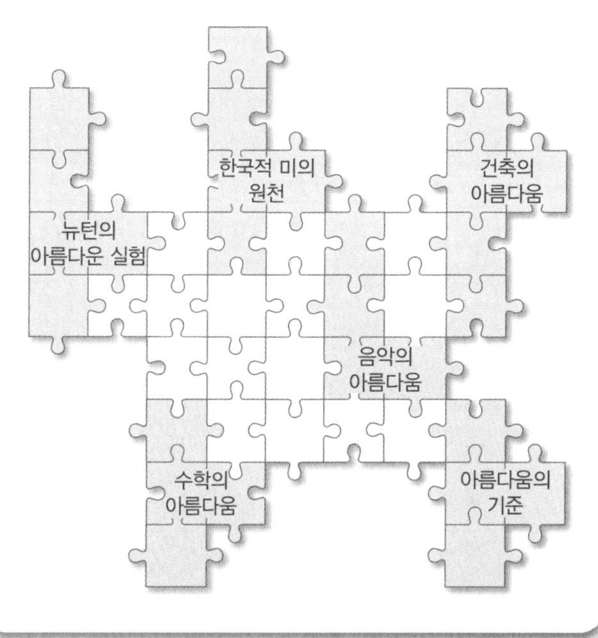

힘

힘을 말하다!

우리는 일상생활에서 '배가 고파서 힘이 하나도 없어.' 또는 '야, 봤어? 힘 완전 쎄.'와 같은 말을 자주 하고는 해요. 또 역사 시간에 '그는 힘이 없는 왕이었다.'와 같은 말을, 과학 시간에는 '물체에 작용하는 힘'이나, '열에너지, 빛 에너지'와 같은 말을 듣기도 해요. 이런 말들은 모두 '힘(에너지)'과 관련된 말들이죠. 우리는 이렇게 '힘'이라는 개념을 통해 어떤 현상을 설명하거나 이해하는 경우가 많습니다. 그렇다면 우리가 사용하는 힘에는 어떤 것들이 있는지 한번 알아볼까요?

생각읽기 1

힘을 정확하게 재려면

물리학에서 보는 힘

Q 물리학적 힘이라고 판단할 수 있는 세 가지 요소에는 무엇이 있나요?

물리학에서 힘은 '정지하고 있는 물체를 움직이게 하고, 또 움직이고 있는 물체의 속도를 변화시키거나 아주 정지시키는 작용'이라고 정의된다. 그래서 '힘이 들다', '힘이 세다'와 같은 일상적인 표현에서의 '힘'은 움직임과 관련이 없으므로, 물리학적 힘에 해당하지 않는다. 이에 비해 축구공을 세게 찰 때나 문을 열 때에는 힘이 가해지는 대상과 힘이 작용한 결과로 대상이 움직이는 방향과 속도가 달라진다. 이러한 요건을 갖추었을 때, 물리학적 힘이라고 판단할 수 있다. 물리학적 힘의 크기를 나타내는 단위는 근대 물리학의 선구자 아이작 뉴턴(Isaac Newton)의 이름을 따 뉴턴(N)이라고 한다.

[A] 친구와 둘이서 줄다리기를 한다고 생각해 보자. 이때 친구와 나는 줄에 서로 반대 방향으로 물리학적 힘을 가하고 있다. 내가 10N의 힘으로 당기고 있을 때 친구가 각각 5N, 10N, 15N으로 당길 경우, 이 세 가지 경우마다 줄다리기의 결과는 달라진다. 친구가 내 쪽으로 끌려오거나, 서로 팽팽하게 줄을 당기며 정지해 있거나, 내가 친구 쪽으로 끌려가게 될 것이다. 이렇게 한 물체에 작용하는 힘을 모두 더한 힘을 알짜힘이라고 한다.

물리학에서 힘을 표현할 때에는 이렇게 알짜힘이라는 용어를 사용하는데, 한 물체에 반드시 둘 이상의 힘이 가해져야만 하는 것은 아니며, 하나의 힘만 가해져도 알짜힘이라고 표현한다. 그리고 물체가 움직이지 않을 때에는 알짜힘이 0인 상태이고, 물체가 움직일 때에는 알짜힘이 존재하는 상태라고 한다. 알짜힘을 파악하기 위해서는 물체에 어떤 정도의 크기와 어떤 방향으로 힘을 가하는지를 모두 알아야 한다. 이를 위해 물리학에서는 물체에 작용하는 힘의 크기와 물체가 움직이는 방향을 모두 파악할 수 있는 '벡터'를 사용하여 힘을 표현한다.

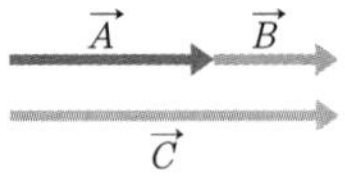

$\vec{A}$ $\vec{B}$ $\vec{C}$

〈그림 1〉

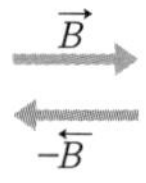

$\vec{B}$ $-\vec{B}$

〈그림 2〉

'벡터'는 물리학에서 다루는 힘을 수학적으로 정확하게 표현하는 방법이다. 벡터는 화살표로 표시할 수 있으며, 화살표의 방향은 힘의 방향을, 화살표의 길이는 힘의 크기를 표현한다. 또한 벡터는 $\vec{A}$, $\vec{B}$, $\vec{C}$와 같이 기호로 나타낼 수 있다. 〈그림 1〉의 경우 같은 방향으로 작용하는 두 힘 $\vec{A}$와 $\vec{B}$의 합인 $\vec{C}$를 표현한 것으로, 예를 들어 $\vec{A}$가 3N, $\vec{B}$가 1N이라면, 알짜힘인 $\vec{C}$는 오른쪽 방향으로 4N이 된다. 이에 비해 〈그림 2〉의 경우 같은 크기의 힘이 서로 반대 방향으로 작용할 때를 표현한 것으로, $\vec{B}$와 반대 방향으로 작용하는 벡터는 기호로 $-\vec{B}$라고 표현하며, $\vec{B}$와 $(-\vec{B})$는 크기가 같고 방향만 반대인 힘으로 정의된다. 만일 힘의 방향이 반대이고 크기도 서로 다르다면, 두 힘은 $\vec{A}$와 $\vec{B}$로 표현한다.

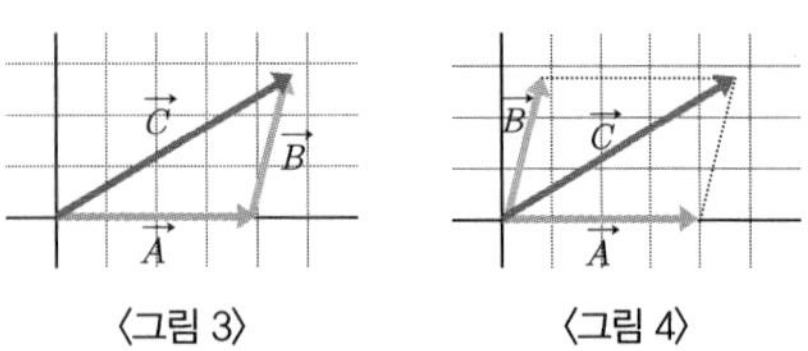

〈그림 3〉 〈그림 4〉

더 나아가 좌표 평면상에서 서로 다른 방향으로 움직이는 두 힘이 가해질 때, 알짜힘의 벡터에 대해 생각해 보자. 이때에는 $\vec{A}$와 $\vec{B}$를 활용하여 삼각형을 만들거나 평행 사변형을 만든 다음, 도형의 성질을 이용하여 $\vec{C}$를 구한다. 먼저 삼각형을 만드는 방법은 〈그림 3〉과 같이 $\vec{A}$를 화살표로 표시하고 $\vec{A}$의 끝점에서 $\vec{B}$의 화살표를 긋는다. 그리고 $\vec{A}$의 시작점과 $\vec{B}$의 끝점을 이어 삼각형을 만든 다음, 삼각형의 변의 길이를 구하는 방법을 사용하여 $\vec{C}$를 구한다. 평행 사변형을 만드는 경우에는 〈그림 4〉와 같이 $\vec{A}$를 화살표로 표시한 다음 시작점에서 $\vec{B}$의 화살표를 긋는다. 그리고 두 화살표와 평행한 점선을 그으면 평행 사변형이 만들어지는데, 이때 대각선을 그어 $\vec{C}$를 표시하고, 도형의 성질을 이용하여 $\vec{C}$를 구한다.

이렇게 물리학에서는 벡터라는 용어를 사용해 물체에 가해지는 힘뿐만 아니라, 알짜힘을 파악함으로써 물체의 움직임까지 정확하게 표현한다. 특히 알짜힘의 벡터에 시간의 개념을 더하면 시간의 흐름에 따른 물체의 움직임, 즉 물체의 속도까지 정확하게 파악할 수 있게 된다. 이렇게 물리학에서의 힘의 개념과 표현 방법은 자연스럽게 물체의 운동 양상까지 설명할 수 있는 ⓐ힘을 가지고 있는 것이다.

0 **[A]의 줄다리기 상황을 '벡터' 개념으로 설명할 때, 적절하지 않은 것은 무엇인가요?**

① 친구가 가하는 세 경우의 힘을 화살표로 표현하면, 각각의 경우마다 화살표의 길이가 다르다.

② 내가 가하는 힘을 $\vec{A}$라고 표현한다면, 친구의 힘은 모두 $-\vec{A}$로 표현한다.

③ 친구가 5N의 힘을 가할 때, 알짜힘 $\vec{C}$는 나의 방향으로 5N의 크기를 가진다.

④ 친구가 10N의 힘을 가할 때, 알짜힘은 0이 되며, 이때 줄은 팽팽한 상태로 정지해 있다.

⑤ 친구가 15N의 힘을 가할 때, 알짜힘 $\vec{C}$는 친구 방향으로 5N의 크기를 가진다.

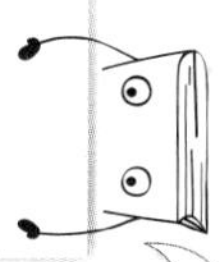

줄다리기 상황처럼 독해에도 밀당이 필요해! 낯선 개념이 나오면 선택지는 의외로 쉬우니까 각 상황에 '벡터' 개념을 차근차근 적용해 보자!

1 알짜힘에 대한 이해로 가장 적절한 것은 무엇인가요?

① 날아오는 야구공을 타자가 치는 순간, 공에 가해지는 힘만 파악하면 알짜힘을 알 수 있다.
② 정지해 있는 공을 차서 멀리 보낸다면, 공에 가해진 힘은 있지만 알짜힘은 없는 상태이다.
③ 자유롭게 운동장을 달릴 때, 다리 근육의 힘만 정확하게 측정해도 알짜힘을 파악할 수 있다.
④ 비행기가 날아가는 방향과 속도를 파악하려면, 시간에 따른 알짜힘의 벡터를 파악하면 된다.
⑤ 자동차를 멈추려 브레이크를 밟을 때, 진행 방향으로 작용하는 힘을 모두 더한 힘이 알짜힘이 된다.

2 다음 중 ⓐ의 **문맥적 의미**와 가장 가까운 것은 무엇인가요?

① 그녀는 아주 어려운 책도 읽어 낼 힘이 있다.
② 그 나라는 외침을 막기에 충분한 힘을 가졌다.
③ 이 자동차의 엔진은 매우 강력한 힘을 가졌다.
④ 그는 힘이 약해 쌀 한 가마를 들 수 없을 것이다.
⑤ 거센 파도의 힘에 못 이겨 배는 결국 파손되었다.

글을 읽을 때도 **글의 맥, 문맥**을 잘 짚어야 그 의미를 알 수 있어.
이렇게 **어휘나 문장이 문맥 속에서 확장되는 의미**를 문맥적 의미라고 해.

3 **〈보기〉를 참고하여 이 글의 〈그림 3〉과 〈그림 4〉를 이해한 내용으로 적절하지 않은 것은 무엇인가요?**

| 보 기 |

좌표 평면에 화살표로 표현된 벡터는 x축과 y축 좌표로 거리와 방향을 표현할 수 있다. 이때 힘의 크기를 나타내는 화살표의 길이는 화살표의 시작점에서부터 끝점까지의 거리이다. 옆의 그림과 같이 물체에 작용하는 두 힘의 벡터를 $\vec{A}$, $\vec{B}$로 표시한 다음, $\vec{B}$의 끝점 좌표를 구하고, 원점에서 끝점으로 향하는 화살표를 그으면 알짜힘의 벡터 $\vec{C}$를 알 수 있다. 이때 세 화살표는 직각 삼각형이 되는데, 직각 삼각형의 밑변과 높이를 알 때에는 피타고라스의 정리를 이용하여 빗변의 길이를 구할 수 있다. 피타고라스의 정리는 '(밑변)^2+(높이)^2=(빗변)^2'이 성립한다는 것이다. 이 그림과 같이 밑변에 해당하는 $\vec{A}$의 길이가 3, 높이에 해당하는 $\vec{B}$의 길이가 4인 경우, $3^2+4^2=9+16=25$가 되는데, 25는 5^2이므로 $\vec{C}$는 5라고 구할 수 있다. 이때 화살표의 길이는 힘의 크기이므로, $\vec{C}$의 크기는 5N이 된다. 한편, 피타고라스의 정리를 만족하는 세 정수를 '피타고라스 수'라고 하며, (3, 4, 5) 외에 (5, 12, 13)도 있다.

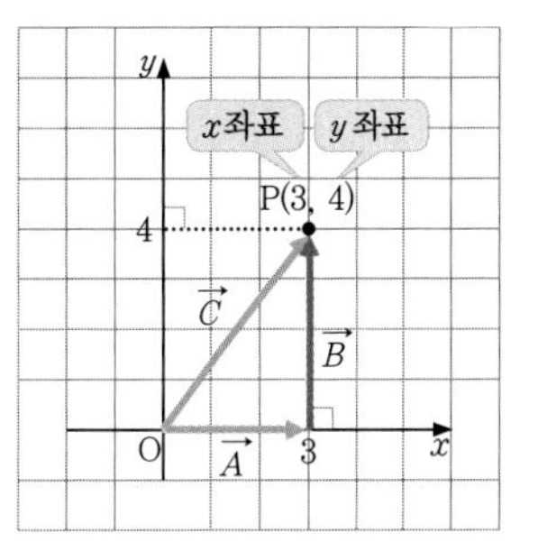

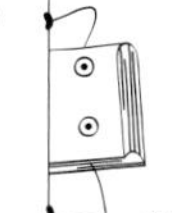

직교란 말이 어려워?
두 직선 또는 두 평면이 직각을 이루며 교차하는 것을 말해!

① 〈그림 3〉의 $\vec{A}$와 $\vec{B}$의 시작점 좌표는 다른 데 비해, 〈그림 4〉의 $\vec{A}$와 $\vec{B}$의 시작점 좌표는 동일하다.

② 〈그림 3〉과 같이 $\vec{A}$, $\vec{B}$의 방향이 서로 수직이 아니더라도, $\vec{B}$의 끝점에서 x축과 직교하는 연장선을 그어 직각 삼각형을 만들면 $\vec{C}$의 크기를 구할 수 있다.

③ 〈그림 3〉에서 만일 $\vec{A}$의 끝점 좌표가 (12, 0)이고 $\vec{B}$의 끝점 좌표가 (12, 5)라면, $\vec{C}$의 크기는 피타고라스의 정리를 이용하여 계산하면 13N임을 알 수 있다.

④ 〈그림 4〉에서 $\vec{C}$의 크기를 알기 위해서는, $\vec{C}$의 끝점 좌표를 파악한 다음 $\vec{C}$의 끝점에서 x축과 직교하는 연장선을 그어 직각 삼각형을 만들어야 한다.

⑤ 〈그림 4〉에서 만일 $\vec{A}$의 끝점 좌표가 (4, 0)이고 $\vec{B}$의 끝점 좌표가 (1, 3)이며, $\vec{C}$의 끝점 좌표가 (5, 3)이라면, $\vec{C}$의 크기가 5N임을 알 수 있다.

유치원의 권력

유아들의 사회적 힘

Q 사회적 힘이 큰 유아들은 어떤 특성을 지니고 있나요?

사회를 이루고 있는 구성원들은 그 사회 내에서 서로 다른 영향력을 지니고 있다. 이러한 영향력의 차이를 설명하는 개념이 ㉠'사회적 힘'이다. 사회적 힘이란 어떤 사람이 다른 사회 구성원들과의 관계 속에서 타인에게 미치는 영향력으로써 타인의 생각 · 태도 · 행동 · 감정 등을 변화시킬 수 있는 능력을 의미한다. 사회적 힘을 형성하는 요인으로는 사회적 · 경제적 지위나 권력, 육체적인 힘, 또는 도덕적 · 인격적 수준, 지적 수준 등을 들 수 있다.

사회적 힘의 개념은 교육학에서 중요하게 다루는 연구 주제로, 아이들의 사회화 과정에서 이루어지는 사회적 힘의 형성 및 유지 등에 대한 연구를 통해 아이들의 원만한 발달과 성장을 돕고자 한다. 어른들의 사회 집단과 달리 또래 집단 내의 아이들은 기본적으로 서로 동등한 위치에 있으므로, 사회적 힘을 형성하는 요인이 어른들과는 차이가 있다. 그리고 일반적으로 학교에 들어갈 나이 정도가 되면, 자신의 말과 행동을 타인이 어떻게 생각하고 느끼는지에 대해서도 알게 되고, 자신의 요구를 타인이 어떻게 수용하게 되는지에 대해서도 인식하게 된다고 본다. 그리하여 ㉡보통 사람들은 만 7세 미만의 유아들에게 사회적 힘이 존재한다는 것을 믿기 어려워하지만, 연구 결과에 따르면 유아들 역시 사회적 힘을 사용하며 사회적 힘에 대한 대응 전략을 사용한다는 것이 밝혀졌다.

유아들 가운데서도, 다른 아이들에 비해 신체적인 힘이 세고 운동 능력이 뛰어나거나, 아는 것이 많고 인지 능력이 뛰어나며, 언어 표현력이 우수한 아이들의 사회적 힘이 크다. 이런 아이들은 자연스럽게 다른 아이들에게 인기가 많아 리더십을 가지게 된다. 교사나 부모들은 이런 아이들에 대해 긍정적으로 대하기 때문에, 인기 많은 아이들의 리더십은 더욱 강화된다. 이렇게 상대적으로 큰 사회적 힘을 가진 아이들은 자신이 가진 사회적 힘을 긍정적으로 사용하기도 하고, 부정적으로 사용하기도 한다. 사회적 힘의 긍정적인 양상은 '도와주기', '타협하기', '중재하기'로 나타난다. 교사나 부모가 보상을 주지 않더라도 단지 친구가 어려움에 처하거나 친구의 이익을 보호하기 위해서 자신이 가진 사회적 힘을 발휘하여 도와주는 것이 '도와주기'이다. 또한 친구들 사이에서 갈등이 발생했을 때, 설득력 있는 설명과 협상을 통해 갈등을 중재하여 문제를 해결하는 것이 '타협하기'와 '중재하기'이다. 이때 도움을 받은 아이는 '감사하기'와 같은 수용 양상을 보이게 된다. 이 경우, 아이들 사이에 긍정적인 상호 작용이 나타나게 되며, 사회적 힘을 발휘한 아이의 리더십은 더욱 강화되고 유지된다.

반면, 자신이 가진 사회적 힘을 부정적으로 사용하기도 한다. 부정적인 사회적 힘의 사용은 모두 반사회적인 행동에 해당한다. 다른 아이의 실수, 무능함, 단점을 여러 아이들 앞에서 대놓고 무시하거나 비웃고 약을 올리는 것이 '얕잡아 보기'로, 이를 통해 상대의 지위를 낮추고 자신의 사회적 힘을 유지하려 한다. 다른 아이들이 인정할 만한 근거 없이 자기주장을 내세우는 것이 '억지 부리기'인데, 인지 능력이나 언어 표현 능력이 뛰어난 아이들이 주로 사용한다. 또래 집단의 놀이 상황에서 '놀이 독점하기'도 나타나는데, 놀이 상황에서 사회적 힘이 큰 아이가 놀잇감, 놀이 역할, 주도권, 선택권 등을 모두 독차지하는 것을 의미한다. 놀이를 할 때 자신을 어른과 동일시하기도 하고, 친구들에게 역할을 정해 주거나 자신이 중심적 역할을 맡아 다른 아이를 가르치거나 명령하고 간섭하는 것이 여기에 해당한다.

이러한 사회적 힘의 부정적 사용에 대한 다른 아이들의 대응 전략은 '수용하기', '회피하기'나

'저항 · 반박 · 무시하기'로 나타난다. 상대가 자신보다 사회적 힘이 월등히 강하다고 생각할 때에는 대체로 상대의 요구에 따라 행동하는 '수용하기' 전략이 나타난다. 그러나 특정 아이에 대한 사회적 힘의 부정적인 사용이 집중되는 문제 상황의 경우, 당하는 입장에 있는 아이는 멍하니 허공이나 한곳을 응시하면서 자신을 향한 사회적 힘이 분산되거나 이동되기를 바라는 무기력한 모습을 보이는데, 이를 '회피하기' 전략이라고 한다. 이때 아이는 두려움, 열등감, 수치심 등의 부정적 감정을 가지게 되며, 이러한 상황이 지속되면 정서적 · 심리적으로 불안한 상태에 놓이게 된다. 만약 상대가 자신과 비슷하다고 생각할 때에는 상대의 요구에 적극적으로 저항하거나 반박하기도 하고, 상대방의 말을 무시하는 전략으로 대응하기도 한다.

0 **유치원 교사가 되려고 하는 학생들이 이 글을 읽고 보인 반응으로 가장 적절한 것은 무엇인가요?**

학생 1 또래들 사이에서 인기가 많은 아이에게는 되도록 칭찬을 삼가는 것이 좋겠어. ······ ①
학생 2 '회피하기' 전략을 사용하는 아이에게는 무기력한 행동을 한 것에 대해 훈계해야겠어. ······ ②
학생 3 '억지 부리기' 전략을 사용하는 아이에게는 자기 생각을 말로 잘 표현할 수 있게 해야겠어. ······ ③
학생 4 '타협하기' 전략을 사용하는 아이를 칭찬하여 친사회적인 행동을 강화하도록 해야겠어. ······ ④
학생 5 긍정적이든 부정적이든 사회적 힘은 클수록 좋다는 것을 아이들이 인식하도록 지도해야겠어. ······ ⑤

1 ㉠에 대한 설명으로 적절하지 않은 것은 무엇인가요?

① 유아 집단과 달리 성인 사회에서는 직위나 부유한 정도가 영향을 끼칠 수 있다.
② 다른 사람의 생각과 감정을 조종하거나 반사회적인 행위를 하도록 유도하는 힘이다.
③ 사회적 힘은 이타적인 행위로 발현될 수도 있고 이기적인 행위로 발현될 수도 있다.
④ 유아 집단과 마찬가지로 성인 집단에서도 사회적 힘이 큰 사람이 주로 리더십을 갖게 된다.
⑤ 교육의 영역에서 사회적 힘에 관심을 갖는 이유는 아이들의 성장에 영향을 주기 때문이다.

2 ㉡의 **근거를 추론**한 내용으로 가장 적절한 것은 무엇인가요?

① 유아들이 어른들에 비해 자기중심적 사고를 하는 경향이 강하기 때문에
② 유아들이 사회생활을 하지 않아 다른 사람들과의 접촉 기회가 적기 때문에
③ 유아들이 다른 아이들의 실수나 단점을 대놓고 비웃는 경향이 강하기 때문에
④ 유아들이 어른들에 비해 다른 사람들에게 쉽게 마음을 여는 순수함을 가졌기 때문에
⑤ 유아들이 사회적 힘을 형성하기에는 정서적으로나 인지적으로 미숙하다고 여기기 때문에

상대방을 설득하려면 당연히 근거가 있어야겠지?
주장을 뒷받침하는 내용을 찾는 게 바로 근거를 추론하는 거야!

3 **이 글을 바탕으로 〈보기〉의 '소꿉놀이' 상황을 분석한 내용으로 적절하지 않은 것은 무엇인가요?**

| 보 기 |

재희: ⓐ나 이거 좀 잘라 줘.

정국은 재희의 말을 듣고 종이를 들고 가위를 가지러 간다.

지민: ⓑ그럼 내가 생선 더 만들어 올게.

소영: (재희에게) 뭐 만드는 거야?

재희: 과자. (소영이 과자를 만지려 하자 제지하며) 안 돼! 이거 구워야 해! ⓒ엄마 아직 다 안 만들었다. 기다려.

소영이 씽크대에서 무엇인가를 만드는 행동을 한다.

재희: (소영의 행동을 막으며) 야야! 안 돼, 그렇게 하면! 재네가 생선 만들고 있어. 기다려 봐.

소영: ⓓ아니야. 과자는 이렇게 굽는 거 맞아. (하던 행동을 계속한다.)

이때 석진이 재희에게 다가온다.

석진: ⓔ엄마, 화장실은 어디 있어?

재희: 화장실은 여기! 화장실은 여기라고 하자. (손으로 한쪽을 가리킨다.)

① ⓐ: 발화자가 놀이의 주도권을 가지고 청자에게 특정 행위를 명령하고 있다.
② ⓑ: 발화자는 청자의 요구를 자발적으로 수용하여 갈등 상황을 미리 중재하고 있다.
③ ⓒ: 발화자는 스스로를 어른과 동일시함으로써 현재의 상황을 통제하려고 하고 있다.
④ ⓓ: 청자의 사회적 힘이 자기보다 크다고 여기지 않아 청자의 말을 반박·무시하고 있다.
⑤ ⓔ: 발화자는 청자의 '놀이 독점하기' 전략에 대해 '수용하기' 전략으로 대응하고 있다.

생각읽기 3

왕의 권력은 어디에서 오는가

동양의 천명사상론

Q 동양에서 왕의 권력이 정당화되었던 이유는 무엇인가요?

동 · 서양을 막론하고 황제 및 왕의 권력은 절대적인 것으로 간주되었다. 이것은 곧 모든 사람들은 황제 및 왕의 명령에 복종해야 한다는 것을 의미하며, 황제 및 왕의 정치적 권력이 막강하다는 것을 의미한다. 그렇다면 이러한 생각의 근거는 무엇일까? 동양에서 황제를 천자(天子)라고 칭하는 것에서 그 해답의 실마리를 찾을 수 있다. 천자란 하늘을 대신하여 천하를 다스리는 사람이라는 뜻인데, 이 말에는 천자의 절대적인 권력은 바로 하늘이 부여했다는 전제가 깔려 있다. 따라서 황제나 왕은 하늘의 명령, 즉 천명(天命)을 수행하는 천자이며, 하늘을 대신하므로 그들을 하늘의 절대적인 힘을 가진 존재라고 보는 것이다.

[A] 하늘이 덕이 있는 사람을 천자로 삼아서 만민을 다스리게 한다는 사상을 '천명(天命) 사상'이라고 한다. 이 사상에서는 하늘, 즉 천(天)이 사람을 포함한 세상 만물을 창조했을 뿐만 아니라 만인의 삶을 가치 있고 온전하게 누릴 수 있도록 하기 위해 총명하고 덕망이 높은 사람을 임금으로 선택하여 만인을 다스리게 한다고 말한다. 이러한 천명사상은 유학(儒學)을 비롯한 중국의 많은 사상의 밑바탕이 되었다. 공자는 춘추 시대의 역사를 기록한 책 『춘추(春秋)』를 집필할 때, 천명사상에 입각하여 천자의 권력에 도전하는 제후들을 난신적자(亂臣賊子)* 라고 비판적으로 서술하였다. 중국 고대 왕조인 주나라 말기를 춘추 시대라고 하는데, 이 시기는 주나라 천자의 권력이 약화되어 혼란스러웠던 시기였다. 이때 많은 제후들이 천자의 권력을 넘보던 일들이 비일비재*했는데, 공자는 이러한 사건들을 매우 부정적으로 서술했던 것이다.

이후 천명사상은 재이론(災異論)과 결합되어 완성도가 높아지고, 민본주의(民本主義) 사상을 포함하게 된다. 천자가 하늘의 뜻에 따라 백성들을 다스리지 않게 되면, 하늘은 재난이 되는 괴이한 일, 즉 재이(災異)를 통해 천자에게 경고한다는 것이 '재이론'이다. 그럼에도 불구하고 천자가 천명을 받들지 않고 포악한 정치를 계속하면 천자의 통치권은 부정된다고 보았다. 왜냐하면 '천명'이 만백성의 삶을 안정적이고 풍요롭게 만드는 것이기 때문이었다. 이는 천명사상이 '민심(民心)은 곧 천심(天心)'이라는 '민본주의' 사상과도 자연스럽게 결합되는 것을 보여 준다. 다시 말하면 천자가 지닌 절대적 권력은 '천명'에서 나오지만 '천명'을 한번 부여받았다고 해서 영원한 것은 아니며, '천명'을 다하지 못하는 천자에게는 하늘이 경고를 내리지만 그래도 반성하지 않으면 '천명'을 빼앗아 간다는 것이다. 이는 천명을 다하지 못하는 군주는 더 이상 천자가 아니며, 백성들과 신하들은 새로운 천자를 옹립할 수 있다는 역성혁명* 사상과 맥이 닿는다.

또한 천명사상은 하늘은 선한 인간의 행위에 대해 상을 주고, 악한 행위에 대해서는 벌을 내린다는 '천인감응(天人感應)' 사상을 내포하고 있기도 하다. 천인감응 사상은 재이론을 조금 더 발전시킨 것으로, 의지를 가진 하늘이 인간의 행위를 감찰하고 평가하여 그 결과를 자연 현상으로 알려 준다는 것이다. 여기서 하늘은 유일하며 최고의 권위를 지닌 존재로 하늘의 대리자인 천자도 같은 권위를 지닌다고 보았다. 이로 인해 천자의 전제적* 지배는 확고하게 정당화되었던 것이다.

우리나라에서도 천명사상은 일찍부터 도입되었는데, 특히 조선 왕조에서는 왕조의 정당성을 확보하는 근거가 된 동시에, 중요한 정치 철학으로서 자리 잡았다. 고려 왕조가 망한 것은 고려의 왕들이 더 이상 천명을 수행하지 못했기 때문이라며, 새롭게 천명을 받은 이성계가 왕이 된 것과 그 후손들이 왕위를 계승하는 것에 대한 정당성을 부여했다. 그리하여 조선 왕조 시기에 재이가 발생하면 왕은 근신하며 죄수들을 풀어 주고, 신하들에게 조언을 구해야만 했다. 이때 왕은 신하들이 어떠한 말을 하더라도 수용해야만 했기 때문에, 천명사상은 왕의 권력에 대해 신하들이 견제할 수 있는 기반이 되기도 했다.

* 난신적자: 나라를 어지럽히는 불충한 무리.
* 비일비재: 같은 현상이나 일이 한두 번이나 한둘이 아니고 많음.
* 역성혁명: 왕조가 바뀌는 일.
* 전제적: 자기의 의사대로 모든 일을 처리하는 것.

0 〈보기〉의 ㄱ~ㄷ 중 이 글의 '천명사상'에 부합하는 것은 무엇인가요?

보 기

ㄱ. "하늘이 백성을 낳은 것은 군주를 위한 것이 아니며, 하늘이 군주를 세운 것은 백성을 위한 것이다."

ㄴ. "인간의 행동은 하늘을 감동시킬 수 없고, 하늘도 인간의 행실에 따라 보답해 줄 수 없다."

ㄷ. "나라가 번영하려고 할 때는 반드시 상서로운 기운이 나타나고, 나라가 쇠망하려고 할 때는 반드시 불길한 조짐이 나타난다."

① ㄱ
② ㄴ
③ ㄷ
④ ㄱ, ㄷ
⑤ ㄴ, ㄷ

1 이 글을 통해 알 수 있는 내용으로 적절하지 않은 것은?

① 동양뿐 아니라 서양에서도 황제나 왕은 절대적인 권력을 지니고 있었다.
② 동양에서의 하늘은 우주 만물을 주재하는 신적 존재라는 의미를 가지고 있다.
③ 천명사상은 절대 권력을 견제할 수 있는 사상들이 결합되면서 발전해 나갔다.
④ 조선 시대에 흉년이 들면 신하들은 왕의 정치적 행위에 대해 비판을 가하기도 했다.
⑤ 조선 건국의 정당성은 천자에 의한 천명 실행 자체를 부정하는 인식에 기반을 두었다.

2 [A]를 바탕으로 볼 때, 공자가 ㉮와 같이 한 이유를 추론한 내용으로 적절한 것은 무엇인가요?

보 기

춘추 시대인 기원전 621년경 주나라의 여러 제후국들 중에서는 진(晉)나라가 가장 강했다. 이때 진나라 제후인 문공(文公)이 다른 제후국들을 대표한다는 명목으로 천자를 초청하여 충성 맹세 의식을 열었다. 이를 '천토지맹(踐土之盟)'이라고 하는데, 실은 진나라 문공이 천자를 들러리로 세워 자신의 위세를 떨친 사건이었다. 즉 문공은 이미 천자를 넘어선 자신의 권력을 온 천하에 보여 주기 위해 겉으로 천자에게 충성을 맹세하는 것처럼 했던 것이다. ㉮ 공자는 『춘추』에 이 사건 자체를 기록하지 않고, 대신 '천자가 하양(河陽)이라는 곳으로 사냥을 나갔다.'라고만 왜곡하여 서술했다.

① 진나라 문공이 제후로서의 소임을 다하여 주나라의 천자에게 충성을 맹세했기 때문에
② 천자의 권력을 넘보고 자신의 위세를 떨친 진나라 문공을 난신적자라고 보았기 때문에
③ 진나라 문공이 총명하고 덕망이 높음에도 불구하고 자신이 직접 천자가 되지 않았기 때문에
④ 진나라 문공이 모든 백성의 삶을 풍요롭고 온전하게 만들 수 있는 적임자라고 보았기 때문에
⑤ 진나라 문공이 천자의 권위를 넘보던 다른 제후들을 경계하기 위해 천토지맹을 열었기 때문에

3 **이 글의 '천명사상'과 〈보기〉의 '왕권신수설'을 비교하여 이해한 내용으로 적절하지 않은 것은 무엇인가요?**

보 기

16세기 말 영국과 프랑스에서는 종교와 관련된 전쟁이 많았고, 이로 인해 사회는 혼란스러웠다. 이러한 사회의 혼란을 잠재우기 위한 방편으로 왕의 권력은 신(神)에게서 부여받았다는 왕권신수설(王權神授說)이 나타났다. 이는 왕이 아무런 제약이 없는 권력을 신에게서 부여받았으며, 죽을 때까지 신의 대리자로서 왕권을 행사한 결과에 대한 책임은 오로지 신에 대해서만 진다는 사상이다. 그리하여 백성들이나 신하들이 왕의 권위에 도전하는 것은 곧 신의 권위에 도전하는 것으로 보았다. 그러나 17세기 중엽 왕과 국가의 권력은 국민의 권력을 위임받은 것이라는 사회계약설을 비롯한 계몽주의 사상이 확산되면서 왕권신수설은 급격히 사라지게 되었다.

① 천명사상과 왕권신수설 모두에서 최고 권력자가 지닌 권력은 영원불변한 성격을 가진 것으로 인정받았다.

② 왕의 권력을 정당화하는 수단으로서, 천명사상에 비해 상대적으로 왕권신수설은 오래 지속되지 못했다.

③ 천명사상에서의 천자와 왕권신수설에서의 왕은 모두 절대적인 존재의 권위를 위임받아 나라를 다스리는 존재이다.

④ 왕권신수설에서의 왕의 통치 행위와 달리 천명사상에서 천자의 통치 행위는 자연 현상을 근거로 변화될 수 있다.

⑤ 천명사상과 왕권신수설은 모두 정치 · 사회적으로 혼란한 시기에 왕이나 천자의 권력에 정당성을 부여하여 정치 · 사회적 안정을 추구하는 데 이용되기도 하였다.

생각읽기 4

인간의 힘을 넘어서다

압력과 힘의 관계

Q 이 글에서 언급한 압력과 힘의 관계를 수식으로 정리해 볼까요?

유공압 기술은 1653년 파스칼의 법칙을 발견한 이후에 시작되었다. 이 법칙을 발견한 파스칼은 어느 날 포도주가 가득한 병 안으로 코르크 마개를 넣어 바닥 쪽으로 밀었는데, 포도주 병 바닥이 깨지는 것을 발견하였다. 이를 본 파스칼은 포도주에 작용하는 압력은 같지만, 병마개 쪽의 단면적보다 바닥 쪽의 단면적이 더 커서, 바닥 쪽에 더 큰 힘을 받는다고 생각했다. 파스칼의 법칙은 지름이 서로 다른 관이나 튜브에 압축되지 않은 유체*를 담고, 관이나 튜브의 한쪽 끝을 눌러 압력을 가할 때 증가하는 압력은 관이나 튜브의 지름에 상관없이 어디서나 동일하게 증가하는 법칙을 의미한다.

이 법칙을 이해하려면 압력과 힘의 상관관계를 이해해야 한다. 어떤 물체에 작용하는 압력은 그 물체에 작용하는 힘을 힘이 작용하는 넓이로 나눈 값이다. 그러므로 물체에 작용하는 압력과 힘이 작용하는 넓이를 곱하면, 그 물체에 작용하는 힘의 크기를 알 수 있다. 이를 위의 포도주 병의 사례에 적용해 보자. 포도주는 압축되지 않은 유체에 해당하고 포도주 병은 관에 해당하는데, 병마개 쪽 단면적 지름이 바닥 쪽 단면적 지름보다 작다. 코르크 마개를 병 안쪽으로 밀어 넣은 것은 지름이 작은 한쪽 끝을 눌러 압력을 가한 것이 된다. 이때 포도주에서 발생하는 압력은 마개 쪽이나 바닥 쪽이나 모두 같다. 하지만 마개 쪽의 단면적 넓이보다 바닥 쪽 넓이가 더 크므로, 발생하는 힘은 바닥 쪽이 더 큰 것이다.

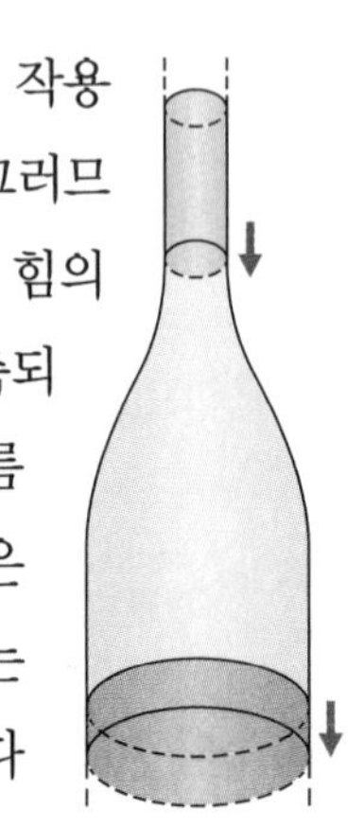

파스칼의 법칙을 이용하여 작은 힘을 가해 큰 힘을 발휘하는 장치를 유공압 장치라고 하는데, 유체를 액체로 사용하는 장치를 ㉠<u>유압 장치</u>, 기체로 사용하는 장치를 ㉡<u>공압 장치</u>라고 한다. 오늘날 실제 사용하는 유공압 장치 중에서 유체를 기름으로 사용하는 경우가 훨씬 많아서, 통상적으로 유공압 장치라는 말 대신 유압 장치라고 하기도 한다. 유압 장치는 공압 장치에 비해 에너지 변환 효율*이 더 좋아 큰 힘을 내기에 유리하며, 작동자의 제어 명령에 대한 응답 속도가 빠르다는 장점이 있다. 이와 반대로 공압 장치는 화재가 발생했을 때 유체에 불길이 옮겨 붙지 않아 화재 및 폭발의 위험성이 낮고, 유지 · 보수가 더 쉬우며, 형성된 출력을 유지하는 데 있어서 더 유리하다.

보통 유압 장치는 동력원, 제어부, 액추에이터, 배관으로 구성되어 있다. 동력원은 기름을 저장하는 오일 탱크, 기름을 배관으로 보내는 오일펌프와 오일펌프에 전력을 공급하는 엔진으로 구성된다. 동력원에서 배관을 통해 올라온 유체는 제어부에서 압력 · 양 · 방향을 조절하게 된다. 제어부는 압력 제어 밸브, 유량 제어 밸브, 방향 제어 밸브로 구성된다. 제어부의 각 밸브에 의해 조정된 기름은 액추에이터로 들어가게 되고, 액추에이터에서 강한 물리적인 힘으로 전환되어 외부에 작용하게 된다. 강한 힘을 가진 직선 운동으로 전환하기 위해서는 유압 실린더를 사용하고, 회전 운동으로 전환하기 위해서는 유압 모터가 사용되는데, 이때 유압 실린더와 유압 모터를 액추에이터라고 한다. 그리고 오일 탱크에서부터 액추에이터까지 모든 구성 장치들은 배관으로 연결되어 있어 내부에서 순환되는 구조를 갖추고 있다. 한편, 공압 장치는 다른 구조들은 유압 장치와 동일하지만, 동력원이 공기를 저장하는 공기탱크, 공기를 압축시켜 공기가 배관을 이동하게 만드는 압축기, 압축기가 작동하도록 힘을 공급하는 엔진, 그리고 공기를 정화하는 필터로 구성되어 있다.

유공압 장치는 비교적 작고 간단한 장치로 큰 힘을 얻을 수 있고 힘을 쉽게 조절할 수 있어서, 산업 전반에 걸쳐 매우 광범위하게 사용되고 있다. 유공압 장치의 대표적인 예로 지게차, 포크레인 등과 같이 작은 힘으로 큰 힘을 직접 발휘하는 것뿐만 아니라, 자동차의 브레이크 페달과 핸들과 같이 ㉢작은 힘으로 크고 무거운 기기의 방향이나 속도 등을 쉽게 조종할 수 있게 하는 것을 들 수 있다. 자동차 바퀴에 있는 브레이크 장치와 연결되어 살짝만 밟아도 자동차의 속도를 줄이는 브레이크 페달이나, 앞바퀴의 조향 장치*와 연결되어 있어 작은 힘으로도 쉽게 자동차의 방향을 조종하는 핸들은 우리 생활에서 쉽게 볼 수 있는 유압 장치의 예이다.

* 유체: 기체와 액체를 아울러 일컫는 말.
* 에너지 변환 효율: 투입한 에너지에 대해 이용할 수 있는 에너지의 비로, 에너지 변환 효율이 높을수록 더 많은 에너지(힘)를 얻을 수 있음.
* 조향 장치: 자동차의 진행 방향을 바꾸기 위하여 앞바퀴의 회전축 방향을 조절하는 장치.

0 **이 글을 바탕으로 '파스칼의 법칙'을 〈보기〉의 기기에 적용하여 탐구한 내용으로 적절하지 않은 것은 무엇인가요?**

보 기

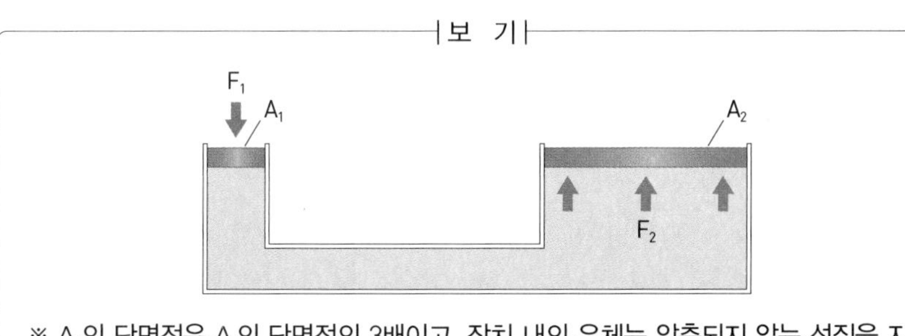

※ A_2의 단면적은 A_1의 단면적의 3배이고, 장치 내의 유체는 압축되지 않는 성질을 지니고 있다.

① A_1은 파스칼이 누른 코르크 마개에, A_2는 깨진 포도주 병 바닥에 대응된다.
② A_1 부분에서 유체가 받는 압력과 A_2 부분에서 유체가 받는 압력은 동일하다.
③ A_1 부분에 1N의 힘을 아래로 가하면, A_2 부분에서는 3N의 힘이 위로 작용한다.
④ F_1의 힘을 A_1의 넓이로 나눈 값과 F_2의 힘을 A_2의 넓이로 나눈 값은 서로 같다.
⑤ A_2의 단면적 넓이를 더 크게 하면 A_2 부분에서 유체가 받는 압력은 지금보다 커진다.

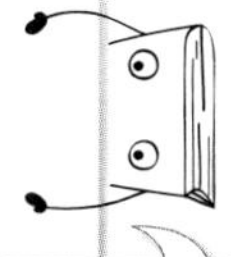

파스칼의 법칙이 뭐였지? 흐르지 않는 액체에 압력을 가하면 압력은 모든 방향으로 동일하게 전달된다는 거 잊지 마! 이게 핵심이니깐~

1 **㉠과 ㉡에 대한 설명으로 적절하지 않은 것은 무엇인가요?**

① ㉠은 ㉡에 비해 더 큰 힘을 발휘할 수 있다.
② ㉠은 ㉡에 비해 조작에 대한 반응이 더 빠르다.
③ ㉡은 ㉠에 비해 더 안전하며 관리하기가 더 쉽다.
④ ㉡은 ㉠에 비해 형성된 힘을 더 쉽게 조절할 수 있다.
⑤ ㉠과 ㉡은 모두 산업 전반에 걸쳐 매우 광범위하게 사용된다.

유압 장치(㉠)와 공압 장치(㉡)을 비교하는 문제야!
유압은 油壓(기름 유, 누를 압), 공압은 空押(빌 공, 누를 압)자니깐,
대상이 무엇인지부터 꼭 숙지하고 있자!

2 **다음 중 ㉢의 사례로 가장 적절한 것은 무엇인가요?**

① 무거운 물체를 수직으로 들어 올리고 내리는 기중기
② 자동차를 쉽게 들어 올릴 수 있는 소형 리프트 장치
③ 깊은 곳에 있는 물을 끌어올리는 펌프의 작동 스위치
④ 비행기의 꼬리 날개의 방향타와 연결되어 있는 조종간
⑤ 가하는 힘보다 더 큰 힘으로 물건을 자르는 가위의 손잡이

3 〈보기〉는 공압 장치의 구조를 나타낸 그림입니다. 이 글을 바탕으로 〈보기〉의 ⓐ~ⓕ를 이해한 내용으로 적절하지 않은 것은 무엇인가요?

보 기

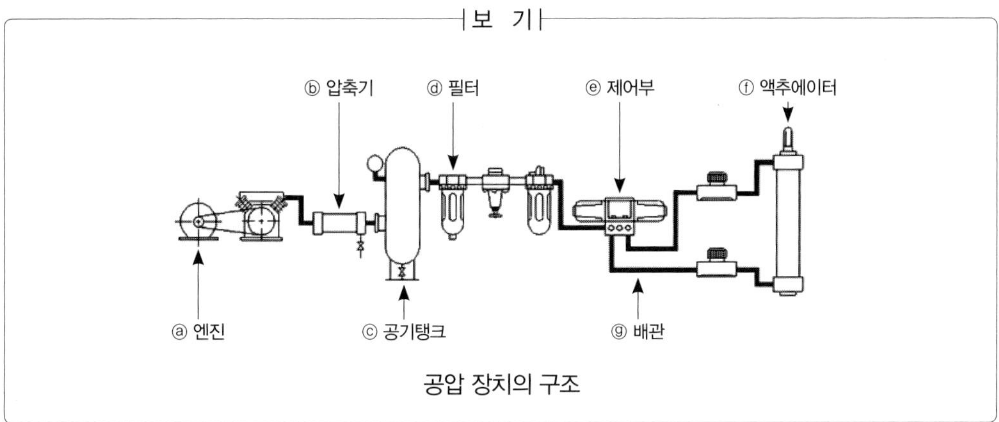

공압 장치의 구조

① ⓐ, ⓑ, ⓒ, ⓓ는 동력원에 해당하며, 전체 장치가 작동하는 기본 힘은 ⓐ가 제공하는군.
② 유압 장치에서와는 달리 ⓑ가 설치되어 있으므로 ⓔ에 압력 제어 밸브가 필요 없겠군.
③ 기름을 유체로 사용하는 유압 장치에서도 ⓐ, ⓔ, ⓕ, ⓖ는 동일하게 설치되어 있겠군.
④ ⓖ 안에 있는 공기는 ⓑ에서 ⓕ까지 전체를 순환하며, 오염 물질은 ⓓ에서 걸러지겠군.
⑤ 이 장치를 통해 발생시키는 힘을 직선 운동으로 전환하려면 ⓕ의 실린더를 사용하겠군.

생각읽기 5

태양의 빛과 열에너지

태양의 힘

Q 태양에서 만들어져 방출되는 에너지에는 어떤 것들이 있나요?

문단에는 몇 개의 중심 생각이 담겨 있을까
글을 이루는 기본 단위인 문단! 문단은 하나의 중심 생각을 나타내는 덩어리다!

► 원리로 생각읽기 120쪽

태양은 태양계의 중심일 뿐만 아니라 엄청난 에너지를 방출하는 태양계의 에너지 공급원이다. 태양은 대부분 수소와 헬륨으로 구성되어 있음에도 불구하고 질량은 대략 2×10^{30}kg으로 지구보다 약 33만 배나 더 무거우며, 태양계 전체 질량의 99.85%에 해당할 정도로 막대하다. 또한 반지름은 약 70만 km로, 태양을 축구공이라고 한다면 지구는 축구공 위에 볼펜으로 찍은 작은 점에 비유할 수 있을 정도이다. 이뿐만 아니라 태양은 1억 5천만 km 떨어진 지구에 $1cm^2$당 1.4kw의 에너지를 공급하고 있을 정도로 엄청난 빛과 열에너지를 방출한다.

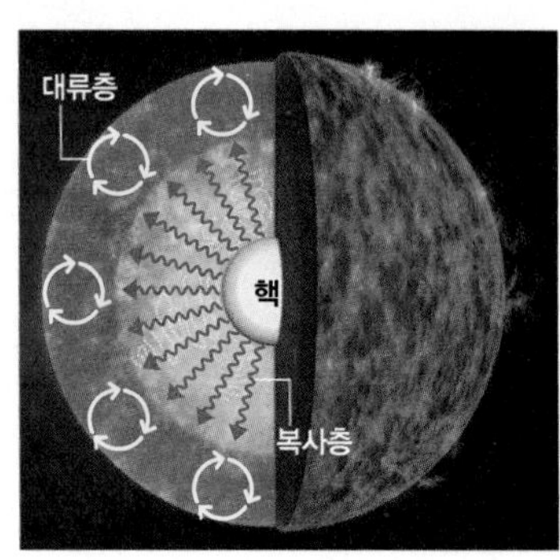

태양의 단면

물질은 온도가 높아질수록 고체, 액체, 기체 순으로 변하는데, 기체 상태의 물질을 계속 가열하면 기체를 이루는 원자의 원자핵과 전자가 분리되어 각각 따로 자유롭게 움직이는 상태가 된다. 이러한 상태를 플라스마라고 하는데, 태양의 중심부 온도는 1,360만 ℃로 수소가 플라스마 상태로 존재하고 있다. 또한 이 부분의 밀도는 금이나 납보다 10배나 높은 약 $150g/cm^3$ 정도여서, 수소 원자핵끼리 결합하여 헬륨이 만들어지는 핵융합 반응이 일어난다. 이때 태양 중심부에서 만들어지는 에너지는 1초에 약 4×10^{26}J로, 이는 인류가 지금까지 만들어 낸 에너지를 모두 합친 양보다 훨씬 더 많은 양이다. 이러한 핵융합 반응은 태양 중심에서부터 시작하여 반지름 중 약 25%까지의 핵 부분에서만 일어난다. 핵의 끝에서부터 태양의 표면인 광구까지는 복사층, 대류층이 순서대로 위치하고 있는데, 핵에서 발생한 빛과 열은 복사층에서 수많은 수소 원자들과 부딪쳐서 복사층을 통과하는 데에만 100만 년이라는 시간이 걸린다.

이렇게 만들어진 태양 에너지는 빛과 열의 형태로 태양계 전체로 퍼져 나가는데, 지구에 도달하는 태양 에너지는 전체의 약 1/20억 수준에 해당한다. 그나마 도달한 태양 에너지의 약 30%는 반사되어 우주로 날아가고, 그 나머지만 지구에 흡수된다. 이렇게 흡수된 태양의 빛 에너지는 식물의 광합성을 통해 화학 에너지로 전환하게 된다. 식물은 이 화학 에너지로 자신의 생명을 유지하는 한편, 자신의 체내에 에너지를 저장한다. 이렇게 식물이 만든 화학 에너지는 식물, 초식 동물, 육식 동물로 이어지는 먹이 사슬 관계에 따라 연쇄적으로 상위 수준의 동물에게 전달된다. 또한 동식물이 죽어 땅에 묻힌 다음 특정한 조건이 형성되면 석탄, 석유, 천연가스와 같은 화석 연료가 되고, 인간은 이를 다시 연소하여 열에너지로 전환한 뒤 여러 가지로 사용한다.

이뿐만 아니라 태양에서 오는 열에너지는 지구 표면의 물을 증발시키고 순환시킴으로써 날씨 변화를 일으키며, 물과 바람의 흐름을 형성하여 지표의 형태를 변화시키는 원인이 되기도 한다. 저위도 지역과 고위도 지역은 태양 에너지를 불균등하게 흡수하는데, 이로 인해 지구 전체의 대기와 해수의 순환이 일어나고 지역별 기후를 형성한다. 한편 우리는 태양 에너지를 직접 이용하기도 하는데, 태양에서 오는 열에너지를 집열판*으로 모아 온수 및 난방에 이용하기도 하고, 비닐하우스 등과 같이 농업에 이용하기도 한다. 또한 빛 에너지는 태양 전지를 이용해 전기 에너지로 전환된 뒤 다양한 방식으로 이용된다.

* 집열판: 태양광을 흡수하여 열에너지로 전환하고, 이를 다시 열매체로 전달하는 역할을 하는 집열기의 한 부분.

0 **'태양'에 대한 설명으로 적절하지 않은 것은 무엇인가요?**

① 태양계 전체 질량의 대부분은 태양의 질량이 차지한다.
② 태양은 지구와 비교할 수 없을 정도로 그 크기가 거대하다.
③ 1초당 태양 전체에서 만들어지는 에너지는 약 16×10^{26}J이다.
④ 지금 보는 태양 빛은 100만 년 전에 태양의 핵에서 만들어진 것이다.
⑤ 태양은 외부에서부터 '광구 – 대류층 – 복사층 – 핵'으로 나누어진다.

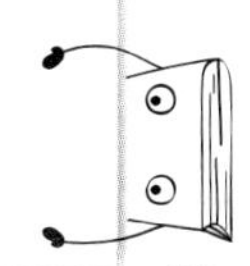

중심 화제에 대한 문제야.
'태양'의 주요 특징에 밑줄을 그어 가며 글을 읽으면 내용을 좀 더 기억하기 쉬울 거야!

1 **이 글과 〈보기〉를 종합하여 '태양의 에너지 생성 원리'에 대해 이해한 내용으로 가장 적절한 것은 무엇인가요?**

보기
전자와 분리된 수소 원자핵 네 개가 합쳐져 하나의 헬륨 원자핵이 되는데, 헬륨으로 융합되는 과정에서 질량이 약간 줄어든다. 즉 수소 원자핵 하나의 질량이 약 1.008인데, 생성된 헬륨의 질량은 4.003인 것이다. 이때 에너지는 질량에 비례한다는 아인슈타인의 '질량-에너지 등가의 법칙'에 따라 줄어든 질량만큼의 에너지가 생성되며, 이 에너지는 빛과 열의 형태를 띠게 된다.

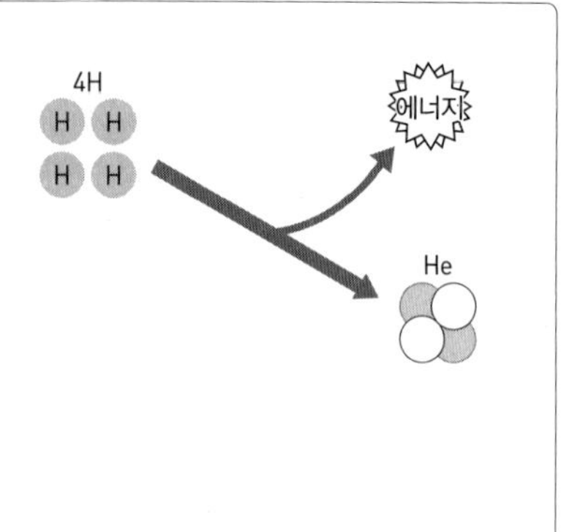

수소 원자핵 네 개가 합쳐져 헬륨 원자핵이 된다고 했으니깐 H가 수소, He가 헬륨이 되겠지?

① 만일 헬륨 원자핵의 질량이 4.020이라면 태양은 에너지를 생성하지 못한다.
② 핵융합 과정에서 발생하는 질량 결손이 태양 에너지의 원천이 되는 것이다.
③ 태양의 핵 안의 높은 온도와 밀도는 핵융합 과정에서의 질량 변화를 일으킨다.
④ 태양의 핵에서만 에너지가 생성되는 이유는 핵에만 수소가 존재하기 때문이다.
⑤ 수소 원자가 플라스마 상태로 전환될 때에도 줄어든 질량만큼의 에너지가 생성된다.

2 **이 글을 바탕으로 할 때, '태양 에너지'에 대한 설명으로 적절하지 <u>않은</u> 것은 무엇인가요?**

① 태양이 만든 빛 에너지는 지구상의 모든 생명체가 생명 활동을 하게 하는 원천이 된다.
② 지구에 흡수되는 태양 에너지는 태양이 만드는 전체 에너지 중 극히 일부에 해당한다.
③ 태양에서 오는 열에너지는 기상 현상을 만들거나 기후를 변화시키는 데 영향을 준다.
④ 태양에서 지구로 흡수된 열에너지는 동물과 식물에 의해 화학 에너지로 바뀌기도 한다.
⑤ 인간은 태양에서 오는 에너지를 직접 이용하기도 하지만 간접적으로 이용하기도 한다.

3 이 글을 읽고 난 후, 〈보기〉에 대해 보인 반응으로 가장 적절한 것은 무엇인가요?

보 기

우리나라는 핵융합 에너지 기술 연구와 개발을 위해 초전도 핵융합 연구 장치(K-STAR)를 건설하여 현재 운용 중에 있다. K-STAR에는 진공 상태를 유지하는 도넛 모양의 핵융합로인 '토카막'이 있는데, 여기에 수소의 동위 원소*인 중수소 원자를 넣고 마치 전자레인지처럼 마이크로파를 쏘아 1억 ℃로 가열하여, 중수소 원자를 플라스마 상태로 만드는 것이다. K-STAR는 2018년 플라스마를 1.5초 동안 1억 ℃로 유지하는 실험에 성공한 데 이어, 2020년에는 세계 최초로 8초 동안 유지하는 데 성공하였다. 핵융합 반응으로 전기를 생산하려면 플라스마를 장시간 동안 1억 ℃ 이상으로 유지하는 기술 개발이 필요하다.

* 동위 원소: 원자 번호는 같으나 질량수가 서로 다른 원소. 양성자의 수는 같으나 중성자의 수가 다르다.

① 우리나라는 이미 K-STAR를 이용하여 세계 최초로 핵융합 발전에 성공한 것이로군.
② K-STAR의 '토카막'에서 플라스마를 만드는 원리는 태양에서 일어나는 원리와 같군.
③ K-STAR를 활용한 연구는 인공적인 태양을 만들기 위한 기초 기술 개발 연구인 셈이군.
④ K-STAR의 '토카막' 내부도 태양처럼 높은 밀도를 유지하기 위해 납과 금을 사용했겠군.
⑤ K-STAR의 '토카막'을 도넛 모양으로 만든 이유는 태양과 동일한 환경을 만들기 위해서겠군.

원리로 생각읽기 4

문단에는 몇 개의 중심 생각이 담겨 있을까

하나의 문단은 하나의 중심 생각이 들어 있다

만약 태양계에 태양이 둘이라면 어떻게 될까요?

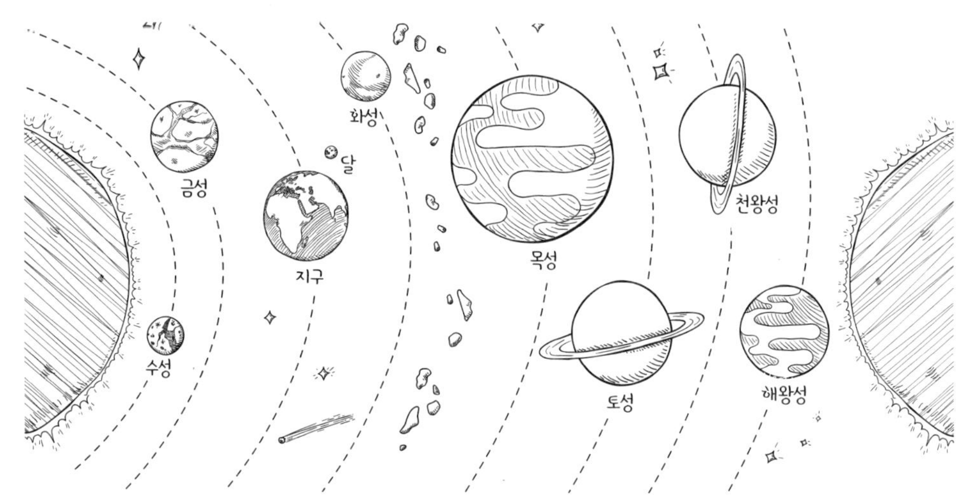

단어가 모이면 문장이 되고, 문장이 모이면 문단이 되며, 문단이 모이면 한 편의 글이 됩니다. 이러한 사실을 모르는 사람은 거의 없지만, 글을 쓰다 보면 언제 문단을 나누어서 써야 할지 고민하는 사람이 많습니다. 이러한 고민을 하게 되는 근본적인 이유는 하나의 문단에 몇 개의 중심 생각을 담아야 하는지 모르기 때문이에요. 과연 하나의 문단에는 몇 개의 중심 생각이 담겨 있을까요?

위의 그림을 함께 볼까요? 태양계는 태양이라는 항성을 기준으로 수성, 금성, 지구, 화성 … 등의 행성들이 공전하고 있는 천체를 말합니다. 행성들은 태양의 영향으로 인해 그 주위를 벗어나지 않고, 우주 속 하나의 단위를 이루고 있는 것이죠. 그런데 태양계에 태양이 둘이 된다면? 행성들은 어떻게, 어떤 별을 기준으로 움직이게 될까요? 아마도 뒤죽박죽 움직이다 서로 충돌하거나 결국엔 두 편으로 갈라지고 말 거예요. 글도 마찬가지에요. **하나의 문단에는 반드시 하나의 중심 생각만이 들어 있어야 해요.**

116쪽 지문

태양은 태양계의 중심일 뿐만 아니라, 엄청난 에너지를 방출하는 **태양계의 에너지 공급원**이다. 태양은 대부분 수소와 헬륨으로 구성되어 있음에도 불구하고 질량은 대략 2×10
30kg으로 지구보다 약 33만 배나 더
막대하다. 또한 반지름이 약 70만km로
으로 찍은 작은 점에 비유할 수 있을 정도이다.
1cm2당 1.4kw의 에너지를 공급하고 있을 정도로 **엄청난 빛과 열에너지를 방출**한다.

문단의 핵심어가 무엇인지부터 찾자!
문단은 결국 핵심어에 대한 하나의 생각을 담고 있다.

독해연습 1 아래 문장을 읽고, 물음에 답하세요.

(가) 성능이 뛰어나고 멀티태스킹이 가능한 노트북과 스마트폰의 급속한 보급으로 언제 어디서나 컴퓨터 및 인터넷 사용이 가능해지면서 확산되고 있는 현상이다.
(나) 팝콘브레인이란, 즉각적인 반응이 나타나는 첨단 디지털기기에 몰두하게 되면서 현실 적응에는 둔감한 반응을 보이도록 변형된 뇌구조를 일컫는다.
(다) 사이버 불링은 소셜네트워크서비스(SNS), 카카오톡 등 스마트폰 메신저와 휴대전화 문자메시지 등을 이용해 상대를 지속적으로 괴롭히는 행위를 일컫는다.
(라) 매일 습관처럼 컴퓨터 및 스마트폰 등 각종 디지털기기를 손에서 놓지 못하고 트위터 · 페이스북을 하는 경우가 이에 해당된다.

1 (가)~(라)의 문장들을 조합하여 하나의 문단을 완성한다고 할 때, 중심 생각이 드러나는 문장을 찾아 써 보세요.

2 (가)~(라)의 문장들을 조합하여 하나의 문단을 완성한다고 할 때, 삭제해도 되는 문장을 써 보세요.

독해연습 2 아래 문단을 읽고, 물음에 답하세요.

영화의 전개와는 무관하지만 관객들의 시선을 집중시켜 의문이나 혼란을 유발하는 장치로, 연극이나 극에서의 복선(伏線)과 반대되는 의미다. 즉, 맥거핀은 관객의 호기심을 자극하며 관객을 의문에 빠트리거나 긴장감을 느낄 수 있게 만드는 사건, 상황, 인물, 소품 등을 지칭하는 것으로, 감독은 맥거핀에 해당하는 소재들을 미리 보여주고 관객의 자발적인 추리 행태를 통해 서스펜스를 유도한다. 맥거핀은 영국의 공포영화 감독 알프레드 히치콕(Alfred Hitchcock)이 「싸이코(Psycho)」, 「북북서로 진로를 돌려라(North By Northwest)」 등의 영화에서 극적인 줄거리를 역동적으로 전개시키기 위해 사용한 이후 보편화됐다.

1 위 글을 두 개의 문단으로 나눌 때, 두 번째 문단이 시작하는 부분을 찾아 2어절로 써 보세요.

2 문단을 나누지 않고 글을 쓰면 발생할 수 있는 문제점은 무엇인가요?

생각읽기 6

펜은 칼보다 강하다

하드 파워와 소프트 파워

Q 소프트 파워는 어떤 능력을 의미하나요?

(가) 외교 전문가였던 하버드 대학교의 조지프 나이 교수는 2004년 『소프트 파워(Soft Power)』라는 책을 펴냈다. 이 책에서 그는 국제 정치 · 외교 분야에서 '소프트 파워'라는 새로운 개념을 만들어 냈다. 그는 국제 질서에서 강대국이 가진 힘의 원천을 분석하였는데, 21세기로 전환되면서 기존과는 다른 힘의 원천이 존재한다는 것을 밝혀냈고, 이를 '소프트 파워'라고 명명했다.

(나) 20세기까지 서양의 역사에서 국제 질서를 주도하는 국가는 강한 군사력과 경제력을 바탕으로 다른 나라에 대한 영향력을 행사했다. 제국주의 시기나 냉전 시기에는 강대국이 약소국과의 전쟁이나 경제적 제재, 또는 군사력이나 경제력을 앞세운 정치 · 외교적 위협을 통해서 국제 사회에서의 지위를 유지하였다. 그는 이러한 힘을 ㉠'하드 파워(Hard Power)'라고 명명했다. 강대국은 자기 이익에 따라 마음대로 의제를 설정하고, 타국에게 이에 따를 것을 명령하거나, 타국의 경제 상황 또는 군사 안보 상황을 이용하여 반강제적으로 회유하거나 협박함으로써 하드 파워를 실행했다. 즉 자국의 방침에 따르지 않는 국가에 대해서는 전쟁을 일으키거나 전쟁의 위협을 가하기도 하고, 경제적인 제재를 가하기도 하였던 것이다. 그리하여 국제 정치는 영토 분쟁, 전쟁, 국가 간 힘겨루기 등 패권 경쟁의 형식으로 이루어져 왔던 것이다.

(다) 그러나 냉전이 끝나고 정보화 사회로 접어든 20세기 말부터 상황이 달라지기 시작했다. 사실 조지프 나이 교수가 ㉡'소프트 파워'라는 개념을 생각하게 된 직접적인 계기는, 1990년과 2003년 두 차례 있었던 미국의 이라크 전쟁에 대한 성찰이었다. 이라크 전쟁에서 미국은 하드 파워로 압도적 승리를 거뒀지만, 정작 전 세계적 차원에서 보면 다른 나라들이 가진 미국에 대한 호감은 줄어들었다. 물론 미국이 강대국으로서의 지위를 하루아침에 잃어버린 것은 아니지만 세계 많은 나라들이 미국에 반감을 가지게 되었고, 그리하여 미국이 주도하는 국제 질서에 비협조적인 태도를 보이거나, 마지못해 따르면서 새로운 질서를 꿈꾸는 국가들이 나타나기 시작했던 것이다.

(라) 그가 제시한 '소프트 파워'는 강제나 명령에 의해서가 아니라 매력을 통해 자발적 동의를 이끌어 내는 능력을 의미한다. 그리고 '소프트 파워'를 구성하는 요소로, 국내외 모두 동일하게 적용하는 '정신적 가치', 정당하고 도덕적 권위를 지닌 국가의 '대외 정책', 그리고 '문화'를 꼽았다. 특히 그는 '문화'에 주목하였는데, 하드 파워로 세계사에서 가장 넓은 제국을 건설했던 몽골 제국이 얼마 지나지 않아 피정복 국가의 문화에 동화되어 사라졌던 역사적 사실이나, 민간 차원의 문화 교류를 통해 적대적 국가와의 관계를 개선해 나간 외교 사례를 바탕으로 문화가 지닌 강력한 힘에 주목했던 것이다. 문화는 교육 · 학문 · 예술 · 과학 · 기술 · 대중 예술 등의 분야에서 인간의 이성적 · 감성적 능력에 기반하고 있는 창조적 산물과 관련된다. 특히 타자에 대한 비적대적 태도와 상호 존중의 태도로 접근하는 문화적 교류는 상대에 대한 자발적인 동의와 협력을 이끌어 내는 중요한 역할을 한다. 상대적으로 큰 소프트 파워를 지닌 국가는 자신의 매력을 바탕으로 타국과의 협상 의제를 자연스럽게 이끌어 낼 뿐만 아니라, 협상 과정에서 도덕적 · 정신적 가치에 기반한 설득을 통해 서로에게 이익이 되는 결과를 도출해 낸다.

(마) 소프트 파워는 하드 파워와 상반된 개념이지만, 현실적으로 국제 정치에서 둘 중 하나만 추구할 수는 없다. 소프트 파워와 하드 파워는 상호 보완적인 관계로서 적절한 조화를 이루는

것이 가장 이상적이다. 다만 조지프 나이 교수가 소프트 파워의 개념을 제시한 것이 의미 있는 이유는, 이전까지의 국제 정치 · 외교 분야의 질서는 지나치게 하드 파워 중심으로 이루어졌기 때문이었다. 따라서 소프트 파워는 새로운 국제 질서를 형성하는 원리로서 그 의의가 있는 것이다.

0 **(가)~(마)에 대한 설명으로 적절하지 않은 것은 무엇인가요?**

① (가): '소프트 파워'의 개념을 창안자를 중심으로 제시하고 있다.
② (나): 역사 및 국제 정치에 대한 분석을 통해 '하드 파워'의 개념을 제시하고 있다.
③ (다): 역사적 사실과 관련된 '소프트 파워' 개념의 창안 계기를 구체적으로 설명하고 있다.
④ (라): '소프트 파워'의 개념을 정의하고 그 구성 요소를 밝힌 다음, 효과를 제시하고 있다.
⑤ (마): '소프트 파워'와 '하드 파워'의 특성을 대조하여 '하드 파워'의 의의를 밝히고 있다.

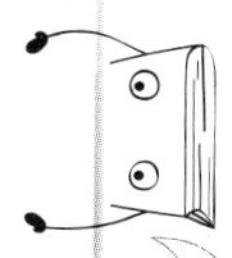

문단별로 내용을 요약하면서 그 내용이 어떤 방식으로 서술되는지 서술상의 특징도 함께 파악해 보자.

1 ㉠과 ㉡에 대한 설명으로 가장 적절한 것은 무엇인가요?

① ㉠은 **필연적**으로 상대국의 문화에 동화되는 결과를 가져오게 한다.
② ㉡에 대한 성찰은 미국의 이라크 전쟁에 대한 분석에 기반하고 있다.
③ ㉠과 달리 ㉡은 정치 · 경제적, 문화적 힘의 우위를 전제로 하고 있다.
④ ㉡과 달리 ㉠은 협상의 과정에서 일방적으로 의제를 설정하고 진행해 나간다.
⑤ ㉠과 ㉡은 모두 외국과 관계를 맺을 때 자국의 매력을 바탕으로 주도해 나간다.

일의 결과가 **반드시 그렇게 될 수밖에 없는** 것을 필연적이라고 해! 정해져 있는 운명 같은 거지.

2 다음 중 '소프트 파워'로 보기 어려운 것은 무엇인가요?

① 외국에 진출하면서 그 나라의 언어로 가사를 바꾸어 노래를 부르는 가수
② 평화적이고 합법적인 수단을 통해 실질적인 민주화를 이루어 낸 정치 권력
③ 상대국의 경제 상황을 배려하며 상호 이익을 추구하는 협상을 진행하는 정부
④ 연구 성과를 독점하지 않고 전 세계적 차원에서 공동 연구를 진행하는 과학자
⑤ 강대국과 직접적으로 대립하지 않지만 상황에 따라 강압적 요구를 거부하는 국가

3 이 글을 읽은 독자가 〈보기〉의 글에 대해 보인 반응으로 가장 적절한 것은 무엇인가요?

보 기

나는 우리나라가 세계에서 가장 아름다운 나라가 되기를 원한다. 가장 부강한 나라가 되기를 원하는 것은 아니다. 내가 남의 침략에 가슴 아팠으니, 내 나라가 남을 침략하는 것을 원하지 않는다. 우리의 부력(富力)은 우리의 생활을 풍족히 할 만하고, 우리의 강력(强力)은 남의 침략을 막을 만하면 족하다. 오직 한없이 가지고 싶은 것은 높은 문화의 힘이다. 문화의 힘은 우리 자신을 행복하게 하고, 나아가서 남에게 행복을 주기 때문이다.

– 김구, 「나의 소원」 중에서

① 타자에 대한 비적대적 태도를 바탕으로 하는 하드 파워를 비판하고 있군.
② 적극적인 문화 교류를 통해 강대국과의 적대적인 관계를 개선하고자 하고 있군.
③ 하드 파워에 의존하는 태도를 지양하고 소프트 파워가 지닌 가치를 추구하고 있군.
④ 하드 파워와 소프트 파워의 양자택일적 관점에서 문화가 가진 힘에 주목하고 있군.
⑤ 소프트 파워 중심의 국제 질서가 정립되기를 염원하는 절실한 마음이 잘 드러나 있군.

생각의 구조화 MIND MAP

Q 다음은 생각을 읽을 수 있는 지문 구조도를 퍼즐로 나타낸 것입니다. 앞에서 읽은 글의 내용을 떠올리며 생각읽기 1~6에 해당하는 퍼즐을 선으로 연결해 보세요.

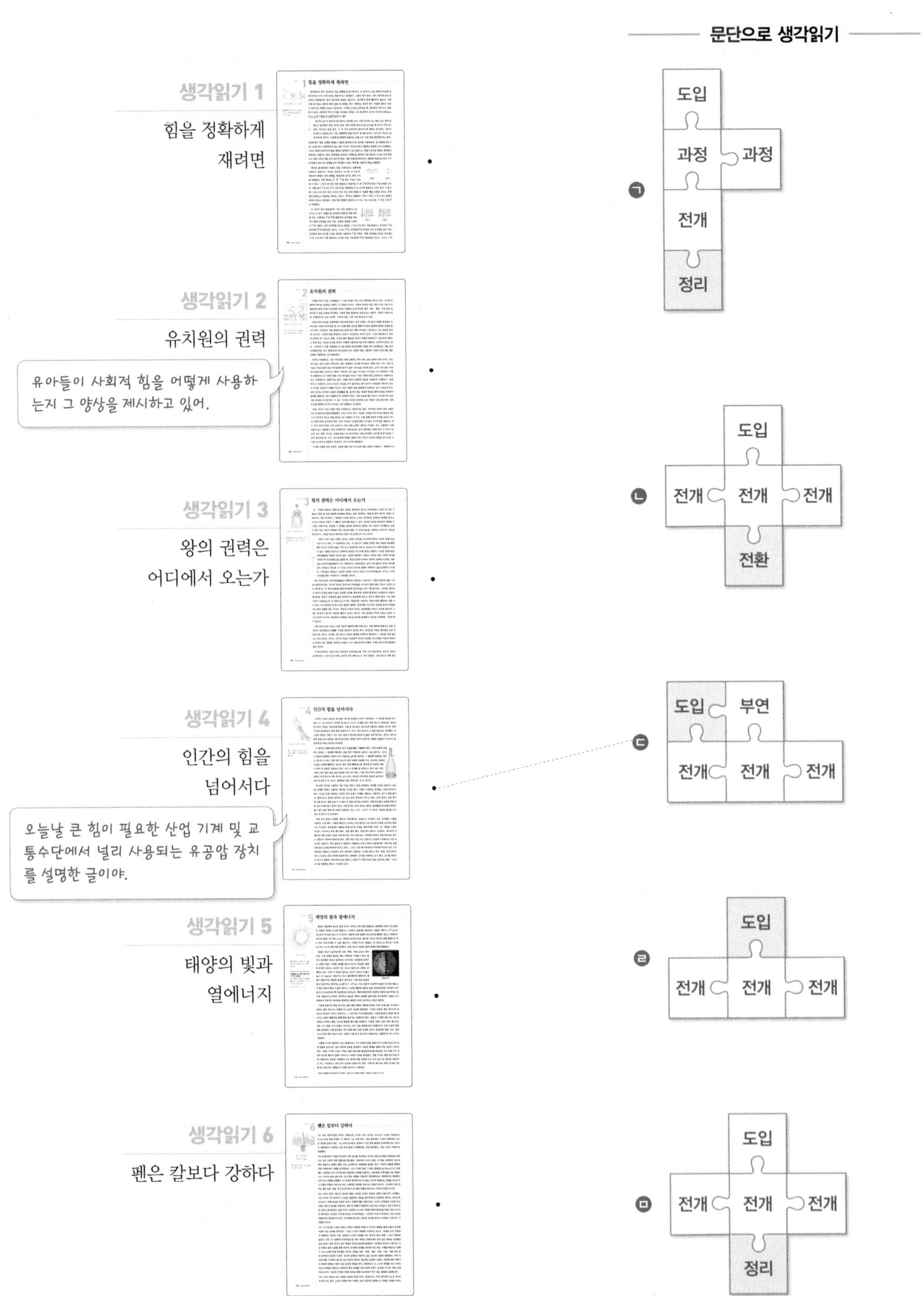

한 문장으로 생각읽기

1 물리학에서는 물체에 작용하는 힘의 크기와 물체가 움직이는 방향을 모두 파악할 수 있는 [|]를 사용하여 힘을 표현한다.

2 [| |] 힘이란 어떤 사람이 다른 사회 구성원들과의 관계 속에서 타인에게 미치는 영향력을 말하는데, 유아들 역시 이러한 힘을 사용하며 이에 대한 대응 전략을 사용한다.

3 동양에서 황제나 왕이 절대적인 권력을 갖는 이유는 [| | |]에 근거한 것으로, 이는 다시 재이론, 민본 사상, 천인감응 사상과 결합하여 발전하였다.

4 [| |]의 법칙을 이용하여 작은 힘을 가해 큰 힘을 발휘하는 장치를 유공압 장치라고 하는데, 이는 오늘날 큰 힘이 필요한 산업 기계 및 교통수단 등에서 널리 사용되고 있다.

5 [|]은 핵융합 반응을 통해 빛과 열에너지를 방출하는데, 지구에 도달하는 태양 에너지는 지구의 생태계, 대기와 해수의 순환 및 기후, 인간의 삶 등에 영향을 준다.

6 [| |] 파워는 무력이나 경제력처럼 겉으로 보이는 강한 힘이 아니라 상대를 부드럽게 설득하고 자발적으로 협력하게 만드는 내적으로 강한 힘이다.

한 단어로 생각읽기

인간은 왜 힘을 가지려 할까?

사람이 움직이고 활동을 하려면 반드시 힘이 있어야 합니다. 그런데 이러한 힘은 사람에게만 있는 것이 아니라 움직임이 있는 사물은 물론, 지구, 태양, 달과 같은 개별 행성이나 위성에도 있고, 행성과 행성들 사이에서도 힘이 작용합니다.
이러한 물리적 힘 이외에 관계 속에서 만들어지는 힘도 있습니다. 학력, 경제력, 군사력, 국가권력 등 개인과 개인, 개인과 집단, 집단과 집단 사이에서 다양한 권력의 형태로 작용합니다. 이러한 힘이 겉보기에 강하다고 해서 결코 좋은 것만은 아닙니다.
거센 바람이 나그네의 옷을 벗기지 못했지만 따스한 햇볕이 나그네의 옷을 벗긴 이솝 우화의 이야기처럼, 부드러운 힘이 강한 힘을 이길 수도 있습니다. 그렇다면 현대 사회를 살아가면서 우리가 진정으로 가져야 할 힘이 무엇일지 생각해 보는 건 어떨까요?

결국 인간이 열망해야 할 유일한 권력은
스스로에게 행사하는 권력이다.
– 엘리 위젤

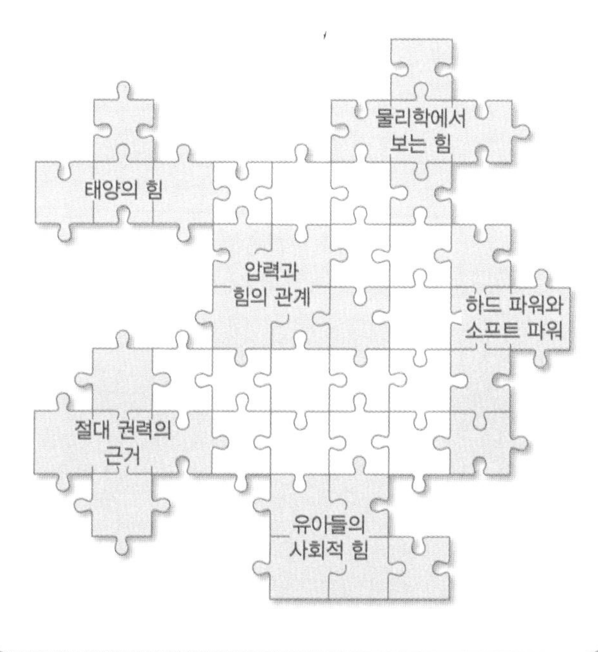

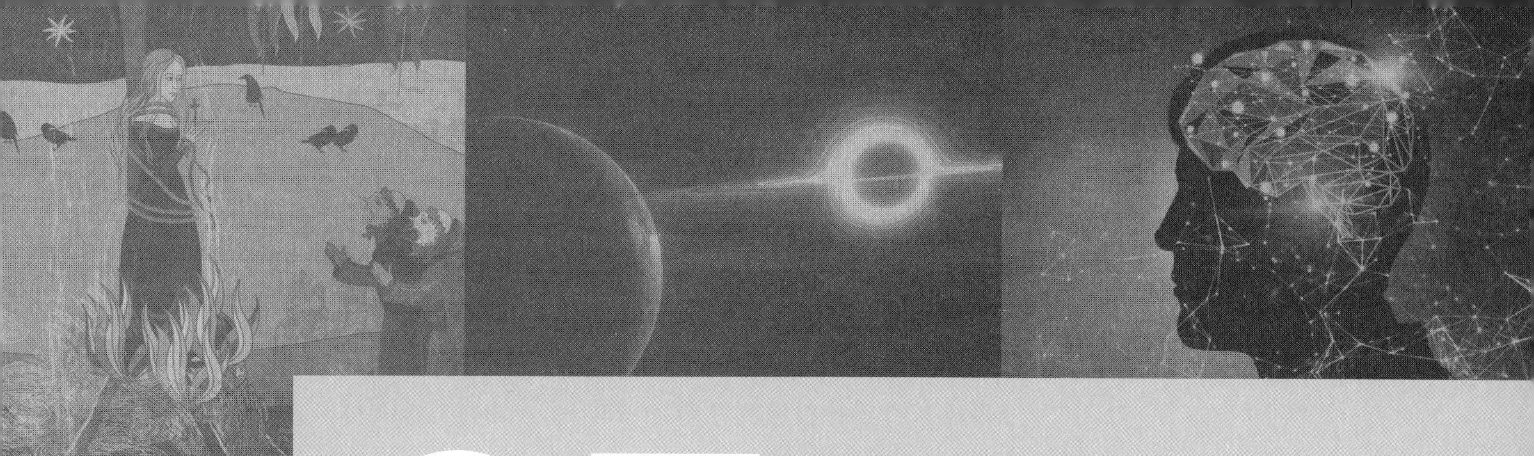

생각의 발견

05 신비

신비를 말하다!

이 세상에는 인간이 알지 못하는 미지의 영역들이 아직도 무수히 많습니다. 우리는 이러한 미지의 영역을 접할 때에 신비함을 느끼곤 합니다. 끊임없는 호기심을 원동력 삼아 인간은 우리를 둘러싼 세계의 면면을 밝히려고 오랜 시간 노력해 왔습니다. '신비'를 밝히는 과정은 방대한 지식과 모험이 필요합니다. 하지만 '신비'의 세계가 아주 먼 곳에만 있는 것은 아닙니다. 우리의 가장 가깝고 친근한 곳에도 여전히 신비의 영역이 존재합니다. 호기심 가득한 눈으로 주위를 둘러볼까요? 신비를 탐구하는 과정을 통해 우리의 시각도 보다 확장되고 발전할 수 있지 않을까요?

생각읽기 1

큰 수를 간단하게 만드는 비법

7×10^{22}kg

거듭제곱의 신비

Q 아인슈타인이 거듭제곱을 여덟 번째 불가사의라고 말한 이유는 무엇인가요?

'골백번 죽어도 좋다', '감개가 무량하다'처럼 일상에서도 숫자를 나타내는 말들은 많이 쓰인다. '골백번'의 '골'은 숫자 '10,000'을 의미하므로 '골백번'은 '만이 백 번'이라는 의미이다. 또한 '무량'은 모든 수 가운데 가장 큰 수로 '10^{68}'을 이른다. 만약에 골백번과 무량을 숫자로 표현하려고 하면 숫자 '0'을 수없이 많이 써야 하는 어려움이 생기는데, 이처럼 큰 수를 읽고 쓸 때 간편하게 나타낼 수 있는 비법이 바로 거듭제곱이다.

거듭제곱이란 '거듭하여 스스로 곱한다'는 의미로 같은 수나 식을 거듭 곱하는 것을 말한다. 거듭제곱을 표현할 때에는 곱하는 수를 먼저 쓰고 곱하는 횟수를 오른쪽 위에 작게 쓴다. 곱하는 수를 밑, 곱하는 횟수를 지수라고 표현하는데, 이러한 거듭제곱의 개념을 처음 쓴 사람은 네덜란드의 수학자 스테빈이다. ㉠스테빈은 1제곱, 2제곱, 3제곱을 각각 기호로 사용하였고 이후 프랑스의 수학자인 ㉡데카르트가 이를 개선하여 현재 사용하고 있는 거듭제곱의 밑과 지수로 표기하게 되었다. 거듭제곱을 사용하면 아무리 큰 수라도 간단하게 표현할 수 있는데, 이 때문에 천문학적인 수를 사용하는 과학에서 많이 사용된다. 예를 들어 빛의 속도는 3×10^{8}m/sec이며 달의 질량은 7×10^{22}kg로 간단하게 표현할 수 있다.

거듭제곱을 사용하면 수를 곱할 때마다 그 수가 기하급수적으로 늘어나게 되는 마법과도 같은 결과를 얻게 되는데, 일상에서 가장 흔하게 접하게 되는 거듭제곱의 위력은 바로 우리가 즐겨먹는 자장면에서 볼 수 있다. 자장면의 면발을 뽑을 때 반죽을 흔들다 보면 순식간에 수없이 많아지는 면발을 볼 수 있는데, 처음에 한 덩이로 시작한 반죽이 2가닥, 4가닥, 8가닥으로 한 번 흔들 때마다 2가 곱해져 짧은 시간 동안 면발의 수가 수십 수백 가닥으로 불어나게 된다.

거듭제곱의 위력을 알 수 있는 또 다른 이야기가 있다. 인도에 전쟁을 좋아하던 어떤 왕이 있었다. 이를 안 왕의 신하들은 항상 불안에 떨어야 했는데 세타라는 신하가 왕에게 체스 게임을 소개하였다. 체스의 재미에 푹 빠진 왕은 전쟁을 일으키지 않고 체스를 통한 간접 전쟁을 즐기게 되었다. 왕은 세타에게 고마움을 표하며 소원을 하나 말하라고 하였는데 세타는 밀알을 달라고 청하였다. 단 체스판의 첫 칸에 밀알 1개, 두 번째 칸에 밀알 2개, 세 번째 칸에는 밀알 4개와 같이 앞 칸의 2배를 주는 방식으로 체스판의 64칸 모두를 밀알로 채워달라고 하였다. 첫 칸은 밀알 한 알로 시작하지만 64칸까지 모두 채운 밀알의 양은 모두 대략 1,845경이며, 이것을 무게로 ⓐ바꾸면 2017년 세계 곡물 생산량인 26억 톤의 150배에 달하는 4,000억 톤에 이른다. 1개로 시작한 밀알의 수가 기하급수적인 숫자로 불어나게 되는 것이다.

신문지를 50번 이상 접으면 지구에서 태양까지 갈 수 있다는 이야기를 들어본 적이 있을 것이다. 이것 역시 거듭제곱의 원리로 가능하다. 신문지를 한 번 접으면 2장, 두 번 접으면 4장, 3번 접으면 8장, 즉 2의 거듭제곱으로 늘어나게 된다. 만약에 신문지 한 장의 두께를 0.2mm라고 한다면 신문지를 50번 접었을 때 신문지의 두께는 $0.2\text{mm}\times2^{50}$이 되며 그 값은 약 2억 2천 500만km이다. 지구에서 태양까지의 거리가 약 1억 5천만km이므로 태양까지 충분히 가고도 남게 되는 것이다.

이처럼 시작은 작지만 얼마 지나지 않아 감당할 수 없을 만큼 커지는 거듭제곱에 대해서 천재 수학자 아인슈타인은 세상의 여덟 번째 불가사의라고 말하기도 하였다. 이처럼 거듭제곱은

정답과 해설 33쪽

큰 수를 간단히 표현할 수 있게 하면서 또 반대로는 간단하지만 엄청난 수를 의미할 수 있는 신비함을 지닌 원리라고 할 수 있다.

0 **이 글에 제목을 붙인다고 할 때, 가장 적절한 것은 무엇인가요?**

① 어렵지만 배우면 간편한 거듭제곱
② 거듭제곱을 만든 스테빈의 위대함
③ 거듭제곱의 원리가 숨겨진 자장면
④ 다양한 분야에 적용 가능한 거듭제곱
⑤ 간단하지만 엄청난 위력을 지닌 거듭제곱

영화 제목만 봐도 영화의 내용이 상상되는 것처럼
글에도 어울리는 제목이 있다!

1 **이 글에 대한 이해로 적절한 것은 무엇인가요?**

① '10^{68}'에서 '10'이 곱한 횟수이고 '68'이 곱하는 수라고 할 수 있겠군.
② 아주 작은 수는 거듭제곱을 사용하더라도 기하급수적으로 늘어나지는 않겠군.
③ 서로 다른 수를 계속해서 곱해 나가는 것은 거듭제곱에 해당한다고 볼 수 없겠군.
④ 과학에서 거듭제곱을 많이 사용하는 이유는 정확한 수치를 사용해야 하기 때문이겠군.
⑤ 아인슈타인이 거듭제곱을 불가사의라고 언급한 것은 거듭제곱이 아직 증명된 이론이 아니라고 생각했기 때문이군.

2 **거듭제곱을 표기하는 ㉠과 ㉡의 방식을 비교한 설명으로 가장 적절한 것은 무엇인가요?**

① ㉠의 방식과 달리 ㉡의 방식은 별도의 기호가 없이도 표현이 가능하다.
② ㉠의 방식과 달리 ㉡의 방식은 작은 수도 거듭제곱으로 표현할 수 있다.
③ ㉡의 방식과 달리 ㉠의 방식은 천문학적인 수도 거듭제곱으로 표현할 수 있다.
④ ㉡의 방식과 달리 ㉠의 방식은 과학 분야에서는 사용이 어렵다는 한계가 있다.
⑤ ㉠과 ㉡의 방식은 모두 규칙적인 숫자의 변화에 대해서는 표현이 불가능하다.

3 이 글을 바탕으로 볼 때, 〈보기〉의 ㉮~㉰에 들어갈 내용으로 적절한 것은 무엇인가요?

보 기

명지: 어떤 한 사람이 2명에게 선행을 베풀고, 그 다음날 선행을 받은 사람들이 또 각각 2명에게 선행을 베푸는 릴레이를 한다고 한다면, 42일째 되는 날에 선행을 받게 되는 사람은 모두 몇 명이나 될까? 1일째는 2명, 2일째는 4명, 3일째는 8명, 4일째는 16명이니까…….

재은: 2의 거듭제곱으로 증가하는구나. 그렇다면 42일째 되는 날은 (㉮)명이 되겠네. 고작 2명으로 시작한 것이 42일 만에 이렇게 큰 수가 되다니!

명지: 거듭제곱을 몰랐다면 42일째까지 계속 일일이 더해서 계산해야 하는데 거듭제곱을 사용하니 (㉯)을 볼 수 있어 결과를 예상하기 쉬워지네.

재은: 뿐만 아니라 (㉮)의 값은 4,398,046,511,104야. 이렇게 복잡한 수도 거듭제곱을 사용하면 표현의 (㉰)이 훨씬 높아져.

	㉮	㉯	㉰
①	2^{42}	효율성	상징성
②	2^{42}	규칙성	편리성
③	2^{42}	상징성	효율성
④	2^{41}	규칙성	반복성
⑤	2^{41}	반복성	복잡성

4 ⓐ와 바꿔 쓸 수 있는 말로 가장 적절한 것은 무엇인가요?

① 변경(變更)하면
② 변동(變動)하면
③ 환원(還元)하면
④ 환산(換算)하면
⑤ 추정(推定)하면

생각읽기 2

영웅 신화는 어떻게 만들어지는가

영웅의 신비화

Q 영웅에 대한 기억이 시대에 따라 달라지는 이유는 무엇인가요?

영웅은 어떻게 만들어지는가, 어떻게 신비화되고 통속화되는가, 영웅에 대한 기억이 시대에 따라 어떤 변천을 겪는가를 탐구하는 것은 '더 사실에 가까운 영웅'의 모습에 다가서려는 이들에게 필수적이다. 영웅을 둘러싼 신화가 만들어지고 전승되는 과정과 그 메커니즘*을 이해하고 특히 국민 정체성 형성에 그들이 간여*한 바를 살펴봄으로써, 우리는 영웅을 만들고 그들을 새롭게 해석해 온 각 시대의 서로 다른 욕망을 읽어 내어 그 시대를 객관적인 시각에서 바라볼 수 있다.

무릇 영웅이란 죽고 나서 한층 더 길고 ⓐ파란만장한 삶을 살아가며, 그런 사후 인생이 펼쳐지는 무대는 바로 후대인들의 변화무쌍한 기억이다. 잔 다르크는 계몽주의 시대에는 '신비와 경건을 가장한 바보 처녀'로 치부되었지만, 프랑스 혁명기와 나폴레옹 집권기에 와서는 애국의 ⓑ화신으로 추앙*받기 시작했다. 민족주의의 성장과 더불어 그 숭배의 열기가 더 달아올라, 19세기 공화주의적 민족주의자들은 잔 다르크를 '프랑스의 수호자'이자 '민중의 딸'로 재창조했다. 그리고 국경을 넘어 20세기 여성 참정권자들에게 잔 다르크는 '전투적 페미니즘'의 상징이 되었고, 한국에서는 '프랑스의 유관순 열사'로 기억되었다.

영웅에 대한 후대인들의 기억이 어떻게 만들어지는가를 탐구하는 문제의식의 배경에는 무엇을 기억할 것인가 하는 ㉠'기억의 관리'가 부와 권력의 분배 못지않게 중요한 사회적 과제라는 전제가 깔려 있다. 인간의 기억은 기본적으로 사회적 틀 내에서 형성되며, 시간적·공간적으로 제한된 특정한 사회 집단에 의해서 선택적으로 전해진다. 그래서 기억의 문제는 개인적이라기보다는 집단적이며 사회적인 권력의 문제이다. 동시에 이는 기억과 ⓒ표리 관계인 망각의 문제이기도 하다.

근대 역사에서 기억이 구성되고 가공되는 데 가장 중요한 단위는 '민족'이었다. 근대 역사학 자체의 탄생과도 밀접하게 관련되는 '민족의 과거'에 대한 기억에서 영웅은 중요한 기억의 터전을 차지해 왔다. 이때 영웅은 그저 비범한 능력의 소유자에 그치지 않고 민족의 영광과 상처를 상징하는 기호로서 구성원에게 동일시할 대상으로 나타난다. 이때 영웅은 종종 '애국'의 덕목과 결부되었다. 한국에서도 봉건 시대에 충군의 이념에 충실했던 인물이 계몽 운동기에 들어서 구국의 영웅으로 재탄생하는 것을 종종 볼 수 있다. 박은식, 신채호 등 개화기 지식인들이 '민족정신'에 눈뜨면서 재발견한 이순신이나 을지문덕과 같은 영웅은 이제 '충군'이 아닌 '애국'을 ⓓ지상 과제로 삼는다. 이 같은 근대의 영웅은 서로 모르는 사람들을 하나의 '국민'으로 묶어 주는 상상의 원천이 되었다. 이렇게 영웅은 구성원 모두를 상하, 수평 관계 속에서 ⓔ매개하고 연결한다는 의미에서 하나의 미디어라 할 수 있다.

* 메커니즘: 사물의 작용 원리나 구조.
* 간여: 어떤 일에 간섭하여 참여함.
* 추앙: 높이 받들어 우러러봄.

0 다음은 역사 동아리 학생들이 이 글을 읽은 후 토론한 내용입니다. 이 글의 **논지에 부합**하는 것을 모두 고른 것은 무엇인가요?

ㄱ. 영웅에 대한 각 시대의 평가는 곧 그 시대를 비추는 거울이야.
ㄴ. 영웅을 만들어 유포하는 체제는 결코 좋은 체제가 아닌 것 같아.
ㄷ. 근대 국가의 집단 정체성 형성에 애국적 영웅이 중요한 역할을 했군.
ㄹ. 영웅의 고난과 승리는 대중에게 강력한 정서적 영향을 끼치는 것 같아.

① ㄱ, ㄴ ② ㄴ, ㄷ ③ ㄱ, ㄴ, ㄹ
④ ㄱ, ㄷ, ㄹ ⑤ ㄴ, ㄷ, ㄹ

논지에 부합한다는 건 결국 글의 취지,
즉 **글을 쓴 목적이나 주제에 맞는 걸** 고르라는 거야!

1 **이 글로 미루어 알 수 있는 내용이 무엇인지 고르세요.**

① 역사는 익명의 대중이 이끄는 것이다. ▢
② 역사는 사실에 입각한 역사적 자료를 기초로 하여 기록된 것이다. ▢
③ 역사는 우연의 지배를 받으므로 필연적인 인과 관계로 파악되지 않는다. ▢
④ 역사는 과거의 사실 그 자체가 아니라 후대에 체계화된 지적 구성물이다. ▢
⑤ 역사는 객관성을 추구한다는 점에서 과학으로서의 지위를 주장할 수 있다. ▢

2 **다음 중 ㉠의 사례로 보기 어려운 것은 무엇인가요?**

① 마을에 있는 효자비를 재정비하여 효행을 장려한다.
② 국민에게 존경받는 역사적 인물을 지폐 도안에 활용한다.
③ 역사 소설을 읽고 실재한 사실과 문학적 허구를 가려 본다.
④ 전쟁 박물관의 전시를 통해 국난 극복의 역사를 널리 알린다.
⑤ 중요 무형 문화재 보유자를 지정하여 고유의 문화를 보존한다.

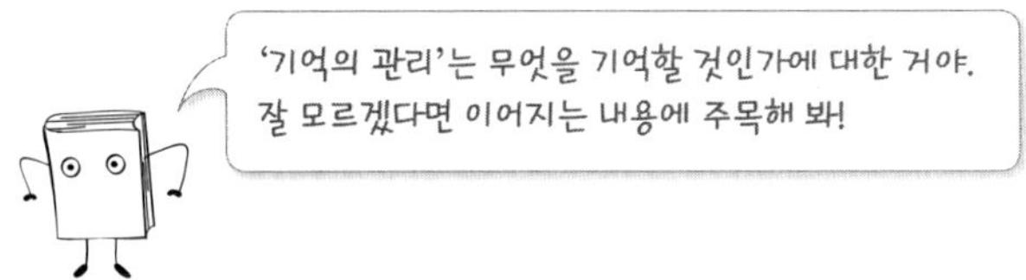

'기억의 관리'는 무엇을 기억할 것인가에 대한 거야.
잘 모르겠다면 이어지는 내용에 주목해 봐!

3 ⓐ~ⓔ의 사전적 뜻풀이가 바르지 않은 것은 무엇인가요?

① ⓐ: 사람의 생활이나 일의 진행이 곡절과 시련이 많고 변화가 심함.
② ⓑ: 본받을 만한 대상.
③ ⓒ: 사물의 겉과 속 또는 안과 밖을 통틀어 이르는 말.
④ ⓓ: 가장 높은 위.
⑤ ⓔ: 둘 사이에서 양편의 관계를 맺어 줌.

생각읽기 3

우리 몸을 조절하는 호르몬 이야기

호르몬의 신비

Q 호르몬이 우리 몸에서 하는 역할은 무엇인가요?

글쓴이는 왜 비교의 방법을 사용할까

다른 대상과 비교하면 더 명확한 설명이 가능하니까!

► 원리로 생각읽기 142쪽

(가) 우리 몸에서 일어나고 있는 생명 활동 중에서 자기 조절 능력이라는 것이 있다. 이 자기 조절 능력을 항상성의 원리라고 하는데, 체내외의 환경이 변하더라도 체내 상태를 항상 일정하게 유지하려는 성질을 말한다. 우리 몸의 항상성 원리가 작동하기 위해서는 세포 간 정보 전달이 이루어져야 하며 이를 위해서는 전달 수단이 있어야 하는데, 그중 하나가 바로 호르몬이다. 우리 몸의 정보 전달 수단에는 신경과 호르몬이 있다. 신경은 호흡이나 감각 인지, 운동처럼 즉각적인 정보 전달을 주로 담당한다면, 호르몬은 소화나 혈당 조절, 성장같이 어느 정도 시간을 가지는 정보 전달을 담당한다고 보면 된다.

(나) 호르몬은 혈관 속으로 분비되어 혈액에 실려 필요한 곳, 즉 표적 세포에 전달되기 때문에 내분비 물질이라고 부른다. 호르몬은 아주 적은 양이 분비되어 정보 전달을 하는데, 그 분비량은 대략 감자칩 10톤 속에 들어 있는 소금 한 알의 양이라고 보면 될 정도로 매우 적다. 그런데 이 극미량의 호르몬 양에 변화가 생기면 인체에 큰 영향을 미친다. 예를 들어 성장 호르몬이 정상 수치보다 많이 나오면 턱이나 코 · 손 · 발 등 몸의 끝부분이 커지는 말단 비대증이 나타나기도 하고 반면 정상보다 적으면 왜소증이 나타나기도 한다. 따라서 항상 일정한 호르몬의 양을 유지하는 것이 중요한데, 우리 몸은 호르몬 양이 정상보다 적어지면 호르몬 분비량을 늘리고, 많아지면 호르몬 분비량을 줄이는 피드백이란 방법으로 항상 일정한 양의 호르몬이 분비될 수 있도록 조절한다. 이는 마치 화장실 변기의 물 내리는 장치가 물이 빠지면 밸브가 열려 물을 채우고, 물이 어느 정도 차면 밸브가 닫혀 더 이상 물이 나오지 않게 하여 일정한 물의 높이를 유지하는 원리와도 같다.

(다) 그러면 우리 몸에서 일정하게 유지되는 ㉠혈당량*을 예로 들어 호르몬의 기능을 알아보자. 식사 전후에는 몸속으로 흡수되는 포도당의 양이 크게 변한다. 식사를 하면 소장에서 포도당이 흡수되면서 혈당량이 증가되기 때문이다. 그러면 이자에서 혈액으로 인슐린*이 분비되어 간에 작용하게 되고, 간에서 포도당을 글리코젠으로 저장하거나 온몸의 조직 세포에서 포도당을 소모하게 하여 혈당량을 ⓐ떨어뜨리는 작용을 한다. 또한 운동을 하게 되면 세포에서 포도당이 사용되어 혈당량이 감소되는데 이때 이자에서 혈액으로 글루카곤이 분비되어 간에 저장된 글리코젠을 포도당으로 분해하여 혈당량을 높임으로써 일정한 혈당량이 유지되도록 한다. 한편 ㉡체내 수분량은 소변의 양으로 조절되는데, 만약 체내 수분량이 적으면 뇌하수체에서 항이뇨 호르몬이 분비되어 콩팥에서 수분 재흡수를 촉진시켜 소변의 양을 감소시킨다. 반대로 체내에 수분량이 많아지면 뇌하수체에서 항이뇨 호르몬 분비를 억제하여 콩팥에서 수분이 재흡수되는 것을 막게 되고 소변의 양이 증가하면서 체내 수분량이 감소하게 된다.

(라) 이처럼 호르몬은 신경과 함께 작용하여 체내 환경을 일정하게 조절하는 역할을 하며 이는 생물의 생명 유지에 매우 중요하다. 또한 호르몬은 신체 활동뿐만 아니라 우울감, 행복감과 같은 감정과 스트레스, 수면에도 영향을 주고, 호르몬이 필요한 양만큼 일정하게 유지되지 않으면 여러 가지 이상 증세를 겪으므로, 호르몬이 영향을 미치는 현상은 거의 모든 생명 현상이라고 해도 과언이 아니다.

* 혈당량: 혈액 속에 포함되어 있는 당의 양.
* 인슐린(insulin): 탄수화물 대사를 조절하는 호르몬 단백질. 이자에서 분비된다. 몸 안의 혈당량을 적게 하는 작용을 하므로 당뇨병의 대증약으로 쓰인다.

0 이 글의 내용을 바르게 구조화한 것은 무엇인가요?

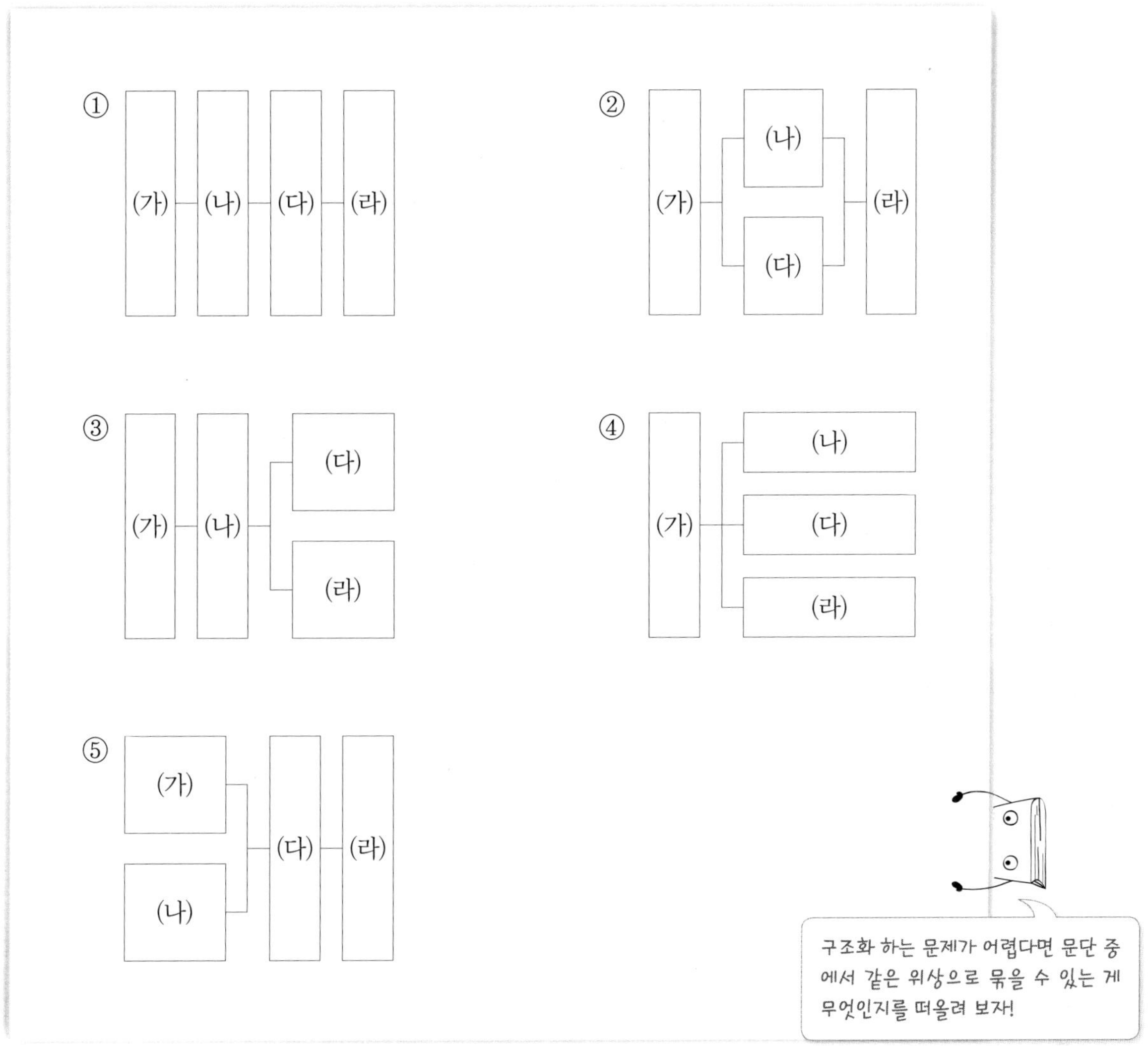

1 이 글을 쓰기 위해 계획한 내용으로 적절하지 않은 것은 무엇인가요?

〈내용 구성〉

가. 우리 몸에서 항상성의 원리가 직동하게 하는 호르몬의 역할

나. 호르몬 분비량이 인체에 미치는 영향 ································· ① ▢

다. 호르몬이 지닌 조절 기능 ·· ② ▢

〈구체화 방법〉

- '가'를 구체화하기 위해 다른 대상과 호르몬의 기능을 비교한다. ········· ③ ▢
- '나'를 구체화하기 위해 친숙한 다른 대상에 빗대어 표현하고, 대조적인 상황을 사례로 제시한다. ·· ④ ▢
- '다'를 구체화하기 위해 같은 원리를 지닌 다른 대상에 비유하고, 호르몬의 형태와 분비 과정을 설명한다. ··· ⑤ ▢

계획한 내용이라면 글에 나와 있을 거야. 내용이 글에 나와 있는지부터 확인하자!

2 이 글을 통해 알 수 있는 내용으로 알맞지 않은 것은 무엇인가요?

① 호르몬은 매우 적은 양으로도 큰 효과를 나타낸다.
② 호르몬은 혈액뿐만 아니라 신경을 통해서도 이동한다.
③ 각각의 호르몬은 특정한 세포나 기관에만 분비되어 작용한다.
④ 호르몬은 혈중 호르몬 농도에 따른 피드백을 통해 분비량이 조절된다.
⑤ 인체는 다양한 환경 변화에도 일정한 상태를 유지할 수 있는 능력을 지니고 있다.

3 〈보기〉는 ㉠과 ㉡의 조절 과정 일부를 나타낸 것입니다. 이에 대한 설명으로 적절한 것은 무엇인가요?

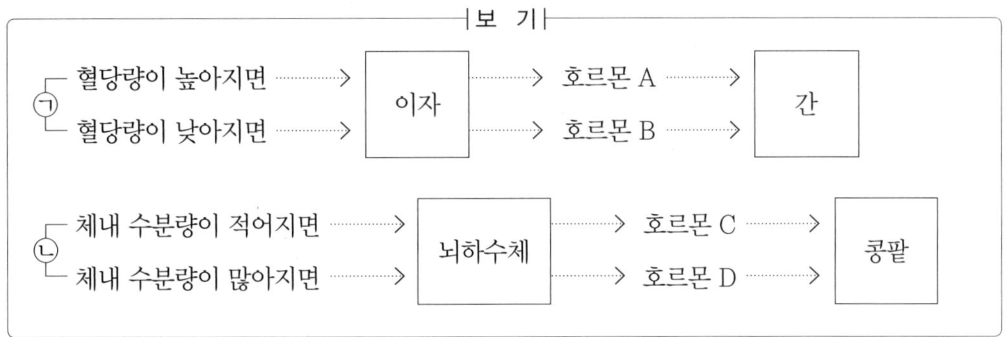

① 호르몬 A와 호르몬 B는 서로 반대 작용을 하면서 혈당량을 일정하게 유지시키는군.
② 호르몬 B는 간이나 근육 세포에서 글리코젠 합성을 촉진하겠군.
③ 호르몬 B와 호르몬 D는 분비량을 감소시켜 체내 환경을 일정하게 유지시키는군.
④ 호르몬 C는 콩팥의 기능을 활성화시키거나 콩팥의 수분을 다른 성분으로 전환시키는군.
⑤ 호르몬 C와 호르몬 D는 호르몬의 종류는 같으나 호르몬이 작용되는 기관에 차이가 있군.

4 밑줄 친 말 중, ⓐ와 문맥적 의미가 가장 유사한 것은 무엇인가요?

① 아이는 새 바지를 벌써 떨어뜨렸다.
② 시험관은 두 명을 면접에서 떨어뜨렸다.
③ 제품의 강도를 떨어뜨려 제작하기로 하였다.
④ 그가 묻자 그녀는 얼른 고개를 떨어뜨리며 대답을 피했다.
⑤ 나는 싸우고 있는 두 강아지를 떨어뜨릴 방법을 생각했다.

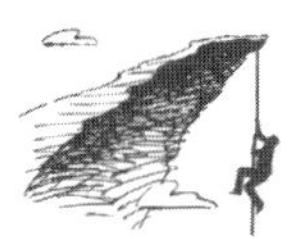

단어의 정확한 의미를 파악하려면
의지할 거라고는 문맥밖에 없어!

원리로 생각읽기 **5**

글쓴이는 왜 비교의 방법을 사용할까

글쓴이도 다른 대상과 비교하는 것을 즐긴다

다음 대화에서 진오의 마지막 물음에 나연은 어떤 방식으로 대답해야 할까요?

나연: 나 오늘 공원에서 진짜 작은 강아지를 봤어. 너무 귀엽더라고.

진오: 얼마나 작았는데?

나연: 음… 진짜 작았어. 조그맣고.

진오: 대체 얼마나 작았다는 거야?

나연: ______________________

진오의 질문에 대해 나연은 '크기를 알 수 있는 다른 대상과 비교'하여 답해야 할 것입니다. 왜 그럴까요? 나연이가 아무리 강아지가 작았다고 설명할지라도 그 크기를 알 수 있는 구체적인 설명을 하지 않으면 진오는 나연의 말에 공감하기가 어려울 것이기 때문입니다. 따라서 막연하게 작았다라고만 말하는 것보다 주변에서 흔히 알 수 있는 다른 사물과 비교하여 설명하면 진오가 강아지의 크기를 쉽게 이해할 수 있을 것입니다. 예를 들면 '손바닥만했다'라든가 '지금 네 신발 정도 크기'처럼 비교를 통해 설명하면 진오가 확실히 강아지의 크기를 알 수 있겠죠?

그러면 글쓴이가 글을 쓸 때 **다른 대상과 비교하는 방식을 사용하는 이유**는 무엇일까요? 위의 대화에서 보았듯이 바로 **설명하고자 하는 대상을 좀 더 구체적이고 명확하게** 설명하기 위해서입니다. 하나의 대상에 대해서만 설명하는 것보다 다른 대상과의 공통점과 차이점을 드러내어 설명하면 훨씬 명확한 내용 전달이 가능해집니다. 마치 검은색 바탕에 흰색으로 글자를 쓰면, 흰색 글자가 더 선명하게 보이는 것과 같다고 할 수 있는 것처럼요.

138쪽 지문

(가) 우리 몸에서 일어나고 있는 생명 활동 중에서 자기 조절 능력이라는 것이 있다. 이 자기 조절 능력을 항상성의 원리라고 하는데, 체내외의 환경이 변하더라도 체내 상태를 항상 일정하게 유지하려는 성질을 말한다. 우리 몸의 항상성 원리가 작동하기 위해서는 세포 간 정보 전달이 이루어져야 하며 이를 위해서는 전달 수단이 있어야 하는데, 그중 하나가 바로 호르몬이다. 우리 몸의 정보 전달 수단에는 신경과 호르몬이 있다. **신경은** 호흡이나 감각 인지, 운동처럼 즉각적인 정보 전달을 주로 담당한다면, **호르몬은** 소화나 혈당 조절, 성장같이 어느 정도 시간을 가지는 정보 전달을 담당한다고 보면 된다.

대상을 설명할 때 다른 대상과 비교하면 설명하려는 내용이 훨씬 분명해진다!

정답: 다른 대상과 비교하는 방식

독해연습 1 아래 문단을 읽고, 물음에 답하세요.

(가) 요즘 영양 식품으로 보리새싹을 섭취하는 사람들이 늘고 있다. 보리새싹에는 비타민C가 100g 중 338.8mg이 함유되어 있으며, 이는 시금치의 3배, 사과의 60배에 해당하는 양이다.

(나) 고래와 상어는 둘 다 바다에서 헤엄치며 살기 때문에 어류로 생각하기 쉽지만 고래는 새끼를 낳아 젖을 먹이는 포유류이다. 따라서 고래는 폐로 숨을 쉬며 헤엄칠 때에도 상하로 움직인다. 그러나 상어는 다른 물고기들처럼 아가미로 숨을 쉬고, 좌우로 움직이며 헤엄친다는 차이가 있다.

1 (가)에서 보리새싹에 함유된 비타민C의 양을 설명하기 위해 비교한 대상은 무엇인가요?

2 (나)에서 고래와 상어의 가장 큰 차이점은 무엇인지 빈칸에 들어갈 알맞은 말을 쓰세요.

• 고래는 ________________, 상어는 ________________에 속한다.

독해연습 2 아래 문단을 읽고, 물음에 답하세요.

연극과 영화는 모두 일정한 시 · 공간적 배경을 바탕으로 인물의 갈등과 해소를 담고 있는 이야기를 전달하는 예술의 갈래이다. 그러나 연극은 무대라는 특정한 공간에서 이야기가 전달된다는 점에서 영화와 큰 차이를 보인다. 영화는 배우의 연기를 카메라로 촬영하여 영상으로 전달하기 때문에 똑같은 영상을 반복적으로 볼 수 있으며, 관객이 작품을 어느 정도 객관적으로 감상할 수 있다. 또한 시간과 공간 배경에 제약이 없어 현실을 배경으로 자유롭게 표현이 가능하다. 반면 연극은 무대에서 이루어지므로 일회성을 지닌다. 즉 지금의 공연과 다음의 공연이 완전히 똑같을 수는 없는 것이다. 또한 시간과 공간에 제약이 있어 무대 장치를 통해 배경을 나타내며 무대와 관객이 한 공간에 있기 때문에 함께 호흡하며 더 적극적으로 감상할 수 있다는 특징이 있다.

1 연극과 영화의 공통점은 무엇인지 빈칸에 들어갈 알맞은 말을 위 글에서 찾아 쓰세요.

• 일정한 시·공간적 배경을 바탕으로 인물의 ______________과 ______________를 담고 있는 이야기를 전달하는 ______________의 갈래

2 연극과 영화의 차이점이 나타나게 되는 연극의 핵심적인 특징은 무엇인가요?

블랙홀, 마침내 모습을 드러내다

우주의 신비

Q 블랙홀의 발견으로 증명된 이론은 무엇인가요?

사람이 사물을 시각적으로 인지할 수 있으려면 빛이 사물에 부딪혀 반사되어야 한다. 그런데 블랙홀은 모든 빛을 흡수하기 때문에 빛의 반사가 이루어지지 않아 블랙홀을 관측하는 것은 인류에게 풀 수 없는 숙제와도 같았다. 그런데 2019년 4월, 전 세계 과학자 200여 명이 참여한 국제 연구진이 사상 최초로 블랙홀 관측에 성공하였다. 블랙홀의 존재가 예측된 지 103년 만에 드디어 블랙홀의 모습이 드러난 것이다.

이번에 포착된 블랙홀은 지구에서 5500만 광년 떨어져 있는 거대한 타원형 은하계 M87에 위치해 있고, 질량은 태양의 약 65억 배, 직경은 약 400억km로 그야말로 초대질량 블랙홀이라 할 수 있다. 이 정도로 거리가 멀고 규모가 큰 블랙홀을 촬영하기 위해서는 적어도 지구 크기만 한 망원경이 필요했다. 그래서 연구진들은 전 세계 8개의 전파 망원경을 하나로 연동해 거대한 지구 규모의 가상의 망원경을 형성하는 방법을 고안하였다. 전파 망원경은 우주에서 방출하는 특정 주파수의 전파를 안테나로 포착하여 영상으로 재구성하는 망원경으로, 다른 지역에 있는 망원경을 서로 연결하면 그 반경만큼의 확대 능력을 갖추게 된다. 이러한 전파 망원경 8개를 연결해 탄생한 망원경이 바로 'EHT(Event Horizon Telescope)'이며, 프랑스 파리 카페에서 미국 뉴욕에 있는 신문의 글자를 읽을 수 있을 정도의 해상도를 갖고 있다.

블랙홀을 간단히 말하면 표면 중력이 엄청나게 강한 천체이다. 블랙홀의 표면 중력은 너무 커서 이를 벗어나기 위해 필요한 최소한의 속도인 '탈출 속도'의 크기가 광속보다 크다. 탈출 속도가 광속보다 크다는 것은 빛도 그 천체 밖으로 빠져나오기 어렵다는 말이다. 블랙홀은 1915년 아인슈타인이 일반 상대성 이론을 발표하고 이를 바탕으로 이듬해 독일 천문학자 슈바르츠실트가 처음으로 예견했다. 아인슈타인의 일반 상대성 이론은 중력이 다른 각 행성에서의 시간은 차이가 있고, 중력이 클수록 시간이 천천히 간다는 내용으로 요약할 수 있다. 이를 바탕으로 슈바르츠실트는 블랙홀은 밀도와 중력이 무한대여서 모든 물질이 빨려 들어가 검게 보이는 '특이점'과 블랙홀 경계면이라고 할 수 있는 '사건의 지평선(Event Horizon)'으로 구성되어 있으며, 블랙홀의 경계면은 강력한 중력에 의해 빛과 시공간이 크게 휘어지면서 고리 모양을 형성할 것이라고 예측하였다. 실제로 관측된 블랙홀의 모습은 이러한 예측과 정확히 맞아떨어졌으며, 블랙홀이 실제로 확인됨에 따라 일반 상대성 이론을 증명하게 된 셈이다.

사실 빛조차 빠져나갈 수 없어 '검은 구멍'이라는 이름을 가진 블랙홀 영상을 찍기란 쉽지 않은 일이다. 블랙홀의 강한 중력은 블랙홀 경계면인 사건의 지평선 바깥을 지나는 빛도 휘어지게 만든다. 이 때문에 블랙홀 뒤편에 있는 밝은 천체나, 블랙홀로 빨려 들어가는 천체와 물질들이 내뿜는 빛이 왜곡되면서 블랙홀 주위를 휘감게 된다. 이렇게 휘어지고 왜곡된 빛들이 우리가 볼 수 없는 블랙홀을 비춰 블랙홀 윤곽이 드러나게 만드는 것이다. 따라서 이번 EHT가 찍은 영상도 엄격하게 따지면 블랙홀의 모습이라기보다는 블랙홀의 윤곽, 일명 '블랙홀의 그림자'라고 할 수 있다.

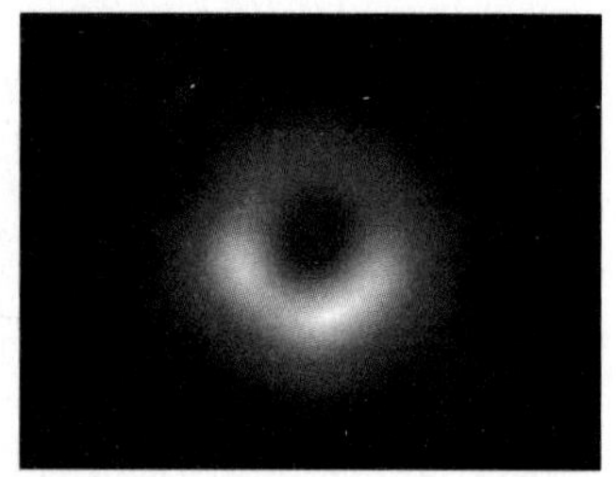
블랙홀 M87

그동안 영화나 수많은 과학 영상 등에서 보여 준 블랙홀은 모두 수학적 · 물리학적으로 계산하고 추정해 그린 '상상도'라고 할 수 있다. 하지만 이번 발견은 상상 속의 이미지를 실체화하였고, 이제 추측이 아닌 실제 관측을 통해 우주의 생성과 진화에 대해 더 많은 지식을 얻을 수 있는 계기가 될 것으로 기대를 모으고 있다.

0 **이 글의 논지를 반영한 표제와 부제를 정하려고 할 때, 빈칸에 들어갈 단어로 적절한 것은 무엇인가요?**

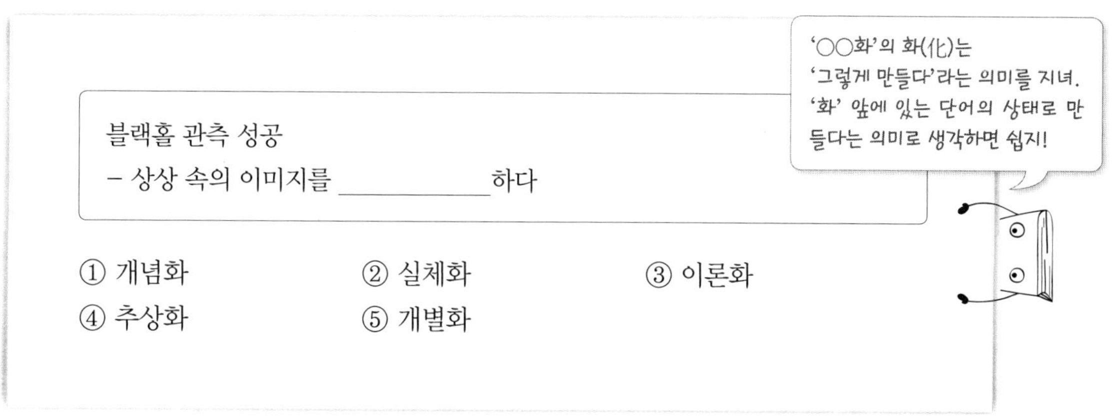

블랙홀 관측 성공
– 상상 속의 이미지를 ______하다
'○○화'의 화(化)는
'그렇게 만들다'라는 의미를 지녀.
'화' 앞에 있는 단어의 상태로 만
들다는 의미로 생각하면 쉽지!

① 개념화 ② 실체화 ③ 이론화
④ 추상화 ⑤ 개별화

1 **이 글을 통해 알 수 있는 내용으로 적절하지 않은 것은 무엇인가요?**

① 블랙홀의 존재를 처음 설명한 사람은 아인슈타인이 아니다.
② 일반 상대성 이론에 따르면 블랙홀에서의 시간은 매우 빠르게 흐를 것이다.
③ 실제로 관측된 블랙홀의 모습은 휘어진 빛들이 비춘 블랙홀의 윤곽이라고 할 수 있다.
④ 블랙홀을 벗어나기 위한 탈출 속도가 광속보다 크기 때문에 주변의 빛들도 블랙홀로 흡수되는 것이다.
⑤ 블랙홀 관측을 위해 고안된 망원경은 특정 주파수의 전파를 포착하는 원리를 지닌 망원경들을 결합한 것이다.

2 **이 글을 바탕으로 〈보기〉에 대해 보인 반응으로 적절하지 않은 것은 무엇인가요?**

보 기

뉴턴은 중력을 단순히 질량을 가진 물체 사이에 끌어당기는 힘으로만 여겼던 것과 달리, 아인슈타인은 중력을 구부러진 시공간으로 간주하였으며, 이는 뉴턴이 시간과 공간은 서로 독립적으로 존재한다고 가정한 것에 반하는 것이었다. 마치 고무판 위에 놓인 쇠공이 고무판 주위를 움푹 들어가게 만들 듯이 질량을 가진 천체는 주변의 시공간을 휘게 만든다고 생각한 것이다. ⓐ무거운 쇠공에 의해 움푹 파인 고무판 주위를 가벼운 쇠구슬이 지나간다면, 가벼운 쇠구슬은 무거운 쇠공 쪽으로 굴러갈 수밖에 없다. 이것이 바로 아인슈타인이 생각했던 중력으로, 시공간이 휘어진 곳을 지나는 빛도 휘어진 경로를 따를 수밖에 없다는 결론에 도달하였고, 이것이 바로 블랙홀을 설명할 수 있게 한 배경이 되었다.

① 뉴턴의 중력 개념으로는 블랙홀의 현상을 설명하는 데 한계가 있었겠군.
② 아인슈타인의 주장에 따르면 질량이 클수록 시공간도 더 많이 휘어지게 되겠군.
③ 슈바르츠실트는 블랙홀의 고리 모양은 특이점과 사건의 지평선이 서로 끌어당기는 힘에 의해 생겨난 것으로 본 것이군.
④ 고무판의 움푹 꺼진 가운데 지점을 '특이점', 쇠공 쪽으로 굴러 떨어지는 현상을 막을 수 없는 경계 지점을 '사건의 지평선'으로 볼 수 있겠군.
⑤ ⓐ에 대해 아인슈타인은 휘어진 공간 때문에 일어나는 현상이라고 보는 것과 달리 뉴턴은 무거운 공과 가벼운 공이 서로 끌어당겼기 때문이라고 설명하겠군.

3 〈보기〉는 블랙홀의 모습을 나타낸 것입니다. 이 글을 참고하여 A와 B에 대해 설명한 내용으로 적절한 것은 무엇인가요?

보 기

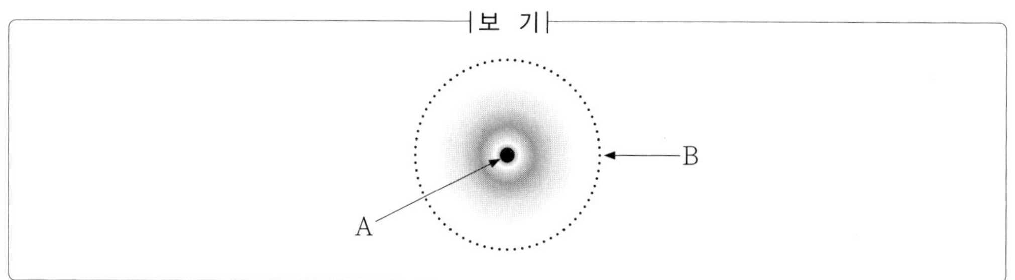

① A는 블랙홀과 바깥 세계의 경계로, 이 경계를 넘어서면 빛조차 빠져나오지 못한다.
② A는 블랙홀 주변에서 빛의 속도로 탈출이 가능한 마지막 탈출 가능 지점을 뜻한다.
③ B의 바깥쪽은 중력이 매우 강하게 작용하여 시간과 공간의 왜곡이 생긴다.
④ B는 블랙홀 내부에서 일어난 사건이 외부에 영향을 줄 수 없는 경계로 볼 수 있다.
⑤ A와 B 사이의 공간은 중력의 크기가 무한대가 되는 곳으로 시공간이 존재하지 않는다.

4 이 글을 읽은 학생이 심화 학습의 주제로 설정하기에 적절한 것은 무엇인가요?

① 블랙홀은 어떻게 생겨나게 되는 것일까?
② 실제 관측된 블랙홀의 모양은 어떠할까?
③ 어떻게 블랙홀을 관측할 수 있게 된 것일까?
④ EHT가 관측한 블랙홀의 규모는 얼마나 될까?
⑤ 블랙홀 관측이 어려웠던 이유는 무엇이었을까?

선인장, 사막에서 살아남다

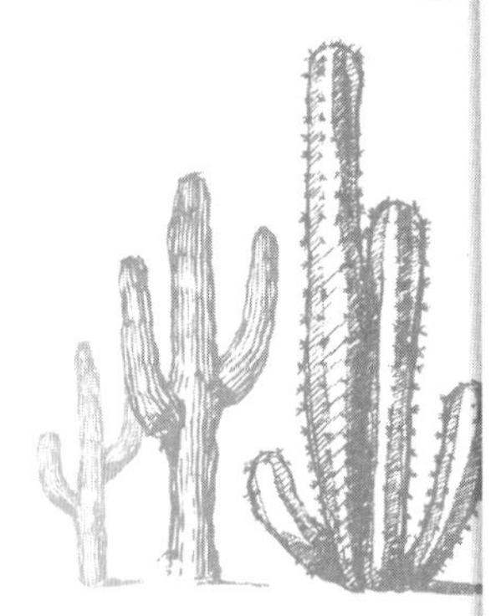

신비로운 식물

Q 선인장의 잎이 가시로 변한 이유는 무엇인가요?

우리나라나 중국에서 선인장이라는 말은 '신선의 손바닥'이라는 뜻으로, 신선만큼 오래 사는 식물이라는 의미를 지닌다. 실제로 선인장은 종류에 따라서 200년까지 살기도 한다. 그래서 선인장은 사막처럼 거친 환경에서도 오래 살아남는 강인한 생명력을 떠올리게 한다. 사막에서 생명체들이 살기 어려운 것은 바로 물이 부족한 환경 때문이다. 그런데 선인장이 사막에서 살 수 있다는 것은 물이 부족한 환경에 적응할 수 있도록 ㉠진화했기 때문으로 볼 수 있다.

대부분의 선인장은 다육 식물에 속하는데, 다육 식물이란 잎이나 줄기에 물을 저장하는 식물을 말하며, 다육 식물 중에 선인장만 가시가 있다. 바로 이 가시가 선인장의 가장 중요한 특징이다. 물론 다른 식물들 중에서도 가시가 있는 식물도 있지만 선인장에는 가시자리라고 불리는 작고 매우 독특한 눈들이 있다. 이 가시자리에서 가시 무리가 나고, 여기에서 꽃, 털, 또 다른 줄기가 나며, 잎이 나기도 한다. 선인장의 가시는 잎이 ㉡변형된 것으로 사막에서 생존하기 위해 선인장이 선택한 방식이다. 사막과 같은 건조한 지역의 식물들은 수분의 ㉢손실을 최대한 막아야 살 수 있다. 이 때문에 선인장은 잎을 없애고 가시로 변형하여 증발로 인한 수분 손실을 최소화하였으며, 식물을 섭취하여 수분을 보충하려는 동물들로부터 자신을 보호하게 된 것이다.

모든 식물은 광합성을 한다. 그런데 잎이 없는 선인장은 어떻게 광합성을 할까? 선인장은 주로 녹색 줄기에서 광합성을 한다. 줄기에는 기공과 엽록소가 있어 광합성을 할 수 있는데 다른 식물들과는 달리 낮에는 기공이 닫히고 주로 밤에 열린다. 즉 서늘한 밤에 기공을 열어 이산화탄소를 저장해 두었다가 뜨거운 낮이 되면 밤에 저장한 이산화탄소를 이용해 광합성을 하는 것이다. 이러한 과정을 크래슐산 대사라고 하는데 사막과 같은 환경에서 뜨거운 낮에 줄기에 있는 수분이 ㉣증산되는 작용을 최소화한다.

또한 선인장의 줄기는 수분이 밖으로 빠져나가지 못하도록 두꺼운 껍질로 싸여 있다. 줄기의 내부 조직에 있는 큰 세포에 수분이 저장되어 있는데 선인장의 줄기에는 최대 95%의 수분이 ㉤함유되어 있고, 수분을 효과적으로 저장하기 위해 점액질 조직으로 이루어져 있다. 줄기의 모양은 주로 공이나 원기둥 모양인 것이 많은데 이는 햇빛과 바람을 받는 면적을 최대한 줄이기 위한 것이다. 또한 선인장의 줄기에는 아코디언처럼 세로로 난 주름이 많은데, 건기에는 주름을 접어 몸의 크기를 최대한 줄였다가, 비가 내리는 우기에는 주름을 팽팽하게 펴서 몸을 최대한 크게 늘려 수분을 잔뜩 저장하고, 이렇게 저장한 물을 조금씩 쓰면서 건기를 견딘다.

이처럼 선인장은 수분 손실을 최소화하는 방식을 통해 사막과 같은 덜 경쟁적인 환경에서도 살 수 있게 되었다. 사람들에게 두려움을 주기도 하는 가시는 생존을 위한 필연적 선택이자 자신을 보호하기 위한 것으로, 환경을 피하기보다는 환경에 맞선 독특하고 신비로운 생존 방식이라 할 수 있다.

0 **다음은 이 글의 핵심 내용을 한 문장으로 요약한 것입니다. 빈칸에 들어갈 적절한 단어는 무엇인가요?**

> 선인장이 사막에서 생존하기 위해 선택한 방식은 [ ][ ] [ ][ ]을/를 최소화하는 것이었다.

① 생장 속도
② 뿌리 성장
③ 세포 분열
④ 수분 손실
⑤ 햇빛 흡수

너무 많아. 요약을 할 땐 꼭 필요한 것만 챙겨!

1 이 글에 대한 설명으로 적절한 것은 무엇인가요?

① 선인장이 환경에 적응하기 위해 진화해 온 과정을 순차적으로 설명하고 있다.
② 선인장의 특성을 바탕으로 선인장이 사막 환경에 끼친 영향력을 설명하고 있다.
③ 선인장이 사막에서 생존할 수 있었던 이유를 선인장의 형태와 관련지어 설명하고 있다.
④ 주변에서 볼 수 있는 선인장의 종류를 예를 들어 소개하고, 각각의 특성을 설명하고 있다.
⑤ 선인장과 다른 식물과의 비교를 통해 선인장이 다른 환경에서 생존하기 어려운 한계를 설명하고 있다.

2 이 글을 통해 알 수 있는 내용은 무엇인가요?

① 선인장은 수분을 최대한 많이 흡수하기 위해 기공을 사용한다.
② 다육 식물 대부분은 잎 대신에 가시와 가시자리를 갖고 있다.
③ 식물이 자라기 좋은 환경에서는 그만큼 생존을 위한 경쟁이 더 치열하다.
④ 선인장 줄기에 주름이 많은 것은 흡수되는 태양의 열을 조절하기 위한 것이다.
⑤ 선인장의 줄기에 저장되는 수분이 점액질인 것은 효과적인 광합성을 하기 위해서이다.

3 이 글을 바탕으로 〈보기〉를 이해한 내용으로 적절하지 않은 것은 무엇인가요?

보 기

민들레와 같은 식물은 줄기가 짧고 마치 방석처럼 잎이 땅에 붙어 있는데, 이러한 형태의 식물을 로제트 식물이라고 한다. 녹색식물은 광합성에 필요한 빛을 최대로 받아야 하기 때문에 빛에 대한 경쟁이 치열하다. 그런데 민들레는 키가 작으므로 다른 식물들의 잎이 무성하게 자라기 전, 이른 봄에 먼저 자라서 자신의 결점을 보완한다. 이른 봄에는 아직 날씨가 추우므로 최대한 지면에 붙어 잎을 내어 추운 바람을 피하고, 바람에 의해 수분이 증발되는 것을 최소화하는 것이다. 또한 이렇게 땅에 붙어 나면 초식 동물에게 먹힐 확률도 상대적으로 낮아진다. 그리고 잎 하나하나를 자세히 보면 하나도 겹치는 부분이 없이 배열되어 있는데, 이는 겨울에도 최대한 많은 햇빛을 받기 위한 형태로 볼 수 있다.

① 선인장과 민들레는 모두 바람의 영향을 덜 받는 모양을 하고 있다.
② 선인장과 민들레는 모두 동물로부터 자신을 방어할 수 있는 형태를 지니고 있다.
③ 선인장은 낮에 이산화탄소를 흡수하는 반면, 민들레는 밤에 이산화탄소를 흡수한다.
④ 선인장은 고온에서 버틸 수 있는 방식으로 생존하는 것과 달리, 민들레는 저온을 극복하는 방식으로 생존한다.
⑤ 선인장은 잎을 가시로 변형하여 햇빛의 영향을 최소화한 반면, 민들레는 햇빛을 최대한 받을 수 있는 잎 모양을 지닌다.

4 ㉠~㉤의 사전적 의미로 잘못된 것은 무엇인가요?

① ㉠: 생명이 기원 이후부터 점진적으로 변해 가는 현상.
② ㉡: 다르게 바꾸어 새롭게 고침.
③ ㉢: 잃어버리거나 축나서 손해를 봄.
④ ㉣: 식물체 안의 수분이 수증기가 되어 공기 중으로 나옴.
⑤ ㉤: 물질이 어떤 성분을 포함하고 있음.

생각읽기 6

뇌는 어떻게 과거를 기억할까

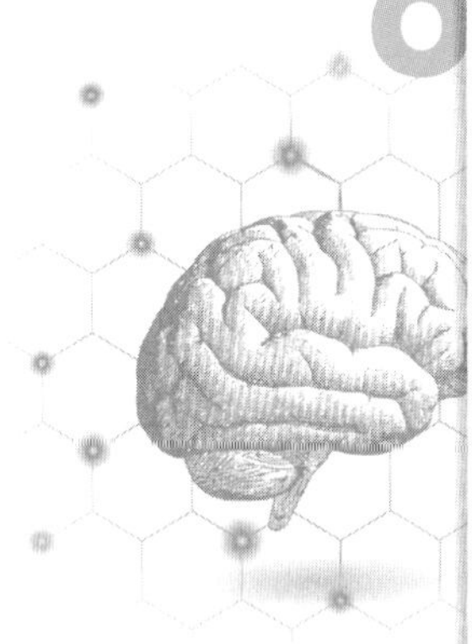

뇌의 신비

Q 장기 기억 유지를 위한 핵심은 무엇인가요?

인간의 뇌는 방대한 외부의 정보를 인식해 기억으로 저장하고, 사고하며, 인간의 정체성을 결정하는 곳으로 소우주라고 불릴 만큼 복잡하다. 뇌의 가장 중요한 기능 중 하나가 바로 기억이다. 기억이란 어떤 자극에 대하여 이를 느끼고 이것을 머리에 새겨 두었다가, 자극이 없어지고 나서 그 정보를 다시 상기할 수 있는 정신 기능을 말한다. 사고 · 판단 · 학습도 따져 보면 모두 기억을 바탕으로 한 뇌의 기능으로 볼 수 있다. 따라서 인간에게 기억하는 능력이 없었다면, 인간의 지적 성장이나 사회의 발전은 없었을 것이다.

기억은 유지되는 시간에 따라 단기 기억과 장기 기억으로 구분된다. 단기 기억은 우리가 잠시 전화번호를 기억하는 것과 같이 금방 잊게 되는 기억이며, 장기 기억은 반복적인 경험이나 학습을 통해 잊어버리지 않고 오랜 기간 기억하는 것을 말한다. 단순히 기억의 지속 시간에만 차이가 있는 것이 아니라 단기 기억은 뇌의 신경 세포 사이에 새로운 회로가 만들어지지 않는 반면, 단기 기억이 장기 기억으로 바뀔 때는 신경 세포에서 새로운 회로가 생기게 되며, 단기 기억 중 불필요한 것은 삭제하고 필요한 것만 장기 기억으로 남긴다.

기억은 정보의 입력, 저장, 회상의 세 가지 단계가 있다. 그런데 이 세 단계 중에 어느 하나라도 이상이 생기면 기억이 불가능하게 된다. 내측두엽으로 들어온 정보는 해마와 그 주변 조직들에서 일시적으로 머물며 신경 정보 신호로 바뀌고 어떻게 나뉘어 저장될 것인지가 결정된다. 오랫동안 기억될 수 있도록 정보를 조직화하는 과정을 암호화라고 하는데, 기존에 저장된 정보와 유사한 경우 기존 정보와 쉽게 연결되므로 암호화가 더 잘 일어난다. 따라서 ㉠<u>기억의 저장 과정에서 해마는 새로운 정보를 장기 기억으로 전환하는 핵심 부위로 볼 수 있다</u>. 내측두엽은 대뇌 피질의 광범위한 영역과 신경 세포를 통해 연결되어 단기 기억 정보를 대뇌 피질의 여러 부위로 전달한다.

대뇌 피질에서 정보는 같은 범주로 분류되는 내용들끼리 같은 영역에 저장되고, 기억 관련된 유전자가 발현되어 단백질이 만들어지면서 기억 내용이 공고해져 오랫동안 저장된 상태를 유지한다. 이때 신경 세포의 시냅스에 의해 정보를 기억으로 뇌에 새기는 것인데, 신경 전도가 활발히 일어나는 부위의 시냅스*는 새로운 연결망이 생겨나면서 두터워져 시냅스 회로가 활성화되며 기억이 더 깊고 오래 고정될 수 있도록 한다. 또한 계속해서 사용하는 시냅스 회로는 강화되지만 사용하지 않는 회로는 점점 없어지게 된다. 결국 장기 기억의 핵심은 시냅스 회로의 유지라고 볼 수 있으며, 뇌가 저장할 수 있는 장기 기억 정보의 용량은 거의 무제한이라고 알려져 있다. 한편 기억을 회상할 때는 뇌 여기저기에 흩어져 저장되어 있는 정보들을 끄집어내 다시 짜 맞춘 뒤 원래의 내용으로 복원하는 것이다.

그렇다면 가장 오랫동안 머릿속에 존재하는 기억은 어떤 것일까? 가장 강력하게 잊히지 않는 기억은 감정 기억이라고 한다. 편도체는 감정을 관장하는 뇌 부위이다. 그런데 편도체는 기억 중추인 해마와 바로 붙어 있어 기억에 직접적 영향을 준다. 편도체가 활성화되면 기억을 담당하는 해마도 덩달아 함께 활성화된다. 실제로 감정을 자제하고 무표정하게 있으면 단기 기억력이 감소한다고 한다. 감정을 억제하면 소수의 세포만이 기억 과정에 참여해 기억력이 떨어지기 때문이다. 반면 감정이 동반되면 신경망 사이의 새로운 회로를 만들어 주어 기억이 더 오래 남을 수 있다고 한다.

* 시냅스: 신경 세포의 신경 돌기 말단이 다른 신경 세포와 접합하는 부위. 이곳에서 한 신경 세포에 있는 흥분이 다음 신경 세포에 전달된다.

0 이 글에서 글쓴이가 말하고자 하는 **핵심 화제**가 무엇인지 고르세요.

① 해마의 형태와 위치 ☐
② 시냅스의 구조와 특징 ☐
③ 인간이 감정을 느끼는 이유 ☐
④ 뇌에서 기억이 저장되는 과정 ☐
⑤ 기억력을 높일 수 있는 여러 가지 방법 ☐

핵심 화제는 **글에서 가장 많이 언급되는 이야깃거리**야.
단순히 많이 나온다고 화제가 되는 게 아니라
주제와 밀접한 관련이 있어야 해!

1 **이 글을 통해 확인할 수 있는 내용이 아닌 것은 무엇인가요?**

① 감정과 기억은 어떠한 관계가 있을까?
② 기억의 종류를 구분하는 기준은 무엇일까?
③ 기억에서 시냅스가 하는 역할은 무엇일까?
④ 기억의 의미를 무엇으로 정의할 수 있을까?
⑤ 뇌에 입력되는 정보의 종류는 어떻게 구분할 수 있을까?

2 **이 글의 내용과 일치하지 않는 것은 무엇인가요?**

① 시냅스에 새로운 연결망이 많이 생길수록 기억은 더 오래 유지될 수 있다.
② 대뇌 피질에서 기억 내용이 공고해지기 위해서는 특정 단백질이 만들어져야 한다.
③ 감정이 기억에 영향을 주는 이유는 편도체와 해마가 위치적으로 근접하기 때문이다.
④ 대뇌 피질에 전달된 다양한 정보는 회상의 효율성을 위해 하나로 통합되어 저장된다.
⑤ 장기 기억과 달리 단기 기억이 형성될 때에는 신경 세포 사이에 새로운 회로가 생기지 않는다.

3 이 글을 바탕으로 〈보기〉의 내용을 읽고 보일 수 있는 반응으로 알맞은 것은 무엇인가요?

보 기

교통사고를 당해 해마 부위가 손상된 환자는 사고 이후 새롭게 겪은 일들은 기억하지 못했지만 교통사고 이전의 오래된 기억들은 모두 회상해 냈다. 다른 예로 대뇌 피질이 망가진 환자는 그 부분에 저장되어 있던 기억은 떠올리지 못했지만 다른 기억은 떠올리기도 했다.

① 해마가 손상되어도 뇌의 다른 부위를 통해 새로운 기억 형성이 가능하겠군.
② 정보들이 범주에 따라 저장되어도 뇌의 한 부위가 망가지면 모든 기억을 잃게 되겠군.
③ 해마가 손상되면 시냅스의 회로가 망가지므로 기존의 기억을 회상하는 것이 어려워지겠군.
④ 해마에 장기 기억이 저장되는 것은 아니기 때문에 해마가 손상되어도 과거를 기억할 수 있겠군.
⑤ 입력되는 정보들은 대뇌 피질을 거쳐 해마에서 저장되므로 대뇌 피질이 손상되면 새로운 기억을 만들지 못하겠군.

4 이 글을 바탕으로 할 때 ㉠의 이유로 가장 적절한 것은 무엇인가요?

① 기억을 회상할 때 필요한 정보를 찾고 복원하는 역할을 하기 때문이다.
② 뇌로 들어온 정보를 선택적으로 삭제하여 기억해야 할 정보의 양을 줄여 주기 때문이다.
③ 시냅스가 활성화될 수 있는 화학 물질을 분출하여 장기 기억 형성에 도움을 주기 때문이다.
④ 암호화 과정을 거친 정보들이 해마에서 장기 기억으로 전환된 후 대뇌 피질로 분산되기 때문이다.
⑤ 입력된 정보를 단기간 저장하고 있다가 대뇌 피질로 보내 장기 기억으로 저장되도록 하기 때문이다.

다음은 생각을 읽을 수 있는 지문 구조도를 퍼즐로 나타낸 것입니다. 앞에서 읽은 글의 내용을 떠올리며 생각읽기 1~6에 해당하는 퍼즐을 선으로 연결해 보세요.

문단으로 생각읽기

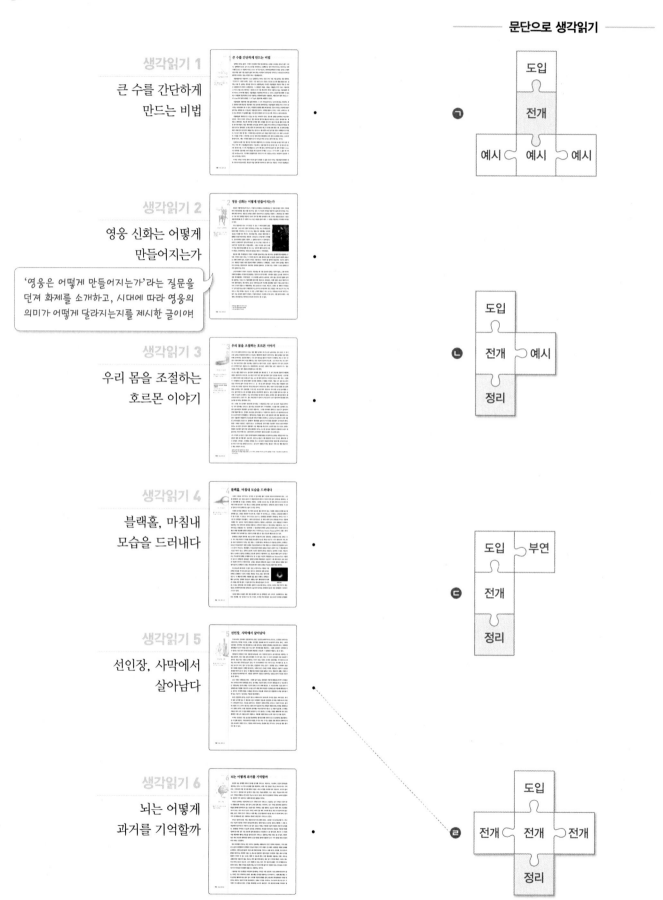

생각읽기 1
큰 수를 간단하게 만드는 비법 •

생각읽기 2
영웅 신화는 어떻게 만들어지는가 •

'영웅은 어떻게 만들어지는가'라는 질문을 던져 화제를 소개하고, 시대에 따라 영웅의 의미가 어떻게 달라지는지를 제시한 글이야!

생각읽기 3
우리 몸을 조절하는 호르몬 이야기 •

생각읽기 4
블랙홀, 마침내 모습을 드러내다 •

생각읽기 5
선인장, 사막에서 살아남다 •

생각읽기 6
뇌는 어떻게 과거를 기억할까 •

㉠ 도입 / 전개 / 예시, 예시, 예시

㉡ 도입 / 전개, 예시 / 정리

㉢ 도입, 부연 / 전개 / 정리

㉣ 도입 / 전개, 전개, 전개 / 정리

한 문장으로 생각읽기

1 [ ][ ][ ][ ]은 큰 수를 간단히 표현할 수 있게 하면서 또 반대로는 간단하지만 엄청난 수를 의미할 수 있는 신비함을 지닌 원리이다.

2 잔 다르크, 이순신과 같은 [ ][ ]은 시대의 욕망과 이념에 따라 새롭게 만들어지고 다르게 해석될 수 있다.

3 [ ][ ][ ]은 신경과 함께 작용하여 체내 환경을 일정하게 조절하는 역할을 한다.

4 [ ][ ][ ]은 표면 중력이 엄청나게 강한 천체로, 2019년 사상 최초로 EHT에 의해 관측되었다.

5 선인장은 [ ][ ] 손실을 최소화할 수 있도록 그 형태가 진화되어 사막과 같은 척박한 환경에서도 살아남을 수 있게 되었다.

6 기억은 유지되는 시간에 따라 단기 기억과 장기 기억으로 구분되며, 정보의 입력, [ ][ ], 회상의 세 가지 단계를 거친다.

한 단어로 생각읽기

인간은 왜 신비에 주목할까?

"영원히 풀어야 할 숙제이기 때문이 아닐까"

우리의 인체는 우리가 알지 못하는 신비함을 지닌 하나의 우주와도 같습니다. 이러한 인체의 신비함을 풀어 나가는 것은 인간의 생리를 알게 되는 일이며, 더 나아가 인간의 존재의 의미를 알게 하는 일이기도 하죠.

우리 주변에는 우리가 알지 못하는 세계가 여전히 많습니다. 사람들은 이러한 신비한 세계에 주목하여 호기심·경외심·공포심 등 다양한 감정을 갖기도 하고, 신비의 원리나 현상을 밝히려고 애쓰기도 합니다.

그렇다면 사람들은 왜 신비로운 것들에 주목할까요? 신비는 인간이 풀고 싶어 하는 오랜 고민이자 우리가 살고 있는 세계의 숨겨진 위대함을 발견할 수 있는 질문을 담고 있기 때문이 아닐까요?

다가갈 수는 있지만 도달할 수는 없는 세계인 무한,
그것은 인간이 아무리 노력해도 영원히 도달할 수 없는
신비의 영역인 신의 영역과도 같다
– 니콜라이 쿠사누스

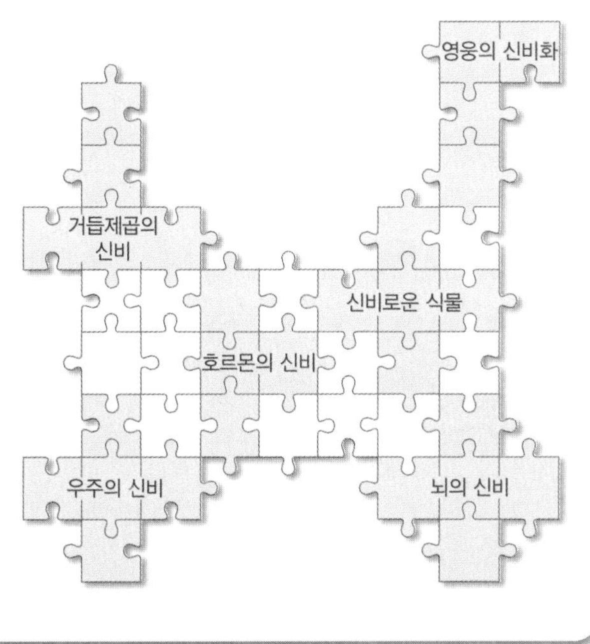

생각의 발견

06 라이벌

라이벌을 말하다!

라이벌(rival)이라는 말은 경쟁자 또는 경쟁 상대를 의미하는데, 강(river)의 중류 사람들과 하류 사람들이 서로 강물을 이용하려고 경쟁했던 데서 나온 말이에요. 역사 속에서 펼쳐진 라이벌 간의 경쟁은 결과적으로 사람들의 운명을 바꾸어 놓기도 했고, 문명의 발전을 가져오기도 했습니다. 라이벌 관계는 경쟁 관계에 있었던 사람들 사이에서 형성되기도 했지만, 더 나은 사회를 만들려는 사회 체제, 또는 진리를 찾으려는 학문과 사고방식, 아름다움을 표현하려는 예술 양식 등에서도 찾을 수 있습니다. 그러면 지금까지 어떤 라이벌들의 경쟁이 있었으며, 그로 인한 영향은 어떠했는지 한번 알아볼까요?

경제 체제에 대한 논쟁

자본주의 vs 공산주의

Q 공산주의의 몰락 이후에도 공산주의의 요소가 경제 체제에 일부 적용된 이유는 무엇인가요?

경제 체제는 사회적 자원의 생산과 분배에 대한 원칙을 정하는 문제이다. 자본주의는 시장의 역할을 중요하게 생각하며 생산 수단을 개인의 소유로 인정한다는 특징이 있다. 여기서 말하는 생산 수단이란 기업, 토지, 자본 등을 말한다. 자본주의에서 생산 수단이 중요한 까닭은 생산 수단을 소유한 개인이 타인의 노동력을 이용하여 부를 축적할 수 있기 때문이다. 반면 자본주의에 저항하며 등장한 공산주의는 어떨까. 초기 사회주의자들은 자본가와 노동자의 대립을 단지 우연적인 사건으로 간주했지만 공산주의 이론을 정립한 마르크스는 계급 갈등과 해결을 위한 공산주의의 탄생을 역사의 필연이라고 생각했다.

㉠ 자본주의는 분업을 통해 노동의 생산력이 크게 증진된 안정된 사회에서는 기술의 ⓐ 진보와 생산의 증가로 최하층까지 부가 확산될 수 있다고 믿는다. 분업은 교환의 가능성을 ⓑ 전제로 하며 시장은 공급되는 상품의 수량을 자연적으로 조절하게 된다고 생각한다. 상품이 지닌 가치의 보편적인 ⓒ 척도는 노동이다. 그리고 일상의 거래에서는 화폐가 모든 교환 가치의 척도가 된다. 자본주의 사회에서 생산 수단을 ⓓ 독점한 개인은 노동자를 고용하여 생산 활동을 한다. 그리고 발생한 생산물 가운데 일부를 노동자에게 임금으로 지불하고 나머지는 자신의 부로 축적한다. 따라서 생산 수단을 소유한 자본가가 노동자를 많이 고용할수록 자본가의 이익은 급격하게 증가하게 된다.

반면 ㉡ 공산주의는 이러한 자본주의가 노동자를 ⓔ 착취한다고 주장한다. 따라서 공산주의는 타인을 착취하는 부도덕한 상품이라면 이를 개인이 장바구니에 담게 해서는 안 된다고 생각한다. 대신 국가가 생산 수단을 소유하고 관리해야 한다고 주장한다. 즉 공산주의 사회는 자본가 없이 노동자에 의해서만 구성된 사회라 할 수 있다. 공산주의 이론을 정립한 마르크스는 능력에 따라 일하고 필요에 따라 분배하는 이상적인 사회를 이상적인 공산주의의 모습이라 생각했다. 최초의 공산주의 국가인 소련이 생겨나면서 '공산주의 경제 계산 논쟁'이 있었다. 이는 '공산주의 체제하의 경제가 경제학적 합리성을 갖는가?'라는 문제를 둘러싼 자유주의와 공산주의 진영 간의 논쟁이었다. 이 논쟁에서 가장 핵심적인 쟁점은 '경쟁적인 시장 가격이 존재하지 않는 상황에서 각종 자원의 합리적인 배분이 가능한가?'라는 문제였다. 자유주의 입장에서는 생산 수단이 공유화되면 시장이 없어지므로 생산재 가격이 객관적으로 결정되기 어렵고, 자원 배분이 자의적으로 될 수밖에 없기 때문에 공산주의 경제가 성립 불가능하다고 주장하였다. 하지만 공산주의 입장에서는 중앙 계획 당국이 시장 경제의 체계를 이용하여 재화와 서비스의 가격을 합리적으로 구할 수 있으므로 공산주의 경제가 실현 가능하다고 주장하였다.

글에는 왜 절충안이 나올까
서로 다른 의견에서 장점을 뽑아내기 위해~
► 원리로 생각읽기 164쪽

1989년 베를린 장벽이 무너지고 1991년 소련이 와해되면서 현재 공산주의 국가는 북한과 쿠바 정도만 남게 되었다. 이는 생산 수단의 집중화가 독재 정부를 낳았고, 이러한 독재 정부에 의한 통제가 비효율적이었기 때문에 공산주의는 하나의 경제 체제로 성공을 거두지 못하고 사라지게 된 것이다. 반면 자본주의는 개인의 자유로운 이익 추구와 경쟁, 그리고 자원을 효율적으로 사용하기 위한 합리적 선택 등의 요소로 인해 계속 발달하게 되었지만 자본주의 역시 생산 수단의 독점과 빈부 격차 등의 문제가 크게 대두되었다. 그래서 이후 많은 국가들은 정부가 직접 개입하는 등 자본주의와 공산주의 두 체제의 장점을 조화롭게 적용하여 현대 자본주의 사회의 문제들을 해결하기 위해 노력하게 되었다.

0 **이 글의 제목으로 가장 적절한 것을 고르세요.**

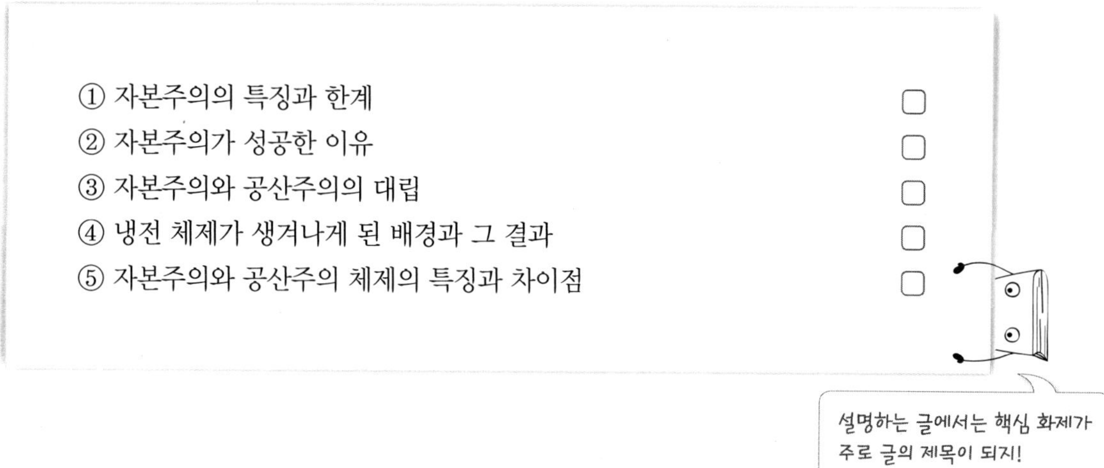

① 자본주의의 특징과 한계 ☐
② 자본주의가 성공한 이유 ☐
③ 자본주의와 공산주의의 대립 ☐
④ 냉전 체제가 생겨나게 된 배경과 그 결과 ☐
⑤ 자본주의와 공산주의 체제의 특징과 차이점 ☐

설명하는 글에서는 핵심 화제가
주로 글의 제목이 되지!

1

〈보기〉를 바탕으로 이 글을 이해한 내용으로 가장 적절한 것은 무엇인가요?

보 기

자본주의 시장 경제에서는 모든 개인들이 자유롭게 경쟁하면서 자신의 이익을 열심히 추구하면, 결과적으로 그 사회의 자원 배분이 효율적으로 이루어져 사회 전체의 효용이 극대화될 것이라 믿어 왔다. 하지만 경제 활동과 관련하여 다른 사람에게 의도하지 않은 혜택이나 손해를 발생시키는 외부 효과나 모든 사람들이 공동으로 이용할 수 있는 공공재가 충분히 공급되지 않는 경우, 정보나 사회의 자원 배분이 효율적으로 이루어지지 않는 등의 문제가 발생하게 되었다. 현대 사회에서는 이러한 시장 경제의 실패를 보완하기 위해 정부가 시장에 개입하거나 규제하는 등 정부의 역할이 점차 증대되고 있다.

① 자본주의의 발달로 인해 모든 계층의 부가 증가하게 되었다.
② 자본주의는 생산과 분배를 정부에 맡기면서 위기를 맞이하게 되었다.
③ 공산주의는 국가가 시장의 역할을 담당하면서 자본주의의 한계를 극복하고 발전하였다.
④ 공산주의는 몰락하였지만 자본주의로 인해 발생하는 문제들을 해결하는 데 도움을 줄 수 있다.
⑤ 자본주의와 공산주의의 대립으로 인해 빈부 격차 등 노동자들의 삶이 더욱 어려워지는 결과가 생겨났다.

2

이 글의 논지 전개 방식으로 가장 적절한 것을 고르세요.

① 하나의 주장에 입각해 다른 주장을 비판하고 있다. ☐
② 다양한 사례를 들어 자신의 주장을 뒷받침하고 있다. ☐
③ 시간의 흐름에 따라 관점이 변화해 가는 과정을 드러내고 있다. ☐
④ 여러 주장의 문제점을 분석한 다음 새로운 대안을 제시하고 있다. ☐
⑤ 대립되는 주장을 소개한 다음 절충의 필요성을 언급하며 마무리하고 있다. ☐

절충은 양쪽의 좋은 점을 알맞게 조합하는 것!

3 ㉠과 ㉡의 차이가 발생하는 핵심적인 이유로 적절한 것은 무엇인가요?

① ㉠에 비해 ㉡이 노동을 통해 생산된 생산물과 시장의 조절 기능을 신뢰하기 때문이다.
② ㉠은 시장을 중요하게 생각하고, ㉡은 시장을 중요하게 생각하지 않기 때문이다.
③ ㉠은 개인의 욕망을 중요하게 생각하고, ㉡은 욕망의 통제를 중요하게 생각하기 때문이다.
④ ㉠은 생산 수단을 개인의 소유로 인정하지만, ㉡은 생산 수단을 국가가 통제하기 때문이다.
⑤ ㉡에 비해 ㉠이 분업을 통해 생산력을 증진시켜 결국 노동자의 이익을 극대화하기 때문이다.

4 ⓐ~ⓔ의 사전적 의미로 바르지 않은 것은 무엇인가요?

① ⓐ: 정도나 수준이 나아지거나 높아짐.
② ⓑ: 어떠한 사물이나 현상을 이루기 위하여 먼저 내세우는 것.
③ ⓒ: 평가하거나 측정할 때의 기준.
④ ⓓ: 모든 권력을 차지하여 일을 독단으로 처리함.
⑤ ⓔ: 생산 수단을 가진 사람이 다른 사람으로부터 노동의 성과를 무상으로 취득함.

둘 이상의 견해를 절충하려는 이유

두 사람은 '빛은 파동인가, 입자인가'에 대해 논쟁하고 있습니다. 두 사람의 논쟁을 절충하는 말에 들어갈 알맞은 말을 차례로 떠올려 볼까요?

글을 읽거나 문제를 보면 '절충, 정반합, 변증법'과 같은 낯선 단어들을 종종 보게 됩니다. 여러분들은 '절충'의 의미를 정확히 알고 있나요? **절충은 서로 다른 의견을 알맞게 조절하여 잘 어울리게 하는 것**을 말합니다. 예를 들어 볼까요? 한 사람은 빛의 정체가 파장이라고 주장하는 데 반해 다른 한 사람은 빛의 정체는 알갱이라고 주장하고 있습니다. 이 두 사람의 논쟁을 듣는 또 다른 사람은 빛은 파장의 성질도, 알갱이의 성질도 가지고 있다고 말하고 있습니다. 이런 게 바로 절충이에요. 어느 한 편의 입장을 전적으로 받아들이는 게 아니라 양쪽의 입장을 조금씩 받아들이고 있으니까요.

글쓴이는 왜 서로 다른 견해에 대한 절충안을 제시할까요? 각각의 견해를 100% 받아들이면 문제를 해결하는 일이 힘들지만, 조금씩이라도 양쪽의 장점을 조화롭게 받아들이려 애쓴다면 그 문제를 해결할 수 있는 방법도 찾을 수 있지 않을까요?

160쪽 지문

1989년 베를린 장벽이 무너지고 1991년 소련이 와해되면서 현재 공산주의 국가는 북한과 쿠바 정도만 남게 되었다. 이는 생산 수단의 집중화가 독재 정부를 낳았고, 이러한 독재 정부에 의한 통제가 비효율적이었기 때문에 공산주의 ... 게 된 것이다. 반면 자본주의는 개인의 자 ... 사용하기 위한 합리적 선택 등의 요소로 인 ... 의 독점과 빈부 격차 등의 문제가 크게 대두되었다. 그래서 이후 많은 국가들은 정부가 직접 개입하는 등 자본주의와 공산주의 두 체제의 장점을 조화롭게 적용하여 현대 자본주의 사회의 문제들을 해결하기 위해 노력하게 되었다.

절충이란, 서로 다른 의견을 조화롭게 적용하여 문제를 해결할 수 있는 방법을 제시하는 것!

정답: 파장, 알갱이

독해연습 1 **아래 문장을 읽고, 물음에 답하세요.**

> 파동인 줄 알았던 빛이 입자성도 갖고 있다면, 입자인 전자도 파동의 성질을 갖고 있지 않을까?

1 위 문장을 다시 읽고, 빛이 가지고 있는 두 가지 성질을 찾아 써 보세요.

2 위 문장에서 빛과 전자의 공통점을 한 문장으로 써 보세요.

독해연습 2 **아래 문단을 읽고, 물음에 답하세요.**

> 대학 도서관을 지역 주민에게 개방해야 하는가에 대해 두 의견이 팽팽하게 대립하고 있다.❶ 먼저 대학 도서관을 지역 주민에게 개방해야 한다는 입장은 지역 사회의 도서관 수가 절대적으로 부족하며, 대학은 지역 사회에 기여해야 한다는 근거를 들고 있다.❷ 반면 개방해서는 안 된다는 입장은 면학 분위기를 해친다는 점과, 장서 관리가 힘들어진다는 근거를 들고 있다.❸ 두 의견 모두 나름대로 설득력을 지니므로 대학 도서관 몇 군데를 실험적으로 개방해 본 후 결정해야 한다.❹

1 ❶~❹에서 절충안이 있는 문장을 찾아 번호를 써 보세요.

2 위 글에서 글쓴이가 말하고자 하는 내용과 일치하는 진술은 무엇인가요?

① 대학 도서관 개방에 대한 상반된 입장을 모두 부정하고, 새로운 대안으로 실험적 개방을 제시하고 있다.

② 대학 도서관 개방에 대한 상반된 입장을 모두 인정하고, 이에 해당하는 절충안으로 실험적 개방을 제시하고 있다.

생각읽기 2

종교와 과학의 투쟁사

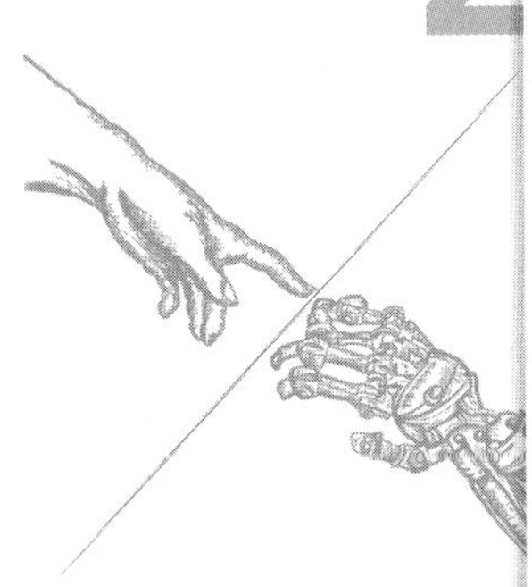

종교 vs 과학

Q 종교의 진리관이 위협을 받게 된 이유는 무엇인가요?

(가) 오래전부터 종교는 인간의 삶에서 매우 중요한 부분을 차지해 왔다. 그러다 16세기에 이르러 과학의 중요성이 대두되기 시작하였고, 점차 인간의 삶에서 종교가 차지하고 있던 많은 부분들을 과학이 대신하게 되었다. 16세기 이후부터 시작된 종교와 과학 간의 투쟁의 역사는 현대에 이르러 이렇게 과학이 승리하는 결말로 끝나 가는 것처럼 보인다.

(나) 과학이란 관찰을 통해 각각의 사실들을 발견하고 추론을 통해서 그 사실들을 서로 연결하여 미래에 일어날 상황을 예측할 수 있게 하는 근본 원리나 법칙들을 발견하려는 시도이다. 따라서 과학은 이성적이고 합리적인 것으로 여겨지고 있는 반면에, 종교는 비이성적이고 비합리적인 것으로 여겨지고 있다. 과학의 발전에 따라 종교의 진리관이 위협받기 시작했는데, 이는 종교가 지니는 논리적으로 설명할 수 없는 신비주의적 측면에도 어느 정도 그 원인이 있다고 할 수 있다.

(다) 역사적으로 종교에 대해 가장 강력하게 도전해 온 것은 과학이었다. 여기서 과학은 주로 자연 과학을 의미하고 종교는 흔히 기독교를 의미하기 때문에, 종교와 과학의 투쟁의 역사를 살펴볼 때, 우리는 주로 자연 과학과 기독교의 대립과 충돌에 주목한다. 종교와 과학의 양립이 불가능하다는 입장에 따르면, 종교와 과학은 자연을 움직이는 '힘'에 대해 서로 양보할 수 없는 상반된 체계와 가정을 바탕으로 설명하고 있다고 한다. 기본적으로 과학은 자연의 모든 사건이 일정한 법칙에 따라서 발생한다고 가정한다. 만약 과학적으로 설명할 수 없는 사건이 있다면 과학자는 그 원인을 인간이 가진 지식의 불완전함에 있다고 보고 새로운 자연적 요인을 찾으려 노력한다. 그러나 대다수의 종교는 신 또는 초자연적 힘이 존재한다고 주장하며, 나아가 그 힘이 자연과 인간의 모든 사건에 개입할 수 있다는 믿음을 가진다. 이러한 종교적 입장, 즉 신과 같은 초자연적 힘이 자연적 사건의 원인이 될 수 있다는 입장은 순전히 그들의 신념에 기반하는 것이며 과학적으로는 입증하기 어렵다.

(라) 하지만 이러한 종교와 과학의 충돌이 필연적이지 않다고 보는 입장도 있다. 아인슈타인은 종교와 과학은 오히려 깊은 상호 관계를 가지고 있으며 더 나아가 상호 의존적이기까지 하다고 보았다. 역사적으로 전개되어 오던 종교와 과학의 충돌은, 그들이 상호 대립적이고 모순적이라기보다는 과거의 종교가와 과학자들이 그들 영역의 한계를 정확하게 파악하지 못하고 그 한계를 벗어났기 때문에 발생한 것이라고 보았다. 아인슈타인에 의하면, 현재 있는 그대로의 실재를 파악하는 일에만 관심을 두는 과학은 그 실재가 앞으로 어떠해야 한다는 당위성에 대해서 관심을 두지 않지만, 종교는 인간이 어떻게 살아가고 행동해야 한다는 당위적인 가치 판단에 관계하는 것으로서 과학과는 그 영역이 서로 다르기 때문에 충돌해서는 안 된다고 말한다.

(마) 그렇다면 ㉠종교와 과학의 바람직한 관계는 과연 무엇일까? 우리가 살고 있는 현대는 과학의 시대라고 해도 과언이 아니다. 하지만 과학의 발전이 인간의 삶에 행복과 발전만을 가져다주지는 않는다. 과학의 발전으로 인하여 인류에게 새로운 문제들이 생겨나고 있기 때문이다. 이는 과학의 발전이 인류의 삶의 가치를 높이는 것과 직결되지는 않는다는 것을 의미한다. 바로 이러한 점에서 종교와 과학은 서로 화해해야 한다. 종교와 과학은 가치 있고 풍요로운 인간의 보다 나은 삶을 위하여 서로 협력하고 조화를 이루는 바람직한 관계를 모색해 나가야 할 것이다.

0 이 글이 **논리적으로 타당**한지 검증하기 위해 만든 질문의 내용으로 가장 적절한 것을 고르세요.

- 과연 종교와 과학의 투쟁이 있었다고 볼 수 있을까? ········ ① ☐
- 과학자들은 왜 초자연적인 힘으로 자연적 사건을 설명할까? ········ ② ☐
- 과학이 아닌 다양한 종교들 간의 대립도 존재하지 않았을까? ········ ③ ☐
- 기독교와 자연 과학이 종교와 과학을 대표한다고 단정할 수 있을까? ········ ④ ☐
- 종교와 과학이 협력하여 더 좋은 결과를 냈다고 볼 수도 있지 않을까? ········ ⑤ ☐

글의 내용 중에서 잘못된 사실이나 글쓴이의 주관이 들어간 부분이 있는지 찾아봐!

어떻게 설득하지?

걱정마! 내가 논리로 무장할테니!

논리

논리적으로 타당하다는 것은 글쓴이가 **글에서 생각을 펼쳐 나가는 과정**이 이치에 맞게 펼쳐진다는 거야.

1 **(다), (라) 문단의 관계를 가장 바르게 설명한 것은 무엇인가요?**

① (다)는 (라)의 주장에 대한 전제에 해당한다.
② (다)와 (라)는 인과적 관계로 구성되어 있다.
③ (다)는 (라)의 내용을 다른 각도에서 부연한 것이다.
④ (다)는 (라)의 내용을 보다 구체적으로 진술한 것이다.
⑤ (다)와 (라)의 내용은 대조적이며 구성상 병렬적이다.

2 **이 글의 내용으로 볼 때, '종교'가 '과학'과 근본적으로 다른 점은 무엇인가요?**

① 과학에 비해 인간적인 측면
② 과학적 진리를 거부하는 측면
③ 과학을 바라보는 보수적인 측면
④ 논리적으로 설명할 수 없는 측면
⑤ 배타적 자세로 사물을 보는 측면

3 〈보기〉를 참고하여 ㉠의 관계를 바르게 추리한 것은 무엇인가요?

보 기

'관용'으로 번역되는 똘레랑스는 인종, 문화, 특히 종교의 차이로 인한 갈등을 극복하는 과정에서 나온 개념으로 점차 종교를 넘어 사회 전반으로 퍼졌다. 하지만 똘레랑스가 모든 차이와 다양성을 조건 없이 받아들이는 것은 아니다. 똘레랑스가 정착하기 위해서는 차이의 질서뿐만 아니라 서로 다른 것들이 평화롭게 공존할 수 있는 것을 바탕으로 하는 '유사성의 질서'도 있어야 한다.

① 상호 간의 차이를 좁히고 모두가 동의할 수 있는 하나의 가치를 따라야 한다.
② 보편적인 가치에 얽매이지 않고 모든 의견들이 동등하게 공존할 수 있어야 한다.
③ 상호 간의 입장 차이를 인정하더라도 보편적 가치가 바탕이 되는 공존을 추구해야 한다.
④ 상호 간의 입장 차이를 인정하고 평화롭게 공존하기 위해 다양성의 가치를 실현해야 한다.
⑤ 다른 입장의 사람들과 충돌이 없는 한 각각의 입장이 어떤 가치를 지향하더라도 인정해야 한다.

생각읽기 3

전류 전쟁

에디슨 vs 테슬라

Q 전류 전쟁이 끝난 이후 직류가 다시 부상한 이유는 무엇인가요?

(가) 1800년대 후반, 미국에서는 에디슨과 테슬라 사이에 직류(Direct Current)와 교류(Alternative Current) 가운데 어떤 것을 표준 전기 시스템으로 채택할 것인가에 대한 치열한 주도권 싸움, 이른바 '전류 전쟁(War of Currents)'이 벌어졌다. 그리고 이 과정에서 죽는 순간까지 라이벌이었던 에디슨과 테슬라의 경쟁이 시작되었다.

(나) 에디슨은 모든 가정에 전기를 공급하는 것을 꿈꾸며 1878년부터 전류가 필라멘트를 통과하는 백열등을 개선하기 위해 노력하였고, 1879년의 실험을 통해 에디슨은 최초의 상업용 전구를 개발하였다. 에디슨은 세계 최초로 중앙 발전소를 세우고, 화재 방지 등 안전을 위해 전기 공급을 위한 케이블 선을 땅속에 묻었다. 하지만 직류를 이용한 에디슨의 방식으로 전기를 뉴욕 전체에 공급하기에는 한계가 있었다. 왜냐하면 직류는 선로 길이에 따라 전압 변동성이 크기 때문에 장거리 송전*에 불리했기 때문이다.

(다) 테슬라는 1884년 뉴욕으로 건너와 에디슨과 함께 일을 했지만 그와의 갈등이 지속되자 사표를 던지고 나와 전기 회사를 설립하였고, 유도 전동기를 포함하여 교류와 관련된 특허를 신청하였다. 이후 테슬라의 교류 시스템에 매력을 느낀 조지 웨스팅하우스가 특허권을 사면서 에디슨과 웨스팅하우스 사이의 '전류 전쟁'이 시작되었다. 테슬라가 개발한 교류 방식은 변압기를 활용해 언제라도 원하는 전압을 쉽게 얻을 수 있었고, 변압기만 있으면 송전에 필요한 변전소* 간격이 넓어도 되기 때문에 투자비를 대폭 줄일 수 있었다.

(라) 1893년 세계 박람회를 밝힐 전기로 교류가 채택되었고, 1895년에는 테슬라가 나이아가라 폭포 근처의 수력 발전소에 교류 시스템을 디자인하여 뉴욕 버팔로 시에 전기를 보냈으며 또 몇 년 후에는 644km 떨어진 뉴욕 시 전체에 전류를 공급하였다. 이러한 과정을 통해 '전류 전쟁'은 결국 웨스팅하우스의 승리로 끝나게 되었다.

(마) 1800년대 후반의 '전류 전쟁'에서는 테슬라가 승리했다고 볼 수 있다. 하지만 '전류 전쟁' 100년 후, 교류에 밀려 주목받지 못했던 직류가 다시 부상하게 되었다. 충전이 필요한 다양한 전자 제품에 출력 전압이 일정한 직류가 적용되고 있으며, 신재생 에너지로 만든 전력을 다루는 데에도 더욱 적합하기 때문이다. 이렇듯 에디슨과 테슬라의 '전류 전쟁'은 아직도 진행되고 있다. 결국 '전류 전쟁'으로 인해 인류는 전기를 이용한 수많은 발명품들을 이용하며 편리한 생활을 누릴 수 있게 되었다고 할 수 있을 것이다.

* 송전: 발전소에서 생산된 전력을 보내는 일.
* 변전소: 교류 전력을 송전·배전(발전소에서 보내온 전력을 수용자에게 분배하거나 공급하는 일.)하기에 적당한 전압으로 바꾸어서 내보내는 시설.

0 **글쓴이가 이 글을 쓰기 전 머릿속에 떠올렸을 구조도를 바르게 표현한 것은 무엇인가요?**

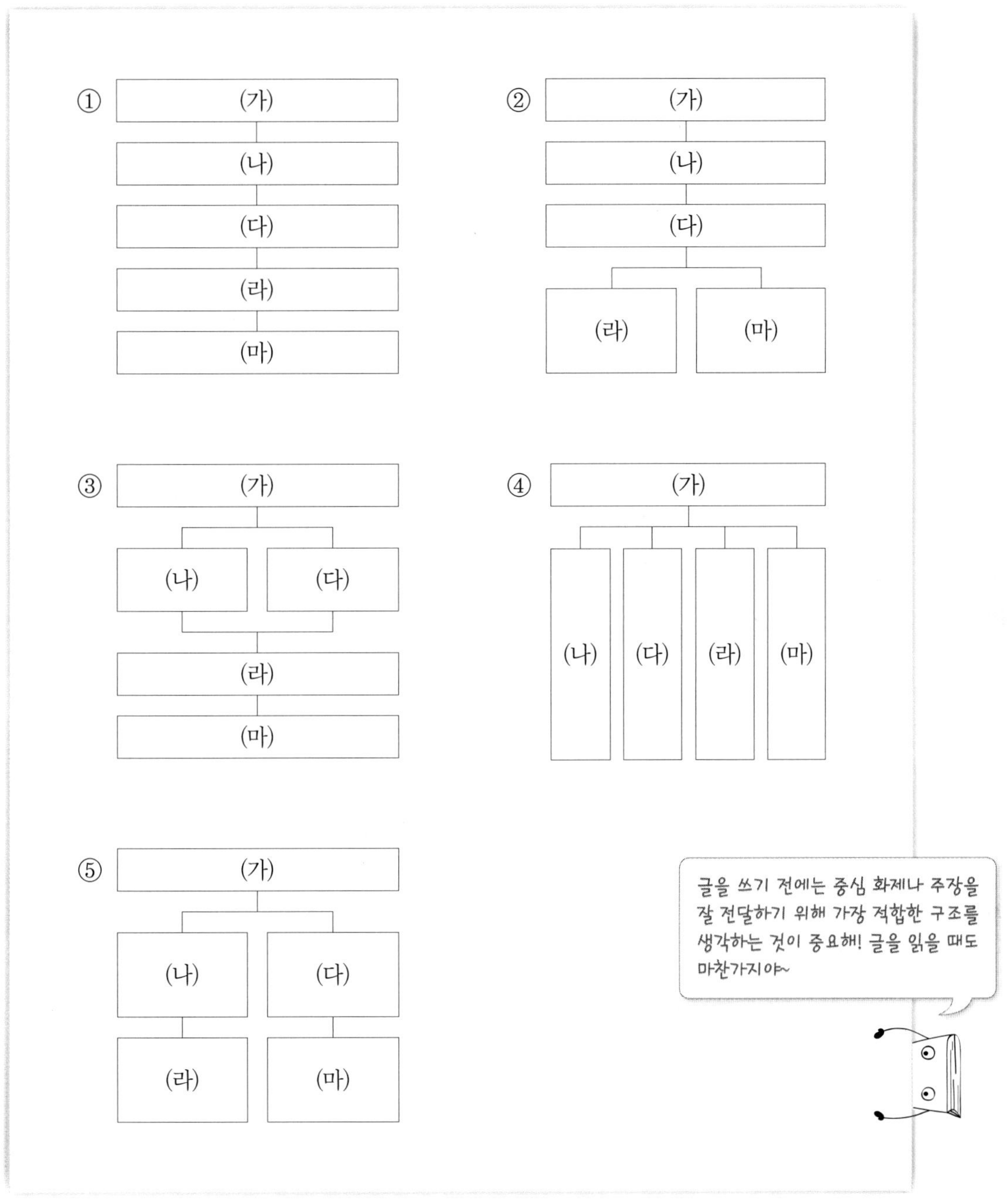

1 **(가)~(마)의 핵심 내용으로 적절하지 않은 것은 무엇인가요?**

① (가): 에디슨과 테슬라의 경쟁
② (나): 에디슨이 개발한 직류 방식의 특징
③ (다): 테슬라가 개발한 교류 방식의 특징
④ (라): 전류 전쟁의 결과에 대한 과학적 분석
⑤ (마): 끝나지 않은 전류 전쟁과 그로 인한 발전

2 **이 글과 〈보기〉를 통해 볼 때, '전류 전쟁'에서 교류가 이긴 이유로 가장 적절한 것은 무엇인가요?**

| 보 기 |

직류는 일정한 전압과 극성을 가지고 있다. 직류 송전은 전기·전자 회로를 설계하고 해석하는 것이 안정적이고 효율적이다. 또 사고가 났을 경우 손쉽게 전력망을 분리해 운영할 수 있어 피해를 최소화할 수 있다. 그러나 직류는 전압을 바꾸기 위한 특수한 반도체로 구성되는 전력 변환 설비가 필요해 송전 설비 비용이 많이 든다는 단점이 있다.

① 교류가 직류에 비해 더 안전하기 때문에
② 교류가 직류에 비해 사고가 날 확률이 낮기 때문에
③ 교류로 나이아가라 폭포에서 뉴욕까지 전기를 보낼 수 있었기 때문에
④ 교류가 직류에 비해 저렴하고 더 멀리까지 전기를 공급할 수 있었기 때문에
⑤ 교류의 단점인 사고의 위험을 테슬라의 변압기를 통해 극복할 수 있었기 때문에

3 이 글의 결론에서 이끌어 낼 수 있는 주제로 가장 적절한 것을 고르세요.

① 경쟁은 좋은 결과를 이끌어 낼 수 있다. ☐
② 과학적 증거에 따라 이론의 운명이 결정된다. ☐
③ 이론은 타당성을 검증할 방법을 찾아야 한다. ☐
④ 과학은 서로 다른 것들을 절충할 때 더 발전을 이끌어 낼 수 있다. ☐
⑤ 과학적 이론은 최소한의 근거를 가져야 성립할 수 있다. ☐

4 이 글과 〈보기〉를 바탕으로 추론한 내용으로 옳지 않은 것은 무엇인가요?

보 기

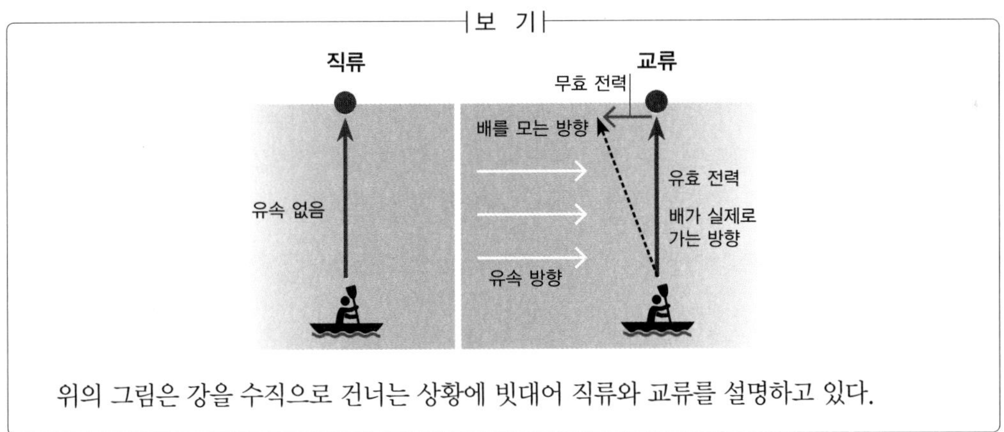

위의 그림은 강을 수직으로 건너는 상황에 빗대어 직류와 교류를 설명하고 있다.

① 유속이 없는 강을 건넌다면 직류가 효율적일 수 있겠군.
② 유속이 강한 강을 건넌다면 교류는 무효 전력이 더욱 커지겠군.
③ 교류는 발생하는 무효 전력만큼의 에너지를 더 보내 주어야 하겠군.
④ 강을 건너는 상황만으로 판단할 때는 직류가 교류보다 경제적일 수 있겠군.
⑤ 교류가 승리한 이유는 유속에 맞추어 배를 모는 방향을 잘 정했기 때문이겠군.

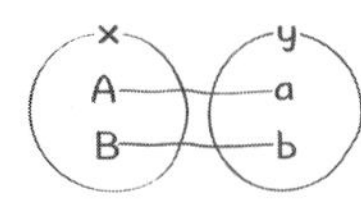

비슷한 상황에서 유추하는 추론 문제는
비슷한 것끼리 서로 대응시킬 수 있어야 해!

얼굴 없는 자화상

고흐의 의자 vs
고갱의 의자

Q「고갱의 의자」에는 고흐의 어떤 마음이 담겨 있나요?

(가) 자화상은 화가들이 자신을 그린 그림이다. 흔히 자화상이라고 하면 귀를 자른 고흐의 자화상과 같이 강렬해서 한번 보면 절대 잊기 어려운 그림들을 떠올린다. 그런데 자화상이라고 해서 얼굴만 그렸던 것은 아니다. 사람의 얼굴이 등장하지 않는 자화상도 있었다. 인생의 허무와 무상*, 죽음 등의 의미를 골동품, 꽃, 음식, 해골 등의 상징물로 표현해 낸 그림들을 보면 화가가 자신을 어떻게 바라보고 있는지를 엿볼 수 있다.

〈그림 1〉 고흐, 「파이프가 있는 고흐의 의자」

〈그림 2〉 고흐, 「고갱의 의자」

글쓴이는 왜 분석의 방법으로 글을 쓸까

대상의 의미를 알고 싶어? 그럼 분석의 방법으로 설명할 거야~

► 원리로 생각읽기 178쪽

(나) 얼굴 없는 자화상의 대표적 사례로는 고흐의 그림을 들 수 있다. 「파이프가 있는 고흐의 의자」에서 고흐는 자신의 의자를 아버지가 물려준 담배 파이프와 담배쌈지를 올려놓은 매우 소박한 의자로 그렸다. 고흐는 아버지를 따라 목사가 되려고 했을 정도로 아버지를 소중하게 생각했다. 그림 속의 '의자'는 소박하고 절제된 삶을 살았던 아버지로부터 강한 정신적 영향을 받은 고흐 자신을 상징한다. 한편 「고갱의 의자」에는 친구인 고갱이 자기 곁에 있어 주기를 바라는 고흐의 마음이 가득 담겨 있다. 평소 고흐는 예술가들이 함께 살며 작업하는 공동의 거처를 갖기 원했고, 활달하고 남성적인 성격을 지녔던 고갱이 자기의 제안에 동의했을 때 뛸 듯이 기뻐했다. 말하자면 고흐는 고갱에 대한 애착을 의자라는 상징물로 표현한 것이다. 불타는 초와 책이 놓인 화려한 '의자'는 고갱에 대해 강한 애착을 느끼는 고흐 자신을 상징하며, 고갱이 와서 앉아 주기를 바라는 고흐의 마음을 보여 준다.

(다) 정신 분석학자 나게라는 「고갱의 의자」가 '양성적 갈등'을 드러내는 그림이라고 보았다. 그는 고흐가 화려한 양탄자를 깔고 열두 송이의 해바라기를 그려 벽에 거는 등 고갱이 머물 방을 정성스럽게 꾸몄던 사실에서 고흐의 심리 속에 감추어진 여성성을 읽어 냈다. 나게라는 고흐가 고갱을 공격하려 했다는 점에도 주목했다. 그는 고흐가 강한 성격을 가졌던 고갱을 만나 그의 인정을 받고자 했으나 그 노력이 실패하자 증오심에 사로잡혀 그를 공격했다고 설명했다. 애증의 복합적인 감정이 고흐로 하여금 「고갱의 의자」를 그리게 했다고 본 것이다.

(라) 이처럼 얼굴 없는 자화상 속에는 겉으로 잘 드러나지 않는 화가의 심리가 깊숙하게 감추어져 있다. 그렇게 보면 얼굴 없는 자화상은 일반적인 자화상에 비해 화가에 대한 정보를 오히려 더 풍부히 담고 있다고 할 수 있다.

* 무상: 모든 것이 덧없음.

0 **이 글을 읽고 얼굴 없는 자화상을 이해한 내용으로 가장 적절한 것을 고르세요.**

① 화가의 깊은 내면세계를 살펴볼 수 있는 그림 ☐
② 화가를 바라보는 타인의 시각을 담고 있는 그림 ☐
③ 화가가 타인에게 창작 의도를 드러내기 위한 그림 ☐
④ 화가가 성취한 작가적 역량의 정수를 보여 주는 그림 ☐
⑤ 화가가 자신의 일상적 삶을 반성하기 위해 그린 그림 ☐

1 **이 글의 내용을 바탕으로 구조도를 바르게 표현한 것은 무엇인가요?**

①
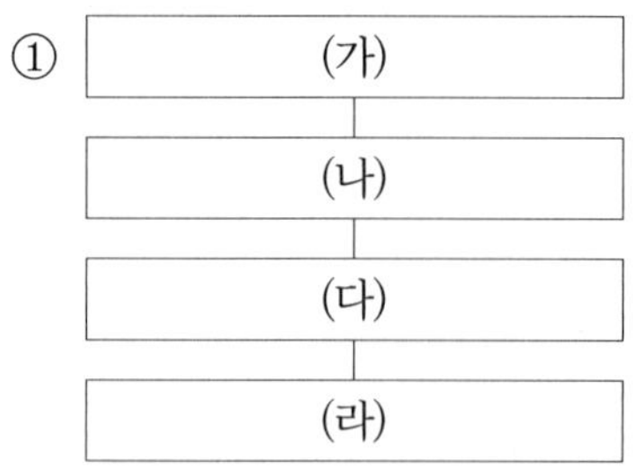

②
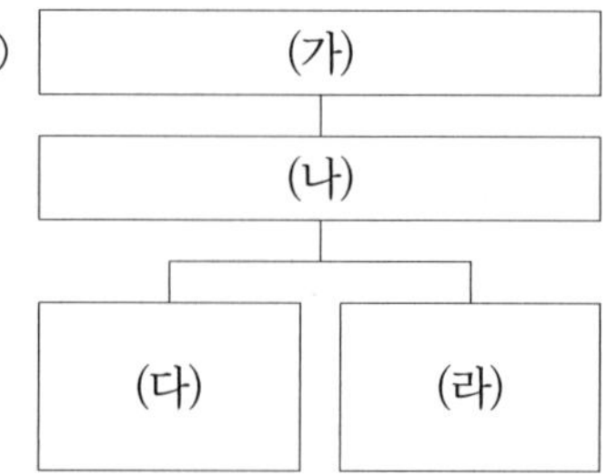

③
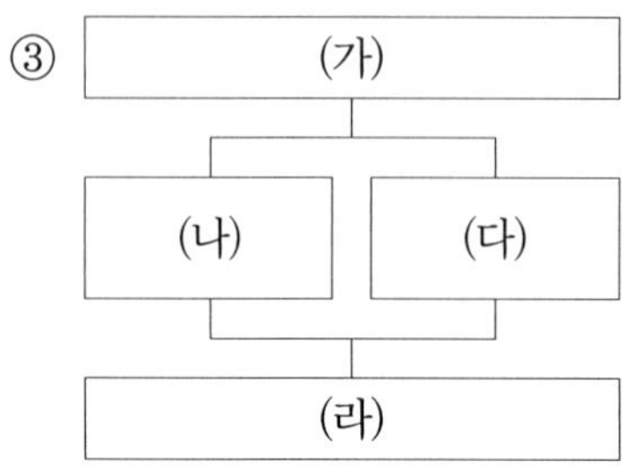

④
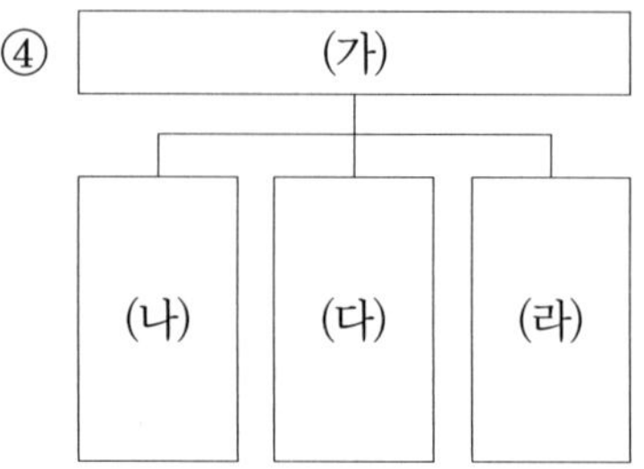

⑤
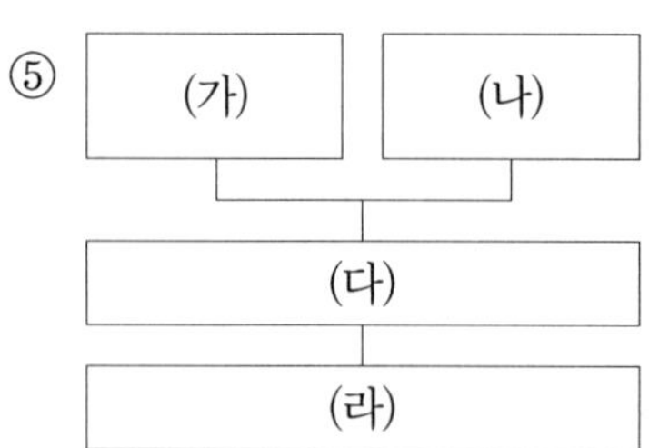

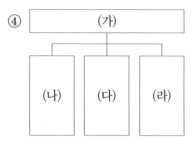

2 **이 글에 사용된 글쓰기 전략으로 가장 적절한 것은 무엇인가요?**

① 개인적 체험을 내세우면서 독자들의 관심을 유발한다.
② 기존의 시각에 의문을 제기하고 새로운 시각을 적용한다.
③ 현상이 나타나는 원인들을 제시하고 성격에 따라 분류한다.
④ 대상의 효용성을 강조하며 활용 영역을 구체적으로 제시한다.
⑤ 사례를 소개하고 전문가의 분석을 덧붙여 논지를 뒷받침한다.

글쓴이가 **주제를 잘 전달하기 위해 사용하는 전략**을 말해.
내용 전개 방법이나 표현, 문체 등 다양한 방법이 있지.

3 **이 글과 〈보기 1〉을 바탕으로 〈그림 1〉, 〈그림 2〉를 〈보기 2〉와 같이 감상하였습니다. 적절한 내용만을 골라 묶은 것은 무엇인가요?**

보 기 1

- 고흐는 어린 시절부터 아버지에게 자신의 존재를 인정받기 위해 많은 노력을 기울였다.
- 고흐의 동생 테오는 형이 상처를 입을까 염려하여 자신의 결혼 소식을 알리지 않았다. 동생에 대한 애착이 강했던 고흐는 이를 알고 충격을 받아 세 번씩이나 졸도했다.

보 기 2

ㄱ. 〈그림 1〉의 장식 없는 '의자'는 테오를 대하는 고흐의 형제애를 잘 보여 주고 있어.
ㄴ. 〈그림 1〉에서 고흐는 아버지로부터 인정받고자 노력했던 심리를 '파이프'로 암시하고 있군.
ㄷ. 〈그림 2〉의 화려한 '의자'에는 아버지와 고갱을 바라보는 고흐의 시각이 복합적으로 드러나 있군.
ㄹ. 〈그림 2〉의 '의자'에 담긴 고흐의 태도는 애착이라는 점에서 동생 테오에게 보인 태도와 비슷한 면이 있어.

① ㄱ, ㄴ ② ㄱ, ㄷ ③ ㄴ, ㄷ
④ ㄴ, ㄹ ⑤ ㄷ, ㄹ

원리로 생각읽기 7

글쓴이는 왜 분석의 방법으로 글을 쓸까

글쓴이도 따지고 분석하는 걸 좋아한다

조선 시대 영조 때의 화가 김홍도의 「씨름」 그림을 보고, 함께 분석해 볼까요?

우리는 김홍도의 풍속도를 보면서 그것을 글로 바꾸는 작업을 할 수 있습니다. 이 작업을 텍스트화한다고 하며 이것이 회화에 대한 분석 과정입니다. 예를 들어 씨름꾼의 실물 크기가 다른 구경꾼들에 비해 다소 크게 보이는 이유는 어디에 있는가?, 엿을 파는 아이의 시선이 다른 곳으로 향해 있는 이유가 무엇인가?, 구경꾼들 중의 한 사람이 부채로 얼굴을 가린 채 보고 있는 이유가 무엇일까?, 양반들의 관전 태도와 서민들의 관전 태도는 어떻게 다른가 등 같은 그림을 보고도 다양한 질문을 던져보고 그에 맞춰 그림을 분석할 수 있는 것처럼 말이죠.

분석은 글자로 된 긴 글에서만 사용되는 것은 아닙니다. 주변에 있는 대상이나 현상들, 우리가 보고 듣고 감상하는 예술 작품들에서도 분석의 방법을 활용해 대상에 대해 많은 시간을 들여 고민하고 그 의미가 무엇인지를 찾기 위해 노력하고 있습니다. 이처럼 **글에서 분석의 방법을 활용하면** 대상과 관련된 설명을 찾아가고 생각을 깊이 하여 글의 의미를 찾아내는 데 도움이 됩니다.

174쪽 지문

얼굴 없는 자화상의 대표적 사례로는 고흐의 그림을 들 수 있다. 「파이프가 있는 고흐의 의자」에서 고흐는 자신의 의자를 아버지가 물려준 [illegible] 파이프와 담배쌈지를 올려놓은 매우 소박한 의자로 그렸다. 고흐는 아버지를 따라 목사 [illegible] 그림 속의 '의자'는 소박하고 절제된 삶을 [illegible] 자신을 상징한다. 한편 「고갱의 의자」에는 고갱이 자기 곁에 있어 주기를 바라는 고흐의 마음이 가득 담겨 있다. 평소 고흐는 예술가들이 함께 살며 작업을 하는 공동의 거처를 갖기 원했고, 활달하고 남성적인 성격을 지녔던 고갱이 자기의 제안에 동의했을 때 뛸 듯이 기뻐했다. 말하자면 고흐는 고갱에 대한 애착을 의자라는 상징물로 표현한 것이다. 불타는 초와 책이 놓인 화려한 '의자'는 고갱에 대해 강한 애착을 느끼는 고흐 자신을 상징하며, 고갱이 와서 앉아 주기를 바라는 고흐의 마음을 보여 준다.

분석의 방법으로 글을 쓰면
핵심 대상의 의미를 깊이 있게 **전달할 수 있다!**

독해연습 1 **아래 문장을 읽고, 물음에 답하세요.**

> ㈎ 우리의 전통적인 구들 난방은 불을 때는 아궁이와 불길이 확산되는 통로인 방고래, 그리고 연기를 배출하는 굴뚝 등 3요소로 구성된다.
> ㈏ 가정에서 사용하는 세탁 세제에는 여러 가지 성분들이 들어 있어 이러한 성분들이 종합적으로 작용하여 때가 지워지는데, 그중에서도 얼룩을 없애는 것은 계면활성제이며 '빌더(Builder)'라는 세정력 강화 성분이 계면활성제의 작용을 보강한다.

1 ㈎에서 설명하고자 하는 대상과 그 대상을 이루는 부분을 구분해 써 보세요.

2 ㈏에서 세탁 세제의 구성 요소 두 가지를 찾아 써 보세요.

독해연습 2 **아래 문단을 읽고, 물음에 답하세요.**

> 컴퓨터의 구조는 크게 본체와 주변 장치로 나누어 볼 수 있다. 컴퓨터의 본체는 중앙 처리 장치와 기억 장치로 이루어져 있다. 중앙 처리 장치는 컴퓨터의 두뇌에 해당하며, 연산과 제어 등의 작용을 담당한다. 컴퓨터의 본체에는 중앙 처리 장치와 함께 기억 장치가 있기 때문에 여러 가지 정보를 저장할 수 있다. 한편 컴퓨터는 주변 장치가 함께 붙어 있어야만 제대로 정보를 처리하게 된다. 컴퓨터의 본체로 정보를 들여보내는 입력 장치가 필요하고, 컴퓨터의 본체를 통해 처리된 자료를 밖으로 드러내어 보여 주는 출력 장치가 필요하다. 컴퓨터의 자판은 입력 장치에 해당한다. 컴퓨터의 본체와 연결되는 모니터와 프린터는 모두 출력 장치이다.

1 위 글에서 컴퓨터의 구조를 크게 둘로 나눈다면, 어떻게 나눌 수 있을지 써 보세요.

2 위 글에서 대상을 설명하기 위해 사용한 내용 전개 방식은 무엇인가요?

생각읽기 5

인간의 본성은 선한가, 악한가

성선설 vs 성악설

Q 인간의 본성에 대한 논쟁이 중요한 이유는 무엇인가요?

인간의 본성은 선한가, 악한가? 성선설과 성악설은 이 문제에 대해 뚜렷하게 상반된 견해를 제시한다. 학자들은 본성을 인간에게 '본질적인 것'으로 보기도 하고, 인간이 '타고난 것'으로 보기도 한다. 성선론자들은 '본질적인 것'이라는 의미를 중시하므로 그들이 쓰는 '본성'이라는 말은 '도덕적 이성'을 가리킨다. 반대로 '타고난 것'이라는 뜻을 중시하는 성악론자들에게 본성은 '감정과 욕망'을 의미한다. 이처럼 학자에 따라 가리키는 대상이 다르기는 하지만, 본성은 마음의 본질을 가리키며 행위의 원동력이라는 뜻을 담고 있다. 그 원동력이 선한가 악한가 또는 좋은 것인가 나쁜 것인가를 탐구하는 이론이 바로 성선설과 성악설이다. 따라서 성선설과 성악설 모두 결국은 선악의 ⓐ문제를 통해서 인간의 본성을 ⓑ문제 삼는다.

그런데 성악설에 대해서는 많은 오해가 있다. 즉 성악설은 인간을 멸시하는 이론이라고 보는 것이다. 그러나 성악설이 모든 인간은 악하다고 주장한다고 해서 모든 사람이 언제나 비합리적이라는 것도 아니고, 그것이 악과 불의를 위한 이론인 것도 아니다. 모든 사람이 언제나 비이성적이라면 이 세상에 남는 것은 무질서와 혼돈뿐이며, 아무런 철학도, 심지어는 성악설 자체도 펼 수 없을 것이다. ㉠성악설은 오히려 이 세상의 악을 물리치기 위해 악의 실체를 정확히 인식하고 대처하자는 데서 나온 것이다.

그보다 더 근본적인 문제는 성선설과 성악설을 주장하는 이유에 있다. 성선설, 성악설이라는 인간론은 사회 정치 이론의 핵심 사항과 연관되기 때문에 중요하다. 성선설은 인간은 선하다는 이론이다. 따라서 집안이든 나라든 모든 사회는 인간이 이끌어 나가야 한다고 본다. 이들은 인간 안에서 선한 요소를 찾는데, 그 요소는 도덕적 이성이라고 할 수 있다. 지식인이란 그런 이성과 인격을 함양한 사람이다. 따라서 성선설은 지식인이 국가 사회를 이끌어야 한다는 이론이다. 다시 말해서, 지식인이 관료이어야 하며, 관료는 지식인이어야 한다는 말이다.

반면 성악설은 인간은 악하다고 보기 때문에 사회나 국가를 인간이 이끌어서는 안 된다고 본다. 그들은 인간의 바깥에서 국가 사회를 이끌 수 있는 원동력을 찾는다. 그것을 순자는 예(禮), 한비자는 법과 권력, 묵자는 하느님이라고 하였다. 예나 법은 국가의 제도이며, 이 제도를 운용하는 힘이 권력이다. 그리고 그 제도와 권력을 최종적으로 쥐고 있는 사람이 군주이며 하느님을 대신해서 인간을 통치하는 것도 바로 군주이다. 따라서 성악설을 주장하는 사람들은 강력한 군주 이론을 내세운다. 국가의 구성원을 크게 보아 '백성-관료-군주'라고 한다면 성악설은 군주를 옹호하는 이론이라고 볼 수 있다. 또한 국가의 힘은 백성의 생산과 전쟁 능력에서 나오기 때문에 관료의 착취와 비능률을 제거하고 백성의 이익을 옹호하는 것이 군주권과 국가 권력을 강화하는 길이다. 그러므로 성악설은 백성을 옹호하는 이론이기도 하다. 이런 점에서 관료와 지식인 중심의 성선설과는 대립한다.

이렇게 볼 때 성선설과 성악설은 단순히 인간이란 어떠하다는 인간론을 넘어서서, 누가 권력을 잡아야 하는가를 결정하는 논의로까지 연결된다. 그것은 사회 정치 이론을 뒷받침하는 받침돌이며, 현실적으로도 특정 계층의 권력 장악을 옹호하는 이데올로기*이기 때문에 중요하다.

* 이데올로기: 사회 집단에 있어서 사상, 행동, 생활 방법을 근본적으로 제약하고 있는 관념이나 신조의 체계.

0 이 글을 바탕으로 '성선설'과 '성악설'의 내용을 다음과 같이 정리할 때, 적절하지 <u>않은</u> 것은 무엇인가요?

기준 \ 이론		성선설	성악설	
차이점	통치의 원동력	인간 외부	인간 내부	①
	옹호 대상	관료, 지식인	군주, 백성	②
	본성의 의미	도덕적 이성	감정과 욕망	③
공통점	탐구 대상	인간의 본성		④
	이론적 가치	사회 정치 이론의 토대		⑤

글의 내용을 파악할 때, 도식화 방법을 활용해 봐.
한눈에 내용이 정리될 거야!

1 이 글을 가장 잘 이해하고 있는 학생은 누구인가요?

미정: 인간의 본성은 선하다는 사실을 확신하게 되었어.
환희: 인간의 혼란스러운 마음을 다스리는 방법을 가르쳐 주는 것 같아.
다솜: 국가 발전을 위해서는 무엇보다도 지도자의 노력이 필요하겠군.
경현: 지배 계층과 피지배 계층 간의 대립은 정말 오랜 역사를 가지고 있군.
주원: 인간의 본성을 바르게 이해하는 것이 사회 문제를 해결하는 데에 중요하겠어.

① 미정 ② 환희 ③ 다솜 ④ 경현 ⑤ 주원

2 ㉠에 드러난 **문제 해결 방식**과 가장 유사한 것은 무엇인가요?

① 아이가 열이 나면 얼른 몸을 물로 적셔서 식혀 주는 것이 좋다.
② 해충이 일으키는 피해를 막으려면 먼저 해충의 습성을 알아야 한다.
③ 범죄의 발생을 줄이기 위해서는 소외 계층의 안정된 삶을 보장해야 한다.
④ 상대가 나를 괴롭히더라도 그를 감싸 안으면 언젠가는 진심을 알게 될 것이다.
⑤ 자동차의 증가를 막기 위해서는 세금을 많이 부과해서 사람들의 자동차 구입 욕구를 억제해야 한다.

문제보다 중요한 게 바로 해결 방식이야!
현실에서 **문제를 제기하고**, **그에 대한 해결 방안**을 제시하는
구조로 글이 전개될 때, 자주 나오는 개념이야!

3 **다음은 '문제'에 대한 사전적 풀이입니다. ⓐ와 ⓑ의 문맥적 의미를 바르게 찾아 짝지은 것은 무엇인가요?**

문제 問題 [문:제]

㉠ 해답을 요구하는 물음. ¶ 문제가 어렵다.

㉡ 논쟁, 논의, 연구 따위의 대상이 되는 것. ¶ 학교는 입학 지원자의 감소로 존폐 문제가 거론되었다.

㉢ 해결하기 어렵거나 난처한 대상, 또는 그런 일. ¶ 여간 큰 문제가 아니다.

㉣ 귀찮은 일이나 말썽. ¶ 그는 늘 문제를 일으키는 학생이다.

㉤ 어떤 사물과 관련되는 일. ¶ 이 일은 가치관에 관한 문제이다.

	ⓐ	ⓑ
①	㉠	㉢
②	㉡	㉣
③	㉢	㉤
④	㉣	㉠
⑤	㉤	㉡

생각읽기 6

칸트의 인식론

경험주의 vs 합리주의

Q 칸트가 새로운 인식 체계를 제시한 이유는 무엇을 극복하기 위한 것인가요?

인간은 지식을 추구하는 존재이다. 그래서 우리의 삶은 일상적인 것에서부터 전문적인 것에 이르기까지 지식을 알아 가는 과정의 연속으로 볼 수 있다. 이런 지식에 대해 체계적으로 고찰*하는 철학의 한 분야가 인식론(認識論)이다. 인식의 문제는 고대에도 소피스트, 플라톤, 아리스토텔레스 등의 여러 철학자에 의해 논의되었으나 철학의 중심 주제로 등장한 것은 비교적 근대의 일이다. 그 이유는 근대에 이르러 철학적 지식도 자연 과학적 지식ⓐ과 같은 확실성을 요구하게 되면서 지식의 문제가 자연히 부각되었기 때문이다. 근대 인식론은 크게 경험주의와 합리주의의 두 유형으로 나타났다.

17세기 영국을 중심으로 발전한 경험주의는 감각적 경험을 통해 얻은 것만을 지식이라고 생각했을 뿐만 아니라 모든 지식은 인간의 경험으로 도출될 수 있다고 믿었다. 그래서 감각적 경험으로 알 수 없는 선험적(先驗的)*인 것은 지식으로 인정하지 않는다. 경험주의는 지식을 얻는 방법론으로 주로 귀납적 방법을 사용하였다. 즉 개별 현상들을 관찰하고 검증함으로써 공통된 특징을 찾아내거나 동일한 관계를 찾아내고, 이를 바탕으로 현상들에 공통되는 법칙을 구성하거나 동일한 개념을 발견하려고 하였다. 그러나 ㉠유럽의 백조가 희다고 전 세계의 백조가 희다고 할 수 없는 것처럼 방법론 자체에 문제점을 내포하고 있다.

한편 유럽 대륙을 중심으로 발전한 합리주의는 감각에 의해 얻어지는 개별적 사실들은 항상 변화할 수 있기 때문에 지식이라고 보지 않았다. 그들은 지식이란 영원히 불변하는 것이라고 믿었기 때문에 보편적인 것을 추구하였고, 이는 이성에 의해서만 가능하다고 생각했다. 따라서 합리주의는 이성에 의한 지식만을 가장 이상적인 지식으로 여긴다. 여기서 이성이란 후천적인 감각 능력에 대립되는 선천적인 인식 능력을 말한다. 합리주의는 지식을 얻는 방법론으로 주로 연역적인 방법을 사용하였다. 즉 합리주의는 보편으로부터 개별을 이끌어 내려고 하였다. 그러나 합리주의는 감각 경험과 물리적 현상을 도외시했기 때문에 구체적 현실에 대한 지식을 무시한다는 점과 새로운 사실의 발견에 대해 적절하게 설명할 수 없다는 문제점이 있다.

이러한 경험주의와 합리주의의 대립에 대해, 칸트는 이를 극복할 수 있는 새로운 인식 체계를 제시한다. 칸트는 인간의 인식 능력 중에는 감성과 오성이 있다고 보았다. 감성이란 외부 세계로부터 들어오는 자극(감각 자료)을 감각적인 직관으로 만드는 능력을 말하고, 오성이란 감각적인 직관에 대해 사유하여 개념화하는 능력을 말한다. 칸트는 인간의 지식은 내용과 형식을 가지고 있는데, 이 두 가지가 반드시 합쳐져야 지식이 된다고 보았다. 여기서 내용은 감각 경험을 말하고, 형식은 오성을 말한다. 다시 말해 칸트는 외부에서 잡다하게 자극이 주어지면 감성이 이것을 감성의 형식으로 질서를 만들고, 오성은 이것을 오성의 형식인 범주를 통해 구성하여 지식을 완성한다고 보았다. 이렇게 해서 칸트는 감각적 경험에만 의존하는 경험주의의 문제점과 감각 경험을 도외시하는 합리주의의 문제점을 비판적으로 수용하고 종합했던 것이다.

* 고찰: 어떤 것을 깊이 생각하고 연구함.
* 선험적: 경험에 앞서서 인식의 주관적 형식이 인간에게 있다고 주장하는 것.

0 **이 글의 내용과 일치하지 <u>않는</u> 것은 무엇인가요?**

① 합리주의는 선천적 인식 능력을 통해 지식을 얻으려 하였다.
② 합리주의는 개별 현상들에서 동일한 개념을 발견하려고 하였다.
③ 칸트는 경험주의와 합리주의의 문제점을 비판적으로 수용하였다.
④ 경험주의는 지식을 얻는 방법론으로 주로 **귀납적 방법**을 사용하였다.
⑤ 경험주의는 지식이 인간의 감각적 경험에서 도출될 수 있다고 생각했다.

귀납적 방법이란 **개별적 사실이나 현상에서** 공통점을 찾아내어 이를 바탕으로 **일반적 원리를 끌어내는 추론**의 방식을 말해.

1 ㉠의 사례와 가장 유사한 것은 무엇인가요?

① 학자가 자동차 사고를 냈다고 그의 학문적 업적까지 폄하해서는 안 된다.
② 타인의 잘못을 지적한다고 자신의 잘못이 없어진다고 생각하는 것은 곤란하다.
③ 만수가 경수를 싫어하지 않는다고 해서 경수를 사랑한다고 판단하는 것은 적절하지 않다.
④ 유명한 시인이 평론했더라도 그 평론이 미술 작품에 관한 것이라면 권위를 인정하기 어렵다.
⑤ 내가 지금까지 먹었던 사과가 달콤하다고 이 세상의 모든 사과가 달콤하다고 말할 수는 없다.

2 이 글의 칸트가 〈보기〉의 '거미형 학자'에게 조언할 내용으로 가장 적절한 것은 무엇인가요?

보 기

영국의 철학자 베이컨은 다음과 같이 말한 적이 있다.
"거미는 자신의 몸에서 줄을 뽑아 집을 짓고, 나중에 그 줄을 먹은 후에 다시 줄을 뽑아낸다. 이런 거미형 학자는 외부에서 추가되는 자료를 무시하고 자신의 사고 속에 있는 것만으로 이론을 만든다. 이들은 자신만의 이론을 만들지만 새로운 것에 대해서는 적절한 설명을 제시하지 못한다."

① 오성에 충실할 때 비로소 새로운 것에 대해 설명할 수 있습니다.
② 이성을 버리고 감각 경험에 충실해야 오성을 완성할 수 있습니다.
③ 자신의 내적 능력을 향상시켜야 새로운 지식을 얻을 수 있습니다.
④ 자신의 내적 자료를 오성으로 개념화해야 지식을 완성할 수 있습니다.
⑤ 내용인 감각 경험과 형식인 오성이 갖춰져야 온전한 지식을 얻을 수 있습니다.

3 **밑줄 친 말 중, ⓐ의 '과'와 의미가 유사한 것은 무엇인가요?**

① 철수는 형과 동생이 있다.
② 동수는 도둑과 맞서 싸웠다.
③ 영희는 남편과 함께 여행을 떠났다.
④ 순이는 예전의 모습과 사뭇 달라 보였다.
⑤ 영수는 아이들과 어울려 늦게까지 놀았다.

Q 다음은 생각을 읽을 수 있는 지문 구조도를 퍼즐로 나타낸 것입니다. 앞에서 읽은 글의 내용을 떠올리며 생각읽기 1~6에 해당하는 퍼즐을 선으로 연결해 보세요.

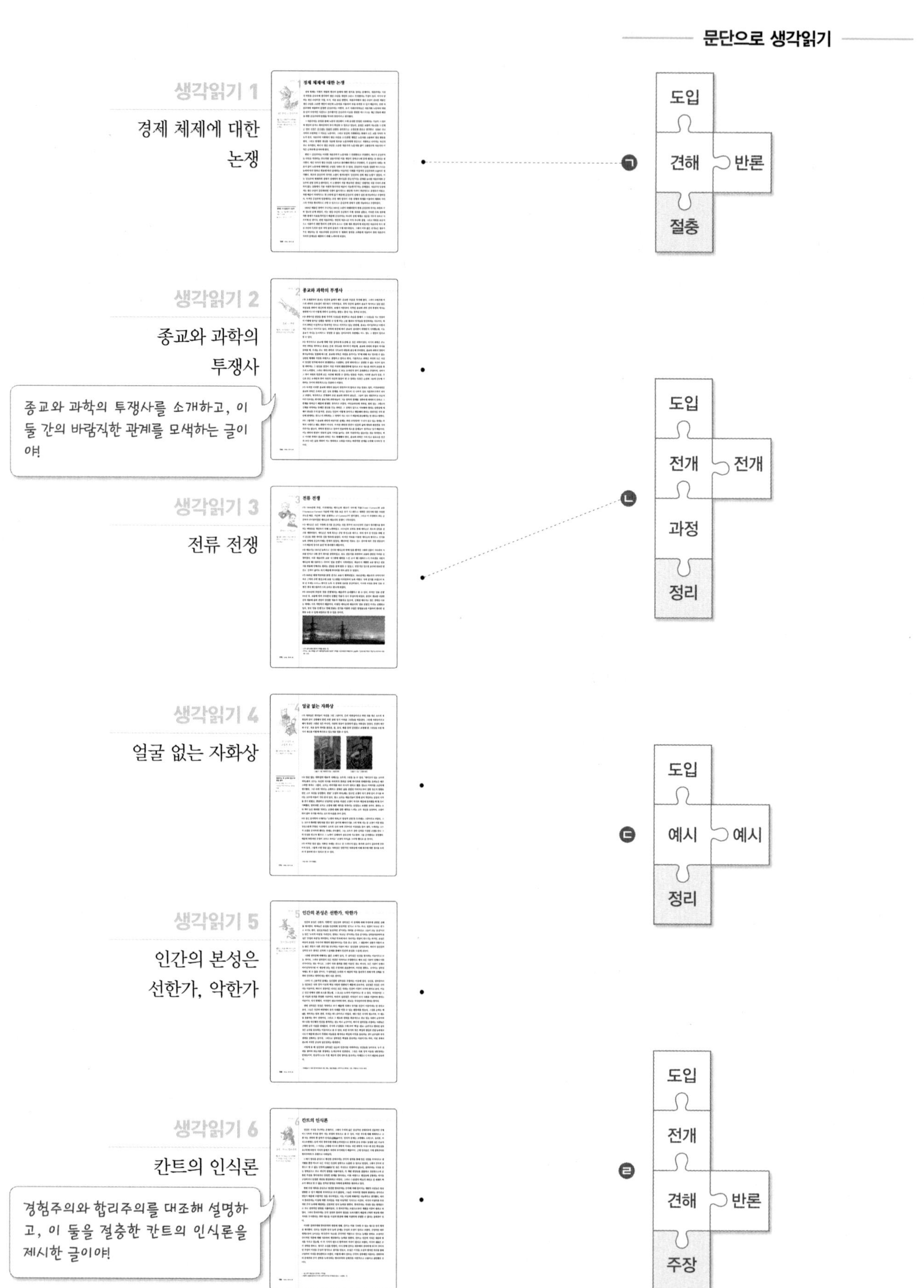

한 문장으로 생각읽기

1 공산주의와 자본주의는 [|] [|]의 소유 주체에 따라 구분되는 경제 체제이다.

2 종교와 과학은 인간 삶의 질 향상을 위해 서로 협력하고 [|]를 이루어야 한다.

3 1800년대 후반 미국에서 벌어진 '[|] [|]'은 교류의 승리로 끝나는 듯 보였지만, 이후 직류가 다시 부상하면서 아직도 진행되고 있다고 볼 수 있다.

4 「파이프가 있는 고흐의 의자」, 「고갱의 의자」와 같은 얼굴 없는 자화상을 통해 겉으로 잘 드러나지 않는 화가의 [|]를 엿볼 수 있다.

5 성선설과 성악설은 인간론을 넘어서, 누가 권력을 잡아야 하는가라는 사회 [|] 이론의 핵심 사항과 연관된다는 점에서 중요하다.

6 칸트는 감각적 경험을 통해 얻은 것만을 지식이라 생각하는 경험주의와 이성에 의한 지식만을 가장 이상적인 지식이라 여기는 [| | |]의 대립을 극복할 수 있는 새로운 인식 체계를 제시하였다.

한 단어로 생각읽기

인간은 왜 라이벌을 생각할까?

"바람직한 라이벌 관계는 무엇일까?"

경쟁이 수반된 영역에서는 라이벌 관계가 형성될 수밖에 없습니다. 그런데 라이벌 간의 경쟁에서 상대를 어떻게 바라보고 어떻게 대하느냐에 따라 라이벌 관계는 달라집니다. 수단과 방법을 가리지 않고 오로지 결과만 추구한다면 서로 간의 긴장과 갈등만 커지게 됩니다. 반면 상대를 상호 발전을 도모하는 선의의 경쟁자이자, 자신과 함께 하나의 공동체를 이루는 존재라고 생각한다면, 비록 어느 한쪽이 이기더라도 궁극적으로는 두 라이벌 모두 승자이지 않을까요?

왜 나를 호날두와 비교하려 드는가, 나는 그를 존경한다.
– 축구 선수 리오넬 메시

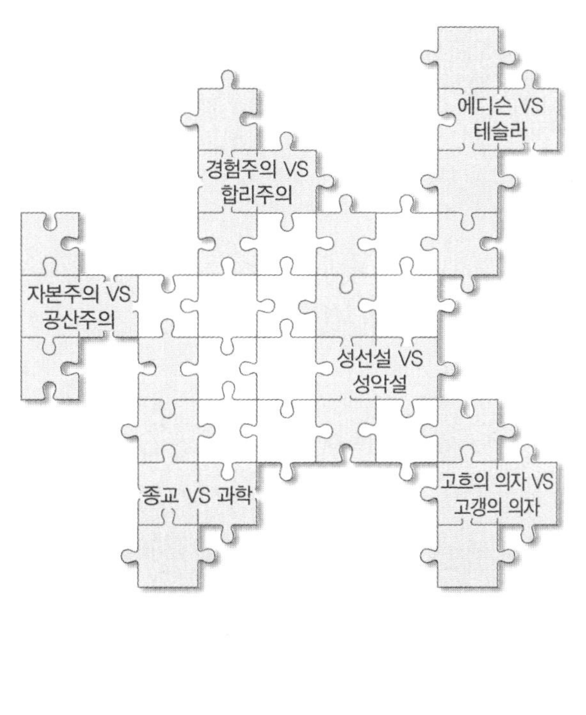

생각의 발견

07 존재

존재를 말하다!

'있다'와 '없다'는 가장 쉬운 판단이지만, 동시에 가장 어려운 판단이기도 합니다. 구체적인 대상이 '지금, 여기에' 있는지는 직관적으로 금방 알 수 있지만, 눈에 보이지 않는 대상은 그 존재 자체의 유무를 쉽게 판단할 수 없기 때문입니다. 더 나아가 눈에 보이든 보이지 않든 그 대상이 왜 존재하고, 어떻게 존재하는지, 또는 어떻게 존재해야 하는지 등의 물음에 대한 답을 찾는 것 역시 무척이나 어려운 일이죠. 여기서는 지금까지 사람들이 '존재'에 대해 어떤 물음을 던져 왔고, 그 답을 찾기 위해 어떤 노력들을 했는지 살펴볼까요?

생각읽기 1

존재의 철학적 의미

존재에 대한 물음

Q 플라톤 이전에 나타난 존재에 대한 서양 철학의 두 가지 관점은 무엇인가요?

서양 철학은 존재에 대한 물음에서 시작되었다. 고대 그리스 철학자 파르메니데스는 있는 것은 있고 없는 것은 없다고 말했다. 그는 어떤 존재가 있다가 없어지고 없다가 있게 되는 일은 불가능하다고 보았으며 존재의 생성과 변화, 소멸을 부정했다. 그에게 존재는 영원하며 절대적이고 불변성을 가지는 것이었다. 이에 반해 헤라클레이토스는 존재의 생성과 변화를 긍정했다. 그는 존재하는 모든 것이 변화의 과정 중에 있으며 끊임없이 생성과 소멸을 반복한다고 생각했다. 존재에 대한 두 철학자의 견해는 플라톤의 이데아론에 영향을 주었다.

플라톤은 존재를 끊임없이 변하는 존재와 영원히 변하지 않는 존재로 나누었다. 그는 우리가 경험하는 현실 세계의 존재는 변한다고 생각했다. 그리고 현실 세계에 존재하는 모든 것의 근원을 이데아로 상정하고 이데아를 영원하고 불변하는 존재, 그 자체로 완전한 진리로 여겼다. 반면에 현실 세계의 존재는 이데아를 모방한 것일 뿐 이데아와 달리 불완전하다고 보았다. 또한 감각을 통해 인식할 수 있는 현실 세계의 존재와 달리, 이데아는 오직 이성에 의해서만 인식할 수 있다는 이성 중심의 사유를 전개하였다. 플라톤의 이러한 철학적 견해는 이후 서양 철학의 주류가 되었다.

[A] 플라톤의 제자인 아리스토텔레스는 이데아에 대해 스승과 다른 주장을 폈다. 플라톤에게는 개개의 꽃이 아닌 '꽃의 이데아'가 참된 존재였다. 그러나 아리스토텔레스에게 참된 존재는 구체적인 사물, 즉 개별자였다. 아리스토텔레스가 보기에 현존하는 모든 대상에는 변화가 있고 그 밑바탕에는 그것을 가능하게 하는 원인이 있으며, 설령 이전에 존재하지 않았던 어떤 대상이 있다면 그것은 변화의 결과로써 존재하게 되었다고 생각했다. 예를 들어 아리스토텔레스는 소크라테스가 태어나기 이전에 그는 존재하지 않았으나 그가 태어나 존재하게 된 것은 '질료'가 변화한 결과라고 보았다. 이 질료가 소크라테스에게 소크라테스일 수 있도록 하는 '형상'을 부과해 주었다고 본 것이다.

실존주의 철학의 창시자인 하이데거는 서양 철학이 플라톤 이후로 '어떠하다(성질)'라는 뜻을 '존재'라는 개념을 써서 접근하려고 했을 뿐 존재 자체에 대해서는 묻지 않았다고 반문하며 존재 자체를 밝히기 위해 인간을 연구했다. 세상에는 나무, 꽃, 동물 등 수많은 '존재자'가 있다. 이러한 존재자들은 그냥 존재하고 있을 뿐 자신의 존재에 대해 묻지 못한다. 그러나 인간은 존재자로서 자신이 왜 존재하는지 묻고, '있음'과 '없음'은 어떻게 다른지를 구별할 수 있다. 이러한 의미에서 하이데거는 인간을 존재의 의미가 드러나는 존재자인 '현존재'라고 보았다. 나무, 꽃, 동물은 그저 주어진 대로 이 세계에 존재하지만, 인간은 시간 속에서 스스로 결단해 자신의 존재를 실현하며 산다. 하지만 모든 인간이 자신의 존재를 실현해 가며 살지는 않는다. 대부분의 사람들은 죽음의 불안에서 벗어나기 위해 일상의 쾌락이나 다른 사람들과의 관계 등에 몰두하며 비본래적인 삶을 살아간다. 이에 대해 하이데거는 자신의 죽음을 직시할 때 비로소 본래적인 실존을 찾을 수 있다고 역설했다. 이러한 하이데거의 존재론은 기존의 존재에 대한 논의의 패러다임*을 바꾸고 인간의 실존에 천착*하는 계기를 마련하였다는 점에서 의미가 있다.

* 패러다임: 어떤 한 시대 사람들의 견해나 사고를 근본적으로 규정하고 있는 테두리로서의 인식의 체계. 또는 사물에 대한 이론적인 틀이나 체계.
* 천착: 어떤 원인이나 내용 따위를 따지고 파고들어 알려고 하거나 연구함.

0 이 글을 철학 잡지에 게재한다고 할 때, 표제와 부제로 가장 적절한 것은 무엇인가요?

① 존재란 무엇인가
  – 존재에 대한 철학적 논의를 중심으로
② 존재의 가치는 무엇인가
  – 이에 대한 답을 제시한 다양한 관점을 중심으로
③ 존재와 비존재는 어떻게 다른가
  – 서양 철학자들이 규정한 존재의 개념을 중심으로
④ 서양 철학에서 존재는 어떤 의미를 갖는가
  – 존재의 영원성에 대한 철학자들의 탐구를 중심으로
⑤ 존재에 대한 인식은 누구로부터 시작되었는가
  – 존재의 역동성에 관한 철학자들의 여러 견해를 중심으로

주로 표제는 제재나 주제를 나타내는 경우가 많고, 부제는 표제를 구체화한 내용이나 글의 전개 방식과 관련된 내용이 나오기도 해!

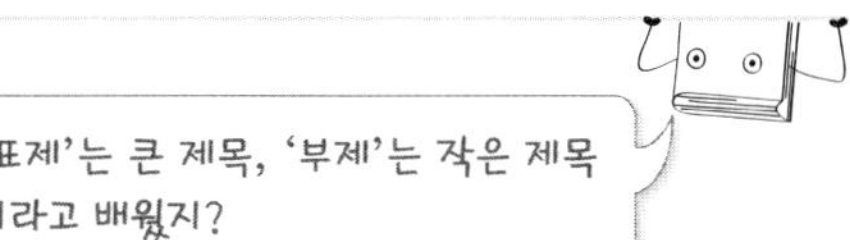

'표제'는 큰 제목, '부제'는 작은 제목
이라고 배웠지?

1 **플라톤과 아리스토텔레스가 토론을 한다고 가정할 때, 그 내용으로 적절하지 않은 것은 무엇인가요?**

플라톤: 오늘은 '존재'에 대해 논의해 보도록 하세. (눈앞의 책상을 가리키며) 우리의 눈에 보이는 저 책상은 진정한 책상이 아니야. ………………………………… ①
아리스토텔레스: 저는 그렇게 생각하지 않습니다. 저 책상은 구체적으로 존재하는 책상이므로 진정한 책상이죠. ………………………………………………………… ②
플라톤: 그렇지 않아. 우리가 사는 세상의 책상은 이데아를 모방한 것에 불과해. …· ③
아리스토텔레스: 그렇다면 현실의 책상은 개별자일 뿐 참된 존재는 될 수 없군요. …· ④
플라톤: 이데아로서의 책상과 달리 현실의 책상은 변하므로 불완전한 존재라고 할 수 있지. ………………………………………………………………………………… ⑤

2 **이 글의 내용과 일치하지 않는 것은 무엇인가요?**

① 파르메니데스는 존재는 영원하며 끊임없이 새로워진다고 주장하였다.
② 헤라클레이토스는 모든 존재는 생겨나서 변하다가 없어진다고 보았다.
③ 플라톤과 아리스토텔레스는 참된 존재에 대해 상반된 입장을 가졌다.
④ 하이데거는 기존의 존재론을 비판하면서 새로운 관점을 제시하였다.
⑤ 하이데거는 인간을 다른 존재자와 구별하여 존재의 의미를 규정하였다.

내용 일치 문제는 글의 핵심 정보를 비롯해 세부 정보를 묻는 경우가 많아. 글에서 중심 화제에 대한 핵심 내용과 주변적인 내용을 모두 꼼꼼히 확인해야 해.

3 **[A]와 〈보기〉를 참고하여 이해한 내용으로 가장 적절한 것은 무엇인가요?**

보 기
아리스토텔레스는 '질료'와 '형상'을 철학의 중심 개념으로 내세웠다. 질료란 무언가로 만들어질 수 있는, 즉 형상이 될 수 있는 가능태이며, 형상이란 질료를 통해 만들어진 현실태를 의미한다. 아리스토텔레스는 온 세상의 만물들은 모두 질료와 형상의 복잡하고 다양한 결합을 통해 존재한다고 생각했는데, 이는 궁극적 세계(이데아)를 상정하고 현실을 부차적으로 여기는 플라톤의 이상주의에 반기를 든 것이었다.

① 아리스토텔레스는 모든 사물은 질료보다 형상이 더 중요하다고 생각했군.
② 아리스토텔레스는 개개의 꽃과 달리 '꽃의 이데아'를 완전한 진리로 보았군.
③ 아리스토텔레스는 플라톤과 달리 이상 세계와 현실 세계가 분리되어 있다고 생각했군.
④ 아리스토텔레스에 따르면 통나무집이라는 형상은 나무라는 질료를 통해 만들어진 현실태라고 말하겠군.
⑤ 아리스토텔레스에 따르면 태어나기 이전의 소크라테스는 현실태이고 태어난 이후의 소크라테스는 가능태라고 보겠군.

빵의 재료가 되는 밀가루가 질료!
질료인 밀가루로 만든 빵이 형상!

생각읽기 2

예술은 무엇을 위해 존재하는가

예술의 존재 방식

Q 예술을 바라보는 두 가지 관점에는 무엇이 있나요?

인류가 발명한 예술은 언제 시작되었을까? 프랑스 남부의 라스코와 알타미라, 스페인 북부의 엘 카스티요의 동굴에는 현생 인류가 남긴 동굴 벽화가 있다. 이 동굴에서는 동물 그림과 손바닥 모양의 스텐실*이 다수 발견되었는데, 이는 무려 3만 7000년 전에 그려진 것으로 판명되었다. 현생 인류가 동굴에 벽화를 남긴 역사적 사건은 우리에게 '예술은 무엇을 위해 존재하는가?'라는 근원적인 물음을 갖게 한다. 이 물음은 예술이 시작된 이래로 지속되어 왔는데, 이에 답하기 위해서는 먼저 '예술이란 무엇인가?'에 대해 답해야 한다.

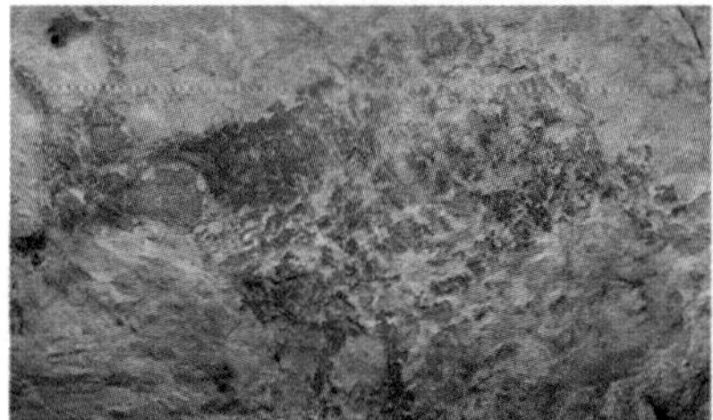

엘 카스티요 동굴 벽화

우선, 예술이란 세상에 결코 존재하지 않는 가장 이상적인 것을 창조해 내는 것이라는 입장이 ㉠표현론이다. 예술가는 또 하나의 신으로서 그의 창작은 없던 것을 존재하게 하는 신적 창작이다. 피그말리온이 본인이 만든 조각상 갈라테이아의 현신*과 실제 사랑에 빠졌다는 이야기는 표현론의 입장을 잘 드러내 준다. 그래서 표현론은 피그말리온형으로도 불린다. 피그말리온형은 우리가 흔히 마법의 시대라고 부르던 시대의 이야기이다. 조각상이 여인이 될 수 있었던 것처럼 가상과 현실이 분리되기 전에는 가상과 현실은 언제든지 자리바꿈할 수 있었다. 이 시대 그리스의 예술가들은 신상(神像)*을 창작함으로써 비로소 신을 존재하게 만들었다. 그리고 그리스인들은 신을 모신 신전을 중심에 놓고 자기들의 삶의 세계를 세웠다. 이렇게 예술이란 새로운 삶의 방식을 만들어 내는 것이며, 여기에 예술의 본질과 진리가 있다는 믿음이 바로 피그말리온형의 예술론이다.

반면 제욱시스가 포도 넝쿨을 그렸더니, 참새들이 포도송이를 따 먹으러 달려들었다는 제욱시스 전설은 예술을 모방이라고 보는 입장이다. 이러한 ㉡모방론은 예술이란 새로운 현실을 창작하는 것이 아니라 가시적 현실을 최대한 똑같이 베끼는 것이라고 본다는 점에서 인간적인 창작이다. 예술 사조 중 사실주의가 이에 해당하는데, 사실주의는 인간이 처한 현실을 있는 그대로 드러냄으로써 현실의 구성원들에게 자신의 삶과 사회에 대해 되짚어 보는 계기를 마련해 준다. 아리스토텔레스는 『시학』에서 모방으로서의 예술을 설명하면서 시는 (ⓐ)으로 쓰는 것이 아니라 기술 습득, 연마를 통해 드러내는 것이며, 예술가가 드라마틱한 형식으로 의도적으로 구성한 것이 예술 작품이라고 했다. 예술은 단순 모방이 아니라 외적 기호를 통해 구성하는 것으로, 인간은 이러한 예술을 통해 쾌감과 카타르시스 등의 감정을 느낀다는 것이다.

현생 인류가 동굴 벽화에 가장 많이 그린 것은 말, 사슴, 소 등의 동물이다. 수렵과 채집으로 먹거리를 얻었던 당시에는 수렵의 성패가 곧바로 생존과 직결되었다. 그래서 그들은 사냥할 대상을 벽화로 그리고 실제 사냥 연습을 하면서 벽화에 그려진 동물을 잡기를 기원했다. 즉 동굴 벽화는 현생 인류의 생존 환경과 직결된 현실을 그대로 드러내면서 동물 사냥에 성공하는 이상적 염원을 표현한 것으로 볼 수 있다. 우리는 소설, 영화, 공연, 전시회 등을 통해 예술을 일상적으로 접하면서 살아가고 있다. 예술 작품을 감상하면서 작품에 표현된 이상적 세계나 절대적 진리에 우리는 정신적으로 고양되기도 하고, 현실이나 대상을 실감 나게 묘사한 작품을 보면서 아름다움을 느낀다. 이처럼 예술은 이상과 현실을 담는 양면의 얼굴을 하고 우리 옆에 존재하고 있다.

* 스텐실 : 어떤 모양을 두고 그 주변에 안료를 칠해 모양을 부각시키는 미술 기법.
* 현신: 현세에서의 몸.
* 신상: 숭경(崇敬)의 대상이 되는 신의 화상, 초상, 또는 조각상.

0 이 글의 중심 화제는 무엇인가요?

① 예술의 본질과 존재 이유
② 예술 개념과 의미 변화 과정
③ 예술의 갈래와 시대별 주요 특징
④ 표현론과 모방론의 특징과 주요 작품
⑤ 표현론과 모방론에 영향을 준 사회적 요소

화제는 글쓴이가 글에서 다루려고 하는 주요 재료야. 보통 글의 서두에 제시되는 경우가 많으니까 첫 문단을 잘 읽어 보도록 해.

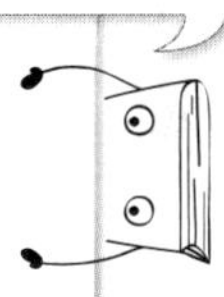

1 이 글에서 알 수 있는 내용으로 적절한 것을 고르세요.

① 현생 인류는 신에게 바치는 제물인 동물을 동굴에 그려 남겼다. ▢
② 피그말리온은 자신이 만든 조각상을 실제 존재하는 사람처럼 여겼다. ▢
③ 아리스토텔레스는 쾌감을 주지 못하는 예술은 예술이 아니라고 말했다. ▢
④ 현생 인류의 동굴 벽화는 너무 원시적이어서 예술이라고 인정하기 힘들다. ▢
⑤ 제욱시스는 현실의 포도가 아닌 이상적인 포도를 그려 참새들을 혼란에 빠뜨렸다. ▢

2 ㉠과 ㉡에 대한 설명으로 적절하지 않은 것은 무엇인가요?

① ㉠과 ㉡은 예술의 본질에 대한 상반된 입장을 보인다.
② ㉠과 ㉡은 예술을 규정하는 방식과 바라보는 태도를 보여 준다.
③ ㉠은 예술이 가상을 만들어 내는 것이라고 보는 반면, ㉡은 현실과 비슷하게 만드는 것이라고 본다.
④ ㉠은 예술이 현실에 없는 것을 대상으로 한다고 보는 반면, ㉡은 현실에 있는 것을 대상으로 한다고 보는 관점이다.
⑤ ㉠은 예술 창작의 기본은 대상을 재현하는 것이라고 보는 반면, ㉡은 작가 의식을 반영하여 대상을 재구성하는 것이라고 본다.

글의 화제들을 비교하는 문제는 대상의 개념과 차이점을 잘 이해하고 있는지를 묻는 문제야. 따라서 이 글에서 표현론과 모방론에 대한 설명이 나타난 부분을 찾아보고 이를 토대로 두 대상을 비교·분석할 수 있어야 해.

3 〈보기〉를 참고할 때, ⓐ에 들어갈 말로 적절한 것은 무엇인가요?

보 기
이 말은 '창조적인 일의 계기가 되는 기발한 착상이나 자극'을 뜻한다.

한자어는 각 글자마다 의미를 담고 있어. 그래서 한자어를 풀이하면 더 정확한 뜻을 알 수 있지.

① 연상(聯想)
② 구상(構想)
③ 공상(空想)
④ 실감(實感)
⑤ 영감(靈感)

생각읽기 3

국가의 본질과 역할

국가의 존재 이유

Q 국가 권력에 대해 홉스, 로크, 루소는 각각 어떤 입장을 보였나요?

전 세계 대부분의 사람들은 모두 '국가'라는 정치 · 경제 · 역사 · 문화적 공동체 안에서 국가와 관계를 맺으며 살아간다. 좋든 싫든 자신이 속한 국가와 관계를 맺지 않고 살아갈 수 있는 사람은 없으며, 어느 누구도 국가를 떠나서는 제대로 된 삶을 영위하기 어렵다. 아무리 뛰어난 개인도 혼자 힘으로는 국가를 만들지 못하며, 세상 그 어떤 기업이나 단체도 국가를 대신할 수는 없다. 그렇다면 국가는 무엇을 하는, 또는 무엇을 해야 하는 존재인가?

국가의 본질과 역할이 무엇인지에 대한 논리 체계를 처음으로 분명하게 세운 인물은 영국의 철학자 토마스 홉스이다. 홉스는 '사회 계약'이 국가의 기원이라는 이론을 펼쳤는데, 이는 모든 사람이 자기의 자연법적 권리를 공동의 권력에 ⓐ양도하기로 계약함으로써 국가가 탄생했다고 보는 것이다. 홉스에 따르면, 국가는 사회 내부의 무질서와 범죄, 그리고 외부 침략의 위협으로부터 국민의 생명과 안전을 지키는 것을 목적으로 하기 때문에, 이를 위해서는 다른 모든 가치를 희생시킬 수 있으며, 어떤 수단이든 다 쓸 수 있다고 주장한다. 이처럼 국가 그 자체가 가장 중요하며 개인은 국가에 ⓑ종속된다는 주장을 '국가주의 국가론'이라고 한다.

반면에 영국의 철학자 존 로크는 시민들의 동의로 성립된 법에 따른 통치를 해야 한다고 ⓒ주창했다. 로크는 사회 계약설을 받아들였지만 전제 군주제*의 정당성을 부정하고 국가 권력이 넘지 말아야 할 경계를 설정했다. 로크에 따르면, 국가 권력은 국민의 평화와 안전, 공공복지 이외의 다른 목적을 위해 사용되지 못하도록 제한해야 한다는 것이다. 이는 나라 안에서는 법률 집행을 위해서만 힘을 행사해야 하고, 밖으로는 외적의 침략으로부터 공동 사회를 수호하기 위해서만 힘을 사용해야 한다고 본 것이므로 홉스의 주장과 다소 차이가 있다.

글쓴이는 왜 했던 말을 다시 하는 걸까

'다시 말해'라는 말에 주목하자! 정말 중요해서 다시 설명하는 거니까~

► 원리로 생각읽기 204쪽

로크는 법치주의를 강조하는 데 그쳤지만 프랑스의 철학자 장 자크 루소는 여기서 한 걸음 더 나아가 국가가 개인의 자유를 빼앗을 경우에는 사회 계약을 ⓓ파기할 수도 있다고 주장했다. 이는 공동 사회 구성원들이 인간의 자격을 유지하려면 자유를 지켜야 하며, 자유로운 개인 없이는 국가 주권도 성립하지 못한다는 것을 의미한다. 다시 말해 국가 권력이 법치주의*에서 ⓔ일탈하면 권력은 정당성을 상실하게 되며, 정당성이 없는 국가 권력에 대해서는 복종할 의무가 없다고 본 것이다.

이들 세 학자가 펼친 국가의 본질과 역할에 대한 다양한 논의들은 [㉠]는 점에서 유사하지만 국가가 권력을 어떻게 사용해야 하는지에 대해서는 서로 조금씩 다른 입장을 보이고 있다. 그러나 이러한 논의들은 국가론을 철학적으로 설명하는 출발점이 되었으며, 국가가 왜 탄생하게 되었고, 어떻게 존재해 왔는지, 또 어떻게 존재해야 하는지에 대한 이해를 돕는 데 소중한 자료로 활용되고 있다.

* 전제 군주제: 군주가 국가의 통치권을 장악하여 단독 행사하고 국가 기관은 오로지 군주의 권력을 집행하는 기관에 불과하다고 보는 제도.
* 법치주의: 법에 의한 지배를 말한다. 국가가 국민의 자유와 권리를 제한하거나 국민에게 의무를 부과할 때에는 반드시 국민의 대표기관인 의회에서 제정한 법률에 근거를 두어야 한다는 원칙을 의미한다.

0 **다음은 이 글을 읽고 작성한 독서 일지의 일부입니다. ( )에 들어갈 내용으로 적절한 것은 무엇인가요?**

글의 핵심 내용을 한 줄로 표현하는 문제가 나왔네. 핵심 내용을 한 줄로 정리하고자 할 때는 글 전체를 관통하는 화제가 꼭 포함돼야 한다는 거 잊지 마!

나의 독서 일지

20○○년 ○○월 ○○일

1. 이 글의 핵심 내용을 한 줄로 표현하기

(   )

2. 이 글의 중심 내용 요약하기

우리는 모두 '국가'와 관계를 맺으며 살아간다. 국가의 본질과 역할이 무엇인지에 대해 처음으로 논리 체계를 세운 토마스 홉스는 국가의 기원에 대한 입장으로 '사회 계약설'을 주장하였으며, 존 로크는 국가는 시민들의 동의로 성립된 법에 따라 통치를 해야 한다고 주장했다. 그리고 장 자크 루소는 국가가 법치주의에서 일탈하면 사회 계약을 파기할 수도 있다고 했다.

3. 우리 삶과 관련이 있는 내용 연결하기

몇 해 전에 우리나라는 국가 권력의 부당성에 대해 항의하는 시민들이 광장에 모여 촛불 집회를 하기도 했다.

---

① 국가의 개념이 정립되어 가는 역사적 과정
② 기존의 국가 기원론에 대한 학자들의 비판
③ 개인과 국가의 관계를 보여 주는 다양한 사례
④ 국가의 본질과 역할에 대한 다양한 논의와 그 의의
⑤ 개인과 국가 간의 갈등 해결을 위해 세 학자가 제시한 방안

1 다음은 이 글을 읽고 메모한 내용입니다. 이 글의 내용과 일치하지 <u>않는</u> 것을 고르세요.

- 전 세계 대부분의 사람들은 각기 다양한 형태로 국가와 관계를 맺으면서 살아가고 있다. ········ ① ☐
- 홉스는 개인이 자연법적 권리를 공동의 권력에 양도함에 따라 국가가 탄생했다고 보았다. ········ ② ☐
- 홉스는 국가가 국민의 생명과 안전을 지키기 위해 어떤 수단을 동원해도 된다고 보았다. ········ ③ ☐
- 로크는 국가 권력이 남용되지 않도록 국가 권력을 여러 기관에 분산해야 한다고 보았다. ········ ④ ☐
- 루소는 법치주의에서 일탈한 국가 권력에 대해서는 국민이 복종하지 않아도 된다고 보았다. ········ ⑤ ☐

2 〈보기〉를 참고할 때 이 글의 ㉠에 들어가기에 적절한 내용은 무엇인가요?

보 기

한 편의 완성된 글에 포함된 여러 문단들은 글의 일부로서 각각 일정한 기능과 역할을 합니다. 문단은 크게 중심 문단과 뒷받침 문단으로 구분되며, 각 문단의 기능은 문단 간의 관계나 문단의 위치를 통해 파악할 수 있습니다. 그중 글의 마지막에 오는 문단은 일반적으로 글 전체의 핵심 내용을 요약하는 기능을 하는 문단으로, 앞에 제시된 문단들의 구조와 관계를 통해 파악할 수 있는 핵심 내용을 정리한 것이라고 할 수 있습니다.

① 개인의 자유를 중시하고 있다
② 국가주의를 기반으로 하고 있다
③ 국가 권력을 제한할 필요가 있다
④ 사회 계약설을 기반으로 하고 있다
⑤ 국가 권력의 정당성을 부정하고 있다

일정한 형태나 무늬를 패턴이라고 해.
글에도 문단마다 정해진 형식이 있는데, 이를 패턴이라고 해.

3 ⓐ~ⓔ의 사전적 의미로 알맞지 않은 것은 무엇인가요?

① ⓐ: 권리나 재산, 법률에서의 지위 따위를 남에게 넘겨줌. 또는 그런 일.
② ⓑ: 남의 명령이나 의사를 그대로 따라서 좇음.
③ ⓒ: 주의나 사상을 앞장서서 주장함.
④ ⓓ: 계약, 조약, 약속 따위를 깨뜨려 버림.
⑤ ⓔ: 정하여진 영역 또는 본디의 목적이나 길, 사상, 규범, 조직 따위로부터 빠져 벗어남.

원리로 생각읽기 **7**

글쓴이는 왜 했던 말을 다시 하는 걸까

글쓴이가 '다시 말해' 주는 이유

다음 주장에 따를 때, 레오나르도 다 빈치의 「모나리자」는 고전이라고 말할 수 있을까요?

'고전'은 무릇 후세인들이 본받아야 하는 것으로 누구나 가치와 의의를 높게 평가하고 인정하는 예술 작품을 가리키는 말로 통용된다. 그렇다면 레오나르도 다 빈치나 미켈란젤로의 작품을 모두 고전이라고 말할 수 있을까? 그들이 위대한 예술의 시대에 남다른 발자취를 남긴 천재들이라는 것은 틀림없는 사실이다. 그러나 그들의 손에서 나왔다는 이유만을 가지고 어떤 예외도 없이 고전의 반열에 올릴 수 있는지는 의문의 여지가 있다.

다시 말해 이들 고전 미술의 거장들의 작품 가운데에는 미완성 작품이나, 도저히 거장답지 않은 부족한 작품들도 포함되어 있는 것이다. 레오나르도가 밀라노의 산타 마리오 델레 그라치에 교회의 수도원 벽면에 그린 「최후의 만찬」은 오랫동안 거들떠보는 이 없이 외면당했고, 그가 그린 열 점 남짓한 유화 작품 가운데 「모나리자」를 비롯해서 대부분의 작품들이 완성조차 되지 못해 주문자의 손에 들어가지 않았다.

모든 글은 일정한 목적을 가집니다. 생소한 개념이나 대상을 독자들에게 쉽게 설명하기 위한 글도 있고, 생각의 차이가 나타나는 어떤 문제에 대해 자신의 관점을 드러내거나 독자를 설득하는 글도 있습니다. 글을 읽다 보면, 이러한 글의 목적이나 글쓴이의 의도는 어렵지 않게 파악할 수 있습니다. 어떻게 아냐고요? 글쓴이는 자신의 의도를 효과적으로 전달하기 위해 필요한 내용을 반복적으로 제시하거나 다시 말해 주기 때문이죠. 가령, '고전'은 누구나 가치와 의의를 높게 평가하고 인정하는 예술 작품으로 정의 내리지만, 사실 우리가 익히 알고 있는 고전에는 훌륭한 거장들의 모자란 작품들도 포함되어 있다고 글쓴이가 다시 말해 주는 것처럼 말이죠.

글쓴이는 누구보다 자신의 의도를 독자가 알아차리길 바라고 있습니다. **'다시 말해'** 또는 **'정리하면'**이라는 표지어로 여길 보라고 친절하게 알려주는 것처럼요. 글쓴이가 했던 말을 다시 하는 까닭도 바로 여기에 있습니다.

200쪽 지문

로크는 법치주의를 강조하는 데

나아가 국가가 개인의 자유를 빼앗

는 공동 사회 구성원들이 인간의 자

국가 주권도 성립하지 못한다는 것을 의미한다. **다시 말해** 국가 권력이 법치주의*에서 ⓔ일탈하면 권력은 정당성을 상실하게 되며, 정당성이 없는 국가 권력에 대해서는 복종할 의무가 없다고 본 것이다.

글쓴이는 앵무새처럼 중요한 말은 반복하고 또 반복한다.
다시 말해 뒤에 나오는 내용이 그 문단의 중심 내용이다!

독해연습 1 **아래 문단을 읽고, 물음에 답하세요.**

자연에서 발생하는 모든 일은 목적 지향적일까? ㉠자기 몸통보다 더 큰 나뭇가지나 잎사귀를 허둥대며 운반하는 개미들은 분명히 목적을 가진 듯 보인다. 그런데 ㉡가을에 지는 낙엽도 목적을 가지고 있을까? ㉢한밤중에 우박이 쏟아지는 것도 목적 지향적인 일로 이해할 수 있을까?

1 다음은 ㉠~㉢의 공통점을 바탕으로 한 학생이 쓴 글의 일부입니다. 빈칸에 공통적으로 들어갈 말을 위 글에 제시된 단어를 이용해 3어절로 써 보세요.

다시 정리하면, ㉠~㉢은 모두 (   )에 해당한다. (   )는 ㉠~㉢을 모두 포괄하는 말로, 처음에는 그 말이 지나치게 광범위하고 모호하다고 생각했는데, ㉠~㉢의 공통점을 떠올려 보니 (   )이 어떤 것을 의미하는지 이해할 수 있었다.

독해연습 2 **아래 글을 읽고, 물음에 답하세요.**

(가) 사회 구성원들이 경제적 이익을 추구하는 과정에서 불법 행위를 감행하기 쉬운 상황일수록 이를 억제하는 데에는 금전적 제재 수단이 효과적이다.

(나) 현행법상 불법 행위에 대한 금전적 제재 수단에는 민사적 수단인 손해 배상, 형사적 수단인 벌금, 행정적 수단인 과징금이 있으며, 이들은 각각 피해자의 구제, 가해자의 징벌, 법 위반 상태의 시정을 목적으로 한다. 예를 들어 기업들이 담합하여 제품 가격을 인상했다가 적발된 경우, 그 기업들은 피해자에게 손해 배상 소송을 제기당하거나 법원으로부터 벌금형을 선고받을 수 있고 행정 기관으로부터 과징금도 부과받을 수 있다.

(다) ㉠이처럼 하나의 불법 행위에 대해 세 가지 금전적 제재가 내려질 수 있으며, 법원의 판결에 따르면 제재의 목적이 서로 다르므로 세 가지 금전적 제재가 동시에 선고된다고 해도 중복 제재는 아니다.

1 위 글에서 다루고 있는 중심 화제를 3어절로 써 보세요.

2 (나)에 대한 설명으로 알맞은 말을 (   ) 안에 채워 보세요.

글쓴이는 독자의 이해를 돕기 위해 (나)에서 금전적 제재 수단의 (   )를 나누어 상세히 제시했고, 금전적 제재 수단을 받는 상황을 (   )를 들어 설명하였다.

3 ㉠을 통해 알 수 있는 (다)의 내용 전개상 특징은 무엇인가요?

생각읽기 4

신은 존재하는가

신의 존재에 관한 논쟁

Q 신의 존재에 대한 세 가지 관점에는 무엇이 있나요?

신의 존재를 둘러싼 논쟁은 고대 그리스의 호메로스와 플라톤의 시대까지 거슬러 올라갈 정도로 그 유서*가 깊다. 오랫동안 여러 학자들과 종교인들이 신의 존재 혹은 비존재를 증명하려 하였지만 정답을 아는 이는 아직까지도 없다. 통계청이 2015년에 발표한 조사 결과에 따르면, 우리나라에서 무교인은 56.1%로 종교인인 43.9%보다 약 12% 더 많다. 1985년 조사가 시작된 이래로 종교가 없는 사람이 과반을 넘은 것은 처음 있는 일이다. 사람들이 신이 있다는 쪽보다 없다는 쪽에 무게를 더 두게 된 것일까?

신의 존재에 대한 관점에는 크게 세 가지가 있다. 유신론, 무신론, 불가지론(不可知論)이 그것이다. 우선, ⓐ유신론은 신이 있다고 믿는 관점이다. 신자들은 그들이 믿고 있는 종교의 성서, 즉 기독교의 성경이나 이슬람의 코란에 신이 존재한다고 쓰여 있기 때문에 신은 당연히 있다고 주장한다. 이는 성서가 신이 직접 쓴 것이거나 신의 말을 받아 적은 것이라는 교리에 바탕을 둔다. 그리고 신자들은 인간에게는 선악을 이해하는 타고난 능력이 있는데, 이는 신이 인간의 마음에 심어 준 것이라고 주장한다. 또한 우리가 사는 세계는 너무 복잡한데, 그 중심에 신이라는 절대적인 인도자가 없으면 제대로 돌아가지 않을 것이라고 말한다.

ⓑ무신론은 신이 없다고 보는 관점이다. 종교가 사회의 전 영역을 지배하던 중세를 지나 16세기에 접어들면서 과학이 발달하기 시작했다. 당시 사람들이 오래전부터 믿어 온 종교적 진실과 달리 코페르니쿠스는 지구가 태양의 주위를 돈다는 지동설을 주장하였다. 이는 기독교의 믿음을 정면으로 반박한 것이었다. 19세기에는 찰스 다윈이 『종의 기원』을 내놓았다. 다윈은 『종의 기원』에서 인간과 동물이 신에 의해 만들어졌다는 창조설을 뒤집고, 인간과 동물이 수백만 년에 걸쳐 진화했다는 과학적 이론을 내놓았다. 과학과 합리적 이성의 발달은 니체의 '신은 죽었다.'라는 선언으로 정점에 이르렀다.

ⓒ불가지론은 인간이 신의 존재 여부를 영원히 알 수 없다는 관점이다. 인간은 유한한 존재로서 그 지력(知力)*이 한정되어 신이 존재하는지 결코 알 수 없다는 것이다. 데이비드 흄은 인간의 지식은 인상과 관념에 머물러 있어 그것을 초월한 사항은 지식의 대상이 되지 않는다고 하며 인간의 한계를 규정지었다. A.리츨은 인간이 아는 것은 현상뿐이지만, 신은 현상이 아니기 때문에 그 존재를 알 수 없다고 말하였다. 이처럼 불가지론자들은 철학적 의심을 바탕으로 하여 절대적 진실은 인식이 불가능하다고 주장한다.

신이 존재하는지, 존재하지 않는지는 아직까지 밝혀지지 않았다. 아마 영원히 밝혀지지 않을 명제로 남을 가능성이 크다. 그럼에도 불구하고 신의 존재에 대한 논쟁은 앞으로도 끊이지 않고 계속될 것이다. 신의 존재에 대한 물음은 우리 인간이 살아가는 세상의 시초에 대한 질문이자 '나'라는 존재의 근원에 대한 질문이기 때문이다.

* 유서: 예로부터 전하여 내려오는 까닭과 내력.
* 지력: 지식의 힘

0 **이 글을 읽고 독서 감상문을 작성할 때, 그 제목으로 알맞은 것을 고르세요.**

① 신의 존재에 관한 종교적인 갈등 ☐
② 신의 존재를 둘러싼 논쟁과 그 결과 ☐
③ 신의 존재 여부에 대한 세 가지 입장 ☐
④ 신의 존재에 대한 문화 인류학적인 관점 ☐
⑤ 신의 존재를 놓고 벌어진 인류의 비극적인 역사 ☐

제목은 메뉴판에 적힌 음식의 이름이라고 생각하면 돼. 처음 먹어 보는 음식도 이름을 보면 어떤 재료로 만들어졌는지 짐작할 수 있듯이 제목에는 글의 내용을 짐작할 수 있는 핵심이 들어 있어야 하거든.

1 이 글을 바탕으로 유추한 내용으로 가장 적절한 것은 무엇인가요?

① 니체의 '신이 죽었다.'라는 말은 신의 존재를 알 수 없다는 철학적 선언인가 봐.
② 찰스 다윈이 『종의 기원』을 발표한 이후로 서양에서는 유신론이 무신론을 압도했나 봐.
③ A.리츨은 신이 현상으로 나타날 때 인간이 신의 존재를 알 수 있음을 강조하려 했나 봐.
④ 지동설이 발표될 당시의 사람들은 태양이 지구 주위를 도는 것을 종교적 진리로 받아들이고 있었나 봐.
⑤ 데이비드 흄은 인간의 지력이 무한정하기 때문에 모든 대상이 지식의 대상이 될 수 있다고 보았나 봐.

글을 쓸 때 **유사성**을 바탕으로 어떤 **대상을 친숙한 다른 대상에 빗대어** 설명하는 방식을 말해!

2 ⓐ, ⓑ, ⓒ의 견해를 지닌 사람을 각각 '갑, 을, 병'이라고 가정할 때, '갑, 을, 병'이 나눈 대화 내용 중 적절하지 않은 것은 무엇인가요?

갑 신은 당연히 있습니다. 우리가 읽는 경전에는 신의 말씀이 들어 있어요. 그게 증거죠. ············ ①
을 경전에 쓰인 말씀이 신의 말씀이라는 증거가 어디 있나요? 과학적으로 뒷받침해 줄 증거가 없잖아요. ············ ②
병 신이 있는지 없는지는 알 수 없습니다. 인간의 지식을 초월한 사항은 우리가 알 수 없기 때문입니다. ············ ③
을 창조론보다 진화론이 과학적입니다. 과학이 더 발전하게 되면 신이 존재하지 않는다는 사실을 증명할 수 있을 것입니다. ············ ④
병 과학이 고도로 발달하면 신의 존재를 증명할 수 있겠죠. 그러나 현재의 상황에서는 신의 존재 여부는 밝힐 수 없다는 게 분명합니다. ············ ⑤

3 **이 글을 읽고 난 후의 반응으로 적절하지 않은 것은 무엇인가요?**

① 유신론자들은 신의 섭리로 인해 세상이 돌아간다고 믿는구나.
② 지동설은 유신론적 세계관을 합리적으로 깨뜨리는 역할을 했구나.
③ 과학과 합리적 이성의 발달에 따라 무신론의 주장에 힘이 실렸겠구나.
④ 인류 역사상 신의 존재에 대해 자신의 생각을 밝힌 사람들이 많았구나.
⑤ 불가지론은 신의 존재뿐만 아니라 과학적인 현상도 알 수 없다는 견해이구나.

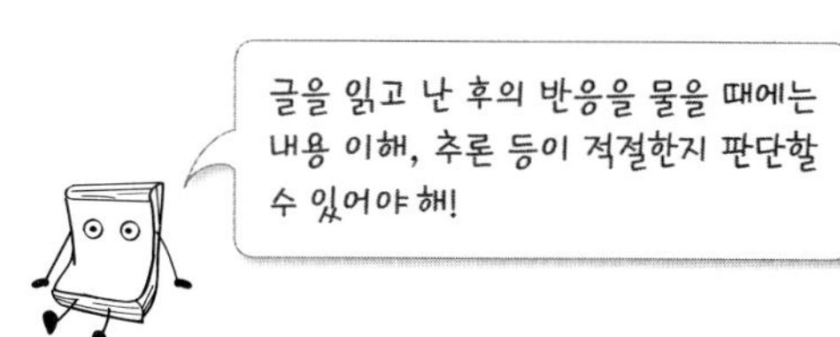

글을 읽고 난 후의 반응을 물을 때에는
내용 이해, 추론 등이 적절한지 판단할
수 있어야 해!

생각읽기 5

아인슈타인이 바라본 시간과 공간

시공간의 존재 정의

Q 아인슈타인 이전에 살던 사람들은 시간과 공간이 어떻게 존재한다고 생각했나요?

사람들은 시간과 공간의 관계를 어떻게 이해했을까? 아인슈타인이 등장하기 전까지 사람들은 시간과 공간을 독립된 것으로 여겼다. 또한 물질이 존재하지 않더라도 시간과 공간은 그 자체로 존재할 것이라고 생각했다. 이러한 인식의 바탕에는 뉴턴의 고전 역학*이 자리 잡고 있다. 뉴턴은 만유인력의 개념을 도입하면서 지구와 같은 물체는 다른 물체를 끌어당겨 중력을 발생시킨다고 보았다. 그런데 아인슈타인은 뉴턴의 그런 아이디어를 받아들이지 않고 중력이란 '공간의 휘어짐'이라고 주장했다.

뉴턴의 고전 역학에 따르면, 중력이 미치는 범위인 중력장 내에서는 빛이 직선 경로를 따라 전파된다. 하지만 아인슈타인은 중력장 내에서 빛이 휘어진다고 주장했다. 중력장 내에서 빛이 중력을 받아서 가속도 운동을 하기 때문이라고 본 것이다. 이를 설명하기 위해 그는 어떤 물체든 그것이 공간에 실재하면 그 물체가 점유하고 있는 공간은 휘게 된다고 가정했다. 그렇다면 태양이나 지구 등과 같은 무거운 행성들도 그 무게로 인하여 주위의 3차원 공간을 휘게 만들 것이다. 따라서 빛이 이 행성들 부근을 지날 때에는 직진하던 진로가 조금 틀어지게 된다. 아인슈타인의 이러한 가설은 영국의 천문학자 에딩턴이 이끄는 관측대에 의해 입증되었다. 1919년 5월 29일 지구 남반구에서 일어난 개기일식을 관측하기 위해 에딩턴의 관측대는 브라질의 수브랄과 서아프리카에 있는 프린시페라는 섬으로 떠났다. 관측대는 면밀한 관측을 통해 태양 뒤의 먼 곳에서 오던 빛이 태양 주위에서 휘며 그 휘는 정도가 아인슈타인의 예측과 일치한다는 것을 확인했다. 200여 년을 지탱해 온 뉴턴의 중력 법칙이 뒤집히는 순간이었다.

아인슈타인의 견해처럼 중력을 '공간의 휘어짐'이라고 간주하면 중력장 안에서는 시간도 팽창하게 된다. 이것은 공간이 휘어져 있다는 사실로부터 자연스럽게 유도될 수 있다. 순간적으로 똑같은 빛의 신호가 주어졌다고 할 때 중력장이 없는 영역과 중력장이 있는 영역에서 빛의 경로는 서로 다르다. 즉 중력장이 없는 영역에 있는 관측자가 볼 때 중력장이 있는 영역에서는 빛이 휘게 되어 도달하는 시간이 더 길어진다. 특히 ㉠ 태양계 너머 우주에서는 시간의 지체가 더 크게 일어난다.

이러한 사실을 바탕으로 아인슈타인은 중력을 '공간과 시간의 휘어짐'이라고 정의했다. 우리 태양계는 중력장이 약하기 때문에 공간과 시간의 휘어짐이 아주 미미하다. 그렇기에 우리의 감각이 미치는 범위에서는 아인슈타인의 이론과 뉴턴의 역학 사이에 눈에 띌 만한 이론적 틈새를 찾기가 힘들다. 그런데 이와 달리 블랙홀처럼 무거운 물질이 있는 태양계 밖의 우주 공간에서는 아인슈타인의 이론이 아니면 해석할 수 없는 일들이 발생한다. 그곳에서 뉴턴 역학은 무용지물이 된다. 바로 이 때문에 아인슈타인으로 인해 인간의 감각이 확대되고 인식의 지평이 확장되었다고 이야기하는 것이다.

* 고전 역학: 뉴턴의 운동법칙을 기본으로 하는 역학이다. 고전 역학은 질량이 일정한 입자의 어떤 시각에서의 위치와 속도를 정하면 그 앞뒤의 운동을 정할 수 있다고 보는 결정론적 해석을 바탕으로 한다.

0 **이 글을 『아인슈타인의 일반 상대성 이론』이라는 책에 싣는다고 할 때, 이 글에 붙일 수 있는 소제목으로 가장 적절한 것은 무엇인가요?**

① 중력을 증명하는 과학적 방법
② 우주에 대한 여러 가지 이론들
③ 시공간의 존재 양상에 대한 과학적 실험
④ 우주의 형성 과정에 따라 살펴본 시공간
⑤ 시공간에 대한 기존 이론을 뒤집는 새로운 이론

'아인슈타인이 바라본 시간과 공간'이 제목이라면 소제목은 이 내용이 좀 더 구체적으로 언급되어야겠지?

1 이 글에서 논지를 전개하는 방식으로 가장 적절한 것을 고르세요.

① 하나의 쟁점에 대한 과학계의 다양한 의견을 절충하고 있다. ☐
② 기존의 이론을 소개한 후에 이와 배치되는 이론을 설명하고 있다. ☐
③ 과학계의 풀리지 않는 문제를 제시하고 해결의 가능성을 살펴보고 있다. ☐
④ 일반적인 통념들을 제시한 후에 이를 반박하는 여러 사례를 나열하고 있다. ☐
⑤ 과학적 이론이 과학계에서 받아들여지는 과정을 구체적으로 서술하고 있다. ☐

동전의 앞뒷면이 다른 것처럼
배치는 이야기의 흐름이 완전히 뒤바뀐다는 뜻이야!

2 이 글의 내용과 일치하지 않는 것은 무엇인가요?

① 뉴턴의 고전 역학에서는 중력장 내에서 빛이 휘어지는 일이 일어나지 않는다.
② 아인슈타인은 빛이 전파될 때 중력의 영향을 받아 변화가 일어난다고 보았다.
③ 아인슈타인 등장 이전의 사람들은 시간과 공간이 상호 영향을 주지 않는다고 생각했다.
④ 태양계의 무거운 행성들은 중력장이 강해 육안으로의 관측이 가능할 정도로 공간이 휘어진다.
⑤ 태양계 밖의 우주 공간에서 일어나는 현상에 대한 설명에는 뉴턴의 이론보다 아인슈타인의 이론이 더 적합하다.

3 아인슈타인의 이론을 참고할 때, ㉠의 이유로 가장 알맞은 것은 무엇인가요?

① 지구상에 없는 물질이 존재하기 때문이다.
② 중력을 증폭시키는 물질이 존재하기 때문이다.
③ 중력장이 강한 무거운 물질이 존재하기 때문이다.
④ 시간과 상호 작용하는 물질이 존재하기 때문이다.
⑤ 중력에 영향을 받지 않는 물질이 존재하기 때문이다.

4 이 글을 참고할 때, 〈보기〉를 이해한 내용으로 적절하지 않은 것은 무엇인가요?

보 기

영화 「인터스텔라」에는 '가르강튀아'라고 불리는 블랙홀이 등장한다. 이 블랙홀은 질량이 태양의 1억 배에 달한다. 블랙홀은 중력이 너무 강한 나머지 그 주위를 빛나는 빛들도 휘어진다. 시간적으로도 이상한 일이 일어난다. 물체가 블랙홀에 가까이 갈수록 시간이 느리게 가는 것처럼 보인다.

「인터스텔라」에서 미국 항공 우주국(NASA) 소속 우주 파일럿들은 식량 부족에 시달리는 지구를 대체할 수 있는 행성을 찾아 떠난다. 그들이 찾아간 첫 번째 행성은 가르강튀아 근처의 밀러 행성이었다. 파일럿 중 한 명만 모선인 인듀어런스호에 남고 파일럿들은 행성으로 출발한다(이때 모선의 위치는 A). 그러나 행성 탐사 과정 중 해일을 만나 파일럿 한 명이 목숨을 잃고 두 명만 복귀한다(이때 모선의 위치는 A′). 모선에는 그들과 달리 늙어 버린 파일럿이 그들을 기다리고 있었다. 두 파일럿이 행성을 탐사하는 3시간 동안 모선에는 23년의 세월이 흘러 버린 것이다.

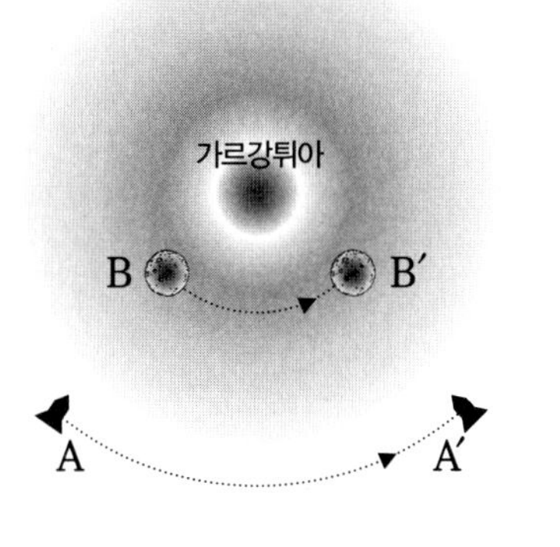

※ 인듀어런스호의 파일럿들이 밀러 행성에 도착했을 때 행성의 위치는 B이고, 밀러 행성을 출발할 때 행성의 위치는 B′이다.

① 태양이나 지구보다 블랙홀에서 공간이 더 많이 휘어질 것이다.
② A에서 A′를 지나가는 시간이 B에서 B′를 지나가는 시간보다 느리다.
③ 블랙홀 근처 밀러 행성에서의 시간은 블랙홀 밖의 시간보다 더 많이 휘어진다.
④ 〈보기〉에서의 시간 지연 현상은 블랙홀이 없는 태양계에서는 일어날 수가 없다.
⑤ 블랙홀에서 빛이 휘어지는 것은 빛이 중력을 받아서 가속도 운동을 하기 때문이다.

로댕의 「생각하는 사람」

존재의 고뇌

Q 「생각하는 사람」은 어떠한 특성을 가진 인물을 형상화한 조각상인가요?

오귀스트 로댕의 「생각하는 사람」은 오른팔을 턱에 괸 상태로 깊은 생각에 잠겨 있는 듯한 인간을 형상화한 조각상이다. 로댕은 단테의 『신곡』 중 「지옥편」을 주제로 「지옥의 문」이라는 작품을 발표하였는데, 이 작품 안에는 '세 망령', '웅크린 여인', '추락하는 사람', '아담', '이브' 등 190여 명의 인물들이 등장한다. 「생각하는 사람」은 전체 구성의 중심 위치에서 지옥의 문 아래에 있는 ⓐ군상을 내려다보는 모습으로 조각되어 있다.

로댕이 명성을 얻는 ⓑ계기가 된 것은 브뤼셀 미술가 동인전*에 발표한 「청동 시대」라는 작품이다. 이 작품은 '실제 사람의 석고형을 뜬 게 아닌가?'라는 논란이 일 정도였는데, 이러한 논란은 로댕이 예술계에서 주목받는 결과를 낳았다. 이후 로댕은 20년에 걸쳐 작업한 「지옥의 문」을 세상에 내놓았고, 1880년에는 「지옥의 문」의 일부였던 「생각하는 사람」을 독립된 하나의 작품으로 발표하였다. 로댕은 「지옥의 문」에서 단테를 모델로 한 시인을 등장시키려고 구상하였는데, 그러한 시도의 결과로 여러 인간의 고뇌를 바라보면서 깊은 생각에 빠진 남자의 상을 만들게 되었다고 한다. 나신(裸身)으로 바위 위에 앉아 턱을 괸 오른팔을 왼쪽 허벅지에 댄 채 온몸의 근육을 긴장시켜 영원히 생각을 계속할 것 같은 모습의 이 조각상은 유사* 이래 창작된 조각품들의 대표로 여겨질 만큼 그 가치를 인정받고 있다.

로댕의 전기를 쓴 라이너 마리아 릴케는 「생각하는 사람」에 대해 "그는 말없이 생각에 잠긴 채 앉아 있다. 그는 행위하는 인간의 모든 힘을 기울여 ⓒ사유하고 있다. 그의 온몸이 머리가 되었고, 그의 혈관에 흐르는 피가 뇌가 되었다."라고 말한 바 있다. 「생각하는 사람」은 지옥의 문 앞에서 지옥에 떨어져야 하는 갈등과 고통, 번뇌를 담고 있다. 그래서인지 이 작품의 살아서 움직이는 듯한 근육마저도 '생각'이라는 행위를 위해 존재한다는 느낌을 준다. 데카르트는 그의 저서 『방법서설』에서 "나는 생각한다. 그러므로 나는 존재한다."라고 선언하였다. ⓓ여타의 지식이 상상에 의한 허구이거나 거짓 또는 오해라고 할지라도 한 존재가 그것을 의식하는 행위는 최소한 그 존재가 실재임을 ⓔ입증하는 것이라는 주장이다. 즉 하나의 존재는 생각이라는 행위를 통하여 실제로 존재한다는 것을 증명할 수 있다는 말이다. 로댕의 「생각하는 사람」은 인간이라는 존재의 본질인 '생각'이라는 행위를 강렬하게 표현하고 있다. '생각'은 인간의 존재 방식이자 양상이며 결국에는 존재 증명의 행위이므로 우리는 「생각하는 사람」을 보고 우리 인간의 존재에 대해 깊이 생각하게 된다.

인간은 존재하는 한 생각을 멈출 수 없고 무수한 생각 속에서 자신이 존재하고 있음을 실현한다. 인간이 죽을 때까지 생각의 사슬에서 벗어날 수 없다는 점을 감안할 때, 로댕의 「생각하는 사람」은 인간 존재에 대한 숙명을 드러내고 있다. 인간이 지구상의 다른 생명체와 구별되어 존재하는 데는 '생각'의 힘이 가장 결정적이었음을 우리는 인류의 역사를 통해 지켜봐 왔다. 앞으로도 인류가 존재하는 한 인간은 '생각'이라는 행위를 통해 존재해 나갈 것이다.

* 동인전: 뜻을 같이하는 사람들끼리 모여 여는 전람회.
* 유사: 인류 문명의 역사된 시작됨.

0 **글쓴이가 이 글을 쓰기 전 세운 글쓰기 계획 중, 글에 반영되지 않은 것은 무엇인가요?**

① 로댕의 작품이 세간에 주목을 받게 된 이유를 조사하자.
② 로댕의 작품에 얽힌 일화를 소개하여 독자의 흥미를 유발하자.
③「생각하는 사람」을 둘러싼 철학적 논의를 알기 쉽게 정리하자.
④ 유명한 작가의 말을 인용하여「생각하는 사람」을 인상적으로 제시하자.
⑤「생각하는 사람」을 구체적으로 묘사하여 독자들로 하여금 조각이 어떤 형상인지 알 수 있게 하자.

글쓰기 계획에는 글의 주제, 대상, 구성, 서술 방식, 표현 방법 등이 주로 드러나 있어. 글쓰기 계획과 글에 제시된 내용과 표현이 일치하는지 여부를 파악해 봐.

자~ 이제 글을 써 볼까?
우아, 너희는 다 계획이 있구나!
대상
목적
주제

글을 쓰기 전 글쓴이가 **글을 어떻게 쓸지**
대상, 목적, 주제 등을 정해 **계획을 세우는 걸** 말해!

1 이 글과 〈보기〉를 종합하여 이해한 내용으로 가장 적절한 것은 무엇인가요?

보 기

로댕, 「지옥의 문」

1880년 프랑스 정부는 새로 건립하기로 한 미술관의 출입문 장식을 로댕에게 의뢰하였다. 평소 단테의 『신곡』을 즐겨 읽던 로댕은 『신곡』의 「지옥편」을 조각의 주제로 삼았는데, 그 내용은 단테와 베르길리우스가 지옥을 방문하여 처절한 고통 속에서 괴로워하는 사람들을 목격한다는 이야기이다.

① 단테는 「지옥의 문」이 창작되는 과정에 적극적으로 가담하였다.
② 로댕은 단테의 『신곡』을 새롭게 해석하기 위해 「생각하는 사람」을 조각하였다.
③ 「생각하는 사람」이 단독 작품으로 발표되면서 「지옥의 문」보다 더 높은 평가를 받았다.
④ 「생각하는 사람」은 지옥의 문 앞에서 단테가 지난 과오를 성찰하는 모습을 표현한 것이다.
⑤ 로댕이 「생각하는 사람」을 상단의 가운데에 배치한 것은 지옥에 빠진 사람들을 잘 볼 수 있게 고려한 것이다.

2 이 글을 읽고 난 후의 반응으로 가장 적절한 것은 무엇인가요?

① 「지옥의 문」에 등장하는 사람들은 인간이라는 존재를 망각한 자들이구나.
② 「생각하는 사람」은 존재의 시발점에 대한 근본적인 물음을 던지는 작품이구나.
③ 라이너 마리아 릴케는 '생각'이라는 행위를 인간이라는 존재의 본질로 보았구나.
④ 「청동 시대」에 대한 논란을 통해 로댕 작품의 사실성이 무척 뛰어났다는 것을 알 수 있군.
⑤ 「생각하는 사람」의 '사람'이 고뇌에 빠진 듯이 보이는 이유는 실제로 일어난 장면을 조각했기 때문이군.

3 ⓐ~ⓔ의 문맥적 의미로 적절하지 않은 것은 무엇인가요?

① ⓐ: 떼를 이룬 많은 사람.
② ⓑ: 어떤 일이 일어나거나 바뀌게 되는 원인이나 기회.
③ ⓒ: 생각하고 궁리함.
④ ⓓ: 다른 것과 달리 특별함.
⑤ ⓔ: 근거나 이유를 내세워 증명함.

생각의 구조화 MIND MAP

다음은 생각을 읽을 수 있는 지문 구조도를 퍼즐로 나타낸 것입니다. 앞에서 읽은 글의 내용을 떠올리며 생각읽기 1~6에 해당하는 퍼즐을 선으로 연결해 보세요.

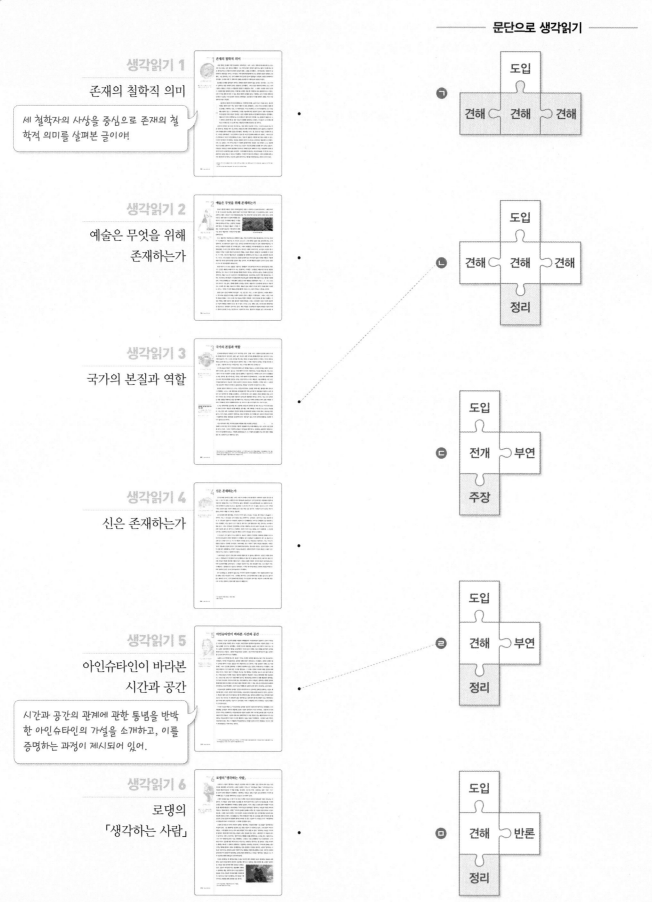

문단으로 생각읽기

생각읽기 1
존재의 철학적 의미
세 철학자의 사상을 중심으로 존재의 철학적 의미를 살펴본 글이야!

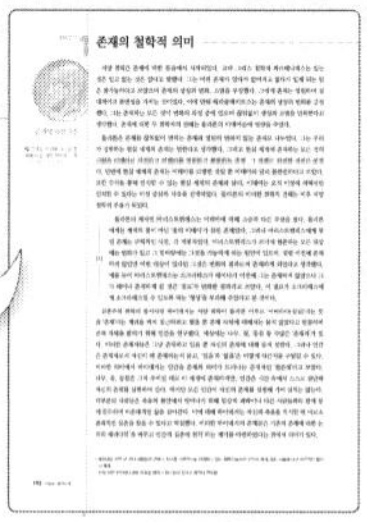

생각읽기 2
예술은 무엇을 위해 존재하는가

생각읽기 3
국가의 본질과 역할

생각읽기 4
신은 존재하는가

생각읽기 5
아인슈타인이 바라본 시간과 공간
시간과 공간의 관계에 관한 통념을 반박한 아인슈타인의 가설을 소개하고, 이를 증명하는 과정이 제시되어 있어.

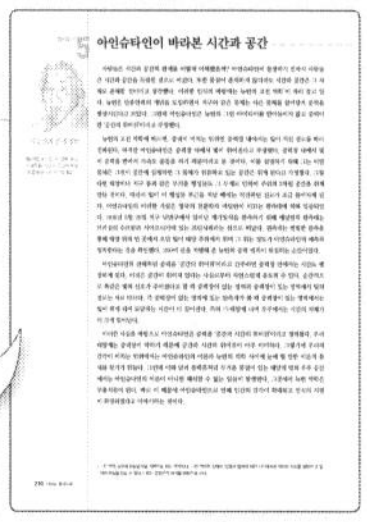

생각읽기 6
로댕의 「생각하는 사람」

㉠ 도입 / 견해, 견해, 견해

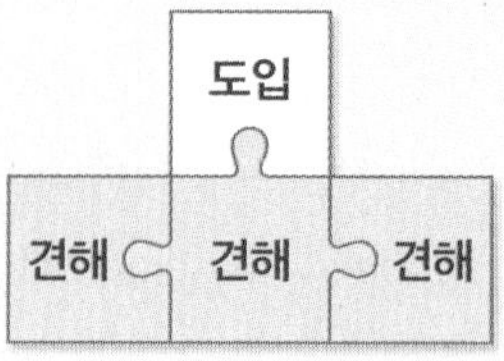

㉡ 도입 / 견해, 견해, 견해 / 정리

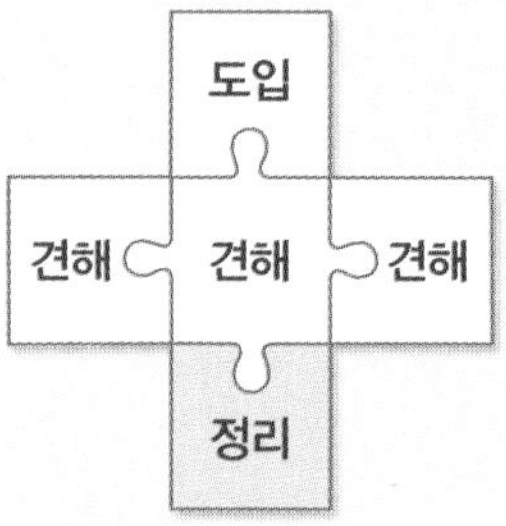

㉢ 도입 / 전개, 부연 / 주장

㉣ 도입 / 견해, 부연 / 정리

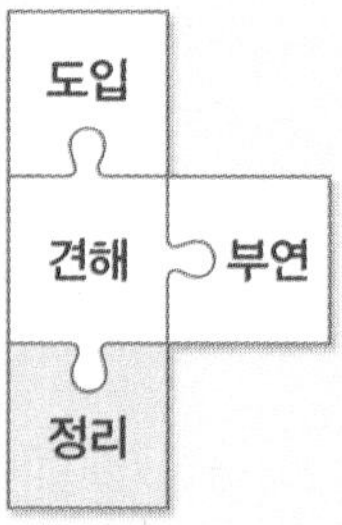

㉤ 도입 / 견해, 반론 / 정리

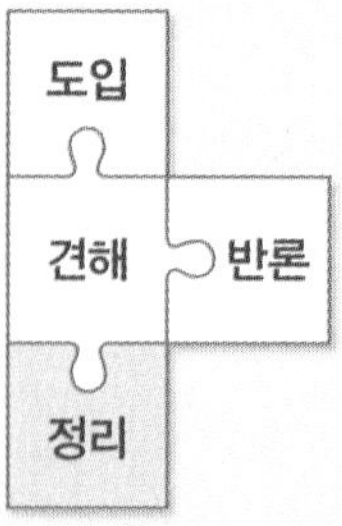

한 문장으로 생각읽기

1 존재의 철학적 의미에 대해 플라톤, 아리스토텔레스, □□□□는 각기 다른 견해를 펼쳤습니다.

2 표현론은 예술이 이상적인 것이나 새로운 삶의 방식을 창조한다는 관점이고, □□□은 예술이 현실에 있는 것을 재현하는 것이라는 관점인데, 글쓴이는 예술이 이상과 현실을 모두 담아낸다고 보고 있습니다.

3 '홉스', '로크', '루소'는 사회 계약설을 바탕으로 하되, □□의 본질과 역할에 대해 다른 입장을 보였습니다.

4 □의 존재에 대한 세 가지 관점으로 유신론, 무신론, □□□□이 있습니다.

5 아인슈타인은 □□을 '공간과 시간의 휘어짐'이라고 정의하였는데, 이는 태양계 밖 우주 공간에서의 현상을 설명하는 데 유용합니다.

6 「생각하는 사람」은 여러 인간의 □□를 바라보며 인간이라는 존재의 의미에 대해 고찰하고 있는 사람의 조각상입니다.

한 단어로 생각읽기

인간은 왜 존재를 생각할까?

"나는 생각한다, 고로 존재한다"

'나'를 둘러싼 세계에는 무수히 많은 '존재'가 존재하고 있습니다. 우선 '나'부터 존재로서 존재하고, '나'는 다른 존재를 인식하고 그들과 상호 작용을 합니다.

세상에는 많은 사물들이 존재하지만, 그 사물들이 원래부터 어떤 이름을 가졌던 것은 아닙니다. 이름이란 누군가가 그것을 다른 것들로부터 구별하고자 붙이는 것으로, 존재에 의미를 부여하는 것이기 때문이죠.

고대 그리스 철학자들부터 현대의 사르트르까지 많은 사람들이 현실에 보이는 존재뿐 아니라 숨겨진 이면의 존재까지 탐구하려는 노력들을 계속해 왔습니다. 앞으로도 존재는 계속 존재에 대한 질문을 던질 것입니다. 존재를 규명하고자 하는 노력은 존재의 숙명일 테니까요.

너는 나에게 나는 너에게
잊혀지지 않는 하나의 의미가 되고 싶다.
– 김춘수의 「꽃」 중에서

정답과 해설 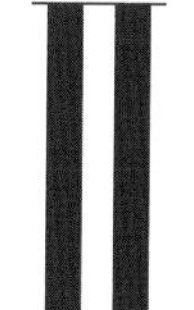

생각 읽기가 독해다!

생각독해Ⅱ

생각독해Ⅱ
정답과
해설

생각읽기 1

마음의 재발견

본문 10~13쪽

0 ③ 1 ① 2 ③ 3 ⑤

Q 프로이트가 무의식을 발견하게 된 계기는 무엇인가요?

정신과 의사였던 프로이트는 히스테리 환자들을 치료하기 위해 머릿속에서 떠오르는 대로 자유롭게 말하게 하는 상담 치료를 지속적으로 시행하였는데, 그 과정에서 듣게 된 환자들의 꿈, 환상, 공상, 말실수 등에서 그들의 무의식을 발견하게 되었습니다.

이 글은 우리의 마음을 지배하고 있는 것이 무엇인지를 물으며 독자의 관심을 유발한 다음, 그 대답을 찾아 나가는 방식으로 프로이트의 정신 분석학과 무의식을 설명하고 있습니다. 특히 프로이트의 정신 분석학에서 나눈 인간의 마음 세 가지(의식, 전의식, 무의식)를 빙산에 비유하여 설명하고 있으며, 그중에서도 가장 중요한 무의식의 특징을 상세하게 설명하고 있습니다.

문단으로 생각읽기

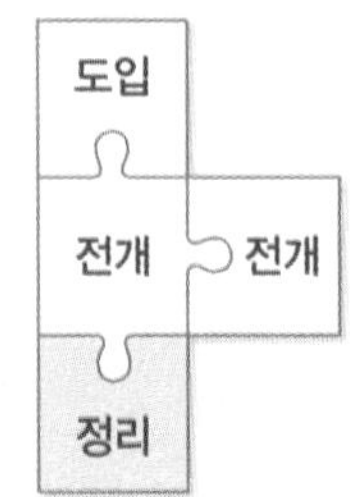

[도입 – 전개 – 전개 – 정리]의 생각 구조

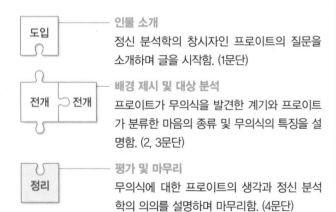

도입 — **인물 소개**
정신 분석학의 창시자인 프로이트의 질문을 소개하며 글을 시작함. (1문단)

전개 / 전개 — **배경 제시 및 대상 분석**
프로이트가 무의식을 발견한 계기와 프로이트가 분류한 마음의 종류 및 무의식의 특징을 설명함. (2, 3문단)

정리 — **평가 및 마무리**
무의식에 대한 프로이트의 생각과 정신 분석학의 의의를 설명하며 마무리함. (4문단)

0 ㉮는 이 글의 중심 화제인 무의식에 대해 질문한 것으로, 무의식의 정의를 묻고 있습니다. 4문단에서 프로이트는 무의식이 우리가 모르는 사이 계속해서 의식에 영향을 주어 우리의 마음을 지배한다고 하였습니다. 따라서 무의식은 '깨어 있을 때 잘 드러나지 않는 억압된 생각과 기억, 욕망 등'이라고 정의할 수 있습니다.

출제 의도 첫문단에서 중심 화제의 특성에 대해 질문하는 경우, 그 질문에 대한 답이 한참 뒤에 나올 수 있는데, 이 글에 바로 이러한 전개 방식이 사용되고 있습니다. 따라서 이러한 전개 방식을 고려하여 중심 화제의 특징을 이해할 수 있어야 합니다.

오답 피하기 ① 의식은 무의식을 억압하지만, 우리의 마음을 지배하는 것은 무의식이라고 하였으므로 ㉮에 대한 대답으로 적절하지 않습니다.
② 깨어 있을 때 꿈이 이루어지기를 바라는 욕망과 소망은 무의식과는 관련이 없습니다.
④ 깨어 있을 때 무의식이 의식으로 올라오지 못하게 막는 것은 의식의 작용일 뿐이므로, ㉮에 대한 대답으로 적절하지 않습니다.
⑤ 전의식의 개념을 서술한 것으로, 전의식은 ㉮의 대답이 될 수 없습니다.

1 2문단에서 프로이트는 자유 연상 기법을 활용하여 환자들이 자유롭게 생각을 말하게 하는 상담 방법을 통해 환자의 무의식을 발견하였습니다. 그런데 그 이전에 최면술을 사용했을 때에는 효과가 없었다고 하였으므로 최면술을 사용한다고 보는 것은 적절하지 않습니다.

오답 피하기 ② 2문단에서 인간의 마음을 과학적으로 이해하는 방법이 정신 분석학이라고 설명했고, 3문단에서 인간의 마음을 '의식, 전의식, 무의식'으로 나누어 설명하고 있습니다.
③ 4문단에서 정신 분석학의 자유 연상을 활용하면 무의식을 의식으로 끌어내어 문제의 원인을 파악할 수 있으며, 이를 제거하면 정신적인 문제를 겪는 사람을 치료할 수 있다고 설명하고 있습니다.
④ 2문단에서 정신과 의사였던 프로이트가 히스테리 환자들을 치료한 경험을 바탕으로 무의식을 발견하고, 이는 정신 분석학을 만드는 밑거름이 되었다고 설명하고 있습니다.
⑤ 1문단에서 프로이트가 정신 분석학의 아버지라고 했는데, 보통 어떤 학문을 새로 만든(창시한) 사람에게 '~의 아버지'라는 호칭을 붙입니다. 그리고 4문단에서 정신 분석학은 몇몇 한계점으로 인해 많은 비판을 받기도 하였다는 점을 알 수 있습니다.

2 전의식(㉡)은 평소에는 전혀 생각하고 있지 않지만, 조금만 노력하면 떠오르는 지식과 기억을 의미합니다. 무의식(㉢)을 떠오르지 못하게 억압하고 막는 것은 의식(㉠)입니다. 무의식 중에는 공격성과 같은 금지된 욕망도 있는데, 이를 의식(㉠)이 억제하지 않으면 공격성이 나타나게 되고, 타인에 대해 무차별적으로 공격하는 반사회적 행동이 나타날 수 있

습니다.

오답 피하기 ① 3문단을 보면 의식은 논리적이고 이성적인 생각이고, 무의식은 비논리적이며, 본능적인 욕망들 중 금지된 것도 있다고 설명하고 있습니다.

② 3문단을 보면 꿈속에서는 무의식이 나타나지만, 잠에서 깨어났을 때에는 의식이 무의식을 떠오르지 못하도록 억압한다고 설명하였습니다. 따라서 잠이 들어 꿈을 꿀 때에는 의식이 무의식을 억압하지 못하는 것으로 이해할 수 있습니다.

④ 3문단을 보면 무의식에는 고통스러운 기억이나 생각, 그리고 본능적 욕망 중에서 금지된 것이 있다고 설명하고 있습니다. 그리고 전의식은 조금만 노력하면 떠오르는 지식과 기억이라고 설명하였습니다. 이 두 내용을 종합하면, 어린 시절 겪었던 고통스러운 기억은 전의식 상태에 있다가, 무의식으로 이동한다고 추론할 수 있습니다. 그리고 그 기억이 무의식으로 이동하면 스스로 아무리 노력해도 떠오르지 않게 되는 것입니다.

⑤ 3문단을 보면 수면 위로 드러난 빙산의 일부가 '의식'이고, 빙산의 대부분의 영역을 '무의식'이라고 설명하였습니다.

3 트라우마를 겪게 되는 이유는 살면서 겪은 충격적인 경험 때문입니다. 이로 인해 생긴 정신적 충격과 고통이 나중에 비슷한 상황이 되면 마음속에 다시 떠올라 정신적인 고통을 느끼게 되는 것입니다. 이는 3문단의 무의식에 잠재된 것들 중, '어린 시절 겪은 정신적인 충격과 같이 의식으로 올라오게 되면 너무 고통스러운 기억이나 생각'에 해당합니다. 따라서 무의식에 잠재된 정신적 충격, 즉 고통스러운 경험은 평소에는 잘 드러나지 않지만, 비슷한 상황이 되었을 때 의식에 떠올라 정신적인 고통을 느끼는 트라우마를 겪게 되는 것입니다.

오답 피하기 ① 마치 어린아이와 같이 자기 욕망을 즉시 이루려고 하는 것은 무의식의 특징입니다. 이를 트라우마를 겪게 되는 이유로 보는 것은 적절하지 않습니다.

② 불안정한 심리 상태에서 잠을 자지 못하는 것은 트라우마로 인해 겪는 증세입니다. 단순히 마음을 편하게 가지고 충분한 수면을 취한다고 해결되는 것은 아닙니다.

③ 트라우마는 무의식에 잠재된 고통스러운 경험이 그 원인이므로, 이를 4문단의 내용과 관련지으면, 상담을 통해 그 원인을 제거해야 제대로 된 치료가 가능하다고 이해할 수 있습니다. 그러나 단순히 과거의 경험과 비슷한 상황을 환자가 계속 겪게 되면 트라우마가 더욱 심화될 수 있으므로, 스스로 극복할 수 있게 된다고 보는 것은 적절하지 않습니다.

④ 4문단에서 프로이트는 무의식이 의식을 지배한다고 보고, 정신적인 문제를 겪을 때 무의식을 의식으로 끌어내어 문제의 원인을 파악하고 이를 제거하면 문제를 해결할 수 있다고 보았음을 알 수 있습니다.

생각읽기 2 4원소설에서 원자론으로

0 ⑤ 1 ② 2 ③ 3 ④

Q 고대 그리스부터 근대 이전까지 원자설이 부정되고 4원소설이 사람들에게 받아들여진 이유는 무엇인가요?

아무것도 없는 상태인 진공을 믿을 수 없었고, 원자는 눈에 보이지 않았기 때문에 4원소설이 더 설득력이 있다고 여겼기 때문입니다.

이 글은 고대 그리스 시대부터 중세까지 물질론으로 여겼던 '4원소설'이 근대 과학자들의 새로운 발견을 통해 폐기되고, '원자론'이 과학적 진리로 받아들여지게 되는 과정을 설명하고 있습니다. 특히 토리첼리의 수은 실험을 통해 진공의 존재를 발견하게 되고, 프리스틀리의 실험을 통해 산소를 발견한 뒤 라부아지에가 '산소'라는 이름을 붙이는 과정을 중심으로 상세하게 설명하고 있습니다.

문단으로 생각읽기

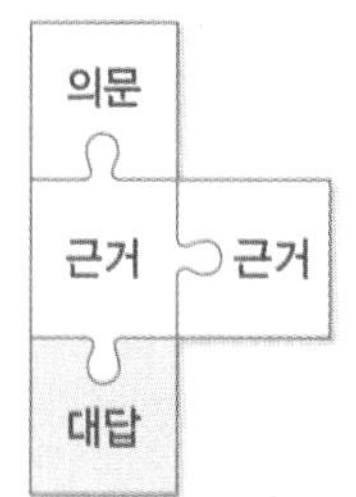

[의문 – 근거 – 근거 – 대답]의 생각 구조

의문

의문 제기
4원소설이 아닌 원자론이 과학적 진리로 인정받게 된 이유에 대해 의문을 제기함. (1문단)

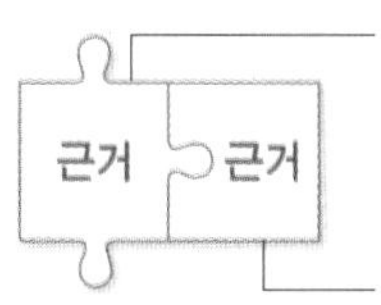

근거 제시 1
토리첼리의 실험으로 진공의 존재가 발견되었음을 제시함. (2문단)

근거 제시 2
프리스틀리가 산소를 발견하는 과정과 의미를 설명함. (3문단)

결론 제시
진공과 산소의 발견으로 지금은 원자론이 과학적 진리로 받아들여짐을 언급하며 의문에 대한 답을 제시함. (4문단)

0 1문단을 보면 고대 그리스에서 '4원소설'과 '원자론' 모두 등장했으나, '4원소설'이 진리로 받아들여졌다고 설명했으므로 Ⓐ에는 '4원소설'이 들어가야 합니다. 그리고 2문단에서 토리첼리의 실험으로 진공의 존재가 입증되었다고 설명했으므로 Ⓑ에는 '진공'이 들어가야 합니다. 3문단에서 프리스틀리가 새로운 기체를 발견하고 라부아지에가 이 기체를 '산소'라고 이름 붙였다고 설명했습니다. 그런데 이 '산소'는 공기 속에 공기보다 더 작은 물질이 존재한다는 것을 의미한다고 하였으므로 Ⓒ에는 '작은'이 들어가야 합니다. 마지막으로 4문단에서는 오늘날에는 '원자론'이 과학적 진리로 받아들여진다고 설명했으므로, Ⓓ에는 '원자론'이 들어가야 합니다.

출제 의도 글을 읽을 때에는 지문의 전체적인 흐름을 파악하는 것이 중요합니다. 즉 각 문단별로 설명하고 있는 핵심 화제를 파악하면서 독해를 하는 것이 무척 중요합니다. 이 문제는 바로 이 핵심 화제 및 내용 간의 연결 관계를 묻고 있습니다.

1 토리첼리는 수은 실험으로 아무것도 존재하지 않는 상태인 진공이 존재한다는 것을 증명했습니다. 그런데 ㉡은 데모크리토스가 주장한 원자론에서 '원자'의 개념에 해당하는 것이므로 진공과는 관련이 없습니다.

오답 피하기 ㉢은 토리첼리의 실험에서 나타난 진공의 공간을 가장 상세하게 설명한 부분이고, ㉤은 ㉢의 공간을 의미합니다. 또한 이 공간은 진공의 상태(㉣)로 해석할 수 있고, 진공의 개념은 아무것도 존재하지 않는 상태(㉠)입니다.

2 [A]에서 새로운 기체로 가득 채운 유리병(㉰) 속에 생쥐를 넣었을 때, 공기로 채운 유리병(㉱) 속에 넣은 생쥐보다 더 오래 살아 있을 수 있었다고 설명했습니다. 따라서 프리스틀리는 생쥐 실험에서 ㉱보다 ㉰ 속의 생쥐가 더 오래 살아 있는 것을 보았을 것이라고 추론할 수 있습니다.

오답 피하기 ① 프리스틀리는 ㉯보다 새로운 기체인 산소가 더 많은 ㉮ 속에 넣은 촛불이 더 오래 타는 것을 확인했을 것입니다.
② 라부아지에는 ㉮와 ㉯를 비교하는 촛불 실험이 아니라, ㉰와 ㉱를 비교하는 촛불 실험을 통해, 산소가 호흡에 필수적이라고 생각했을 것입니다.
④ 라부아지에는 ㉰와 ㉱를 비교하는 생쥐 실험이 아니라, ㉮와 ㉯를 비교하는 촛불 실험을 통해, 산소가 연소에 필수적인 것이라고 생각했을 것입니다.
⑤ ㉮와 ㉰의 '새로운 기체'는 곧 '산소'를 의미합니다. 따라서 산소로만 가득 찼다고 생각한 것은 ㉮와 ㉰이지, ㉮, ㉯, ㉰, ㉱ 모두로 보는 것은 적절하지 않습니다.

3 〈보기〉의 아리스타르코스의 '지동설'은 고대 그리스에서 처음 제기되었으나 오랫동안 진리로 인정받지 못하다가 오늘날에야 과학적 진리로 인정받았다는 점에서, 데모크리토스의 '원자론'과 공통점이 있습니다(ㄱ). 마찬가지로 프톨레마이오스의 '천동설'은 고대 그리스 이후 천 년 동안 진리로 여겨졌으나 오늘날에는 부정되고 있다는 점에서, 엠페도클레스의 '4원소설'에 대응한다고 볼 수 있습니다(ㄴ). 그러나 〈보기〉에서 갈릴레이가 당시 진리로 여겨지던 천동설이 적절하지 않다는 증거를 발견한 것은 맞지만, '4원소설'이 잘못되었다는 증거를 발견한 것은 아닙니다. 수은 실험으로 진공의 증거를 발견한 것은 갈릴레이가 아니라, 그의 제자인 토리첼리입니다.

생각읽기 3

아무것도 없는 것을 표현하다

0 ① **1** ③ **2** ④ **3** ⑤

Q 0이 하는 기능에는 무엇이 있나요?

'아무것도 없는 상태'를 의미하는 기능, '수의 자릿수'를 표시하는 기능, '연산을 하는 수'로서의 기능이 있습니다.

이 글은 숫자 0이 가진 세 가지 기능을 설명한 다음, 인도 수학자 아리아바타와 브라마굽타, 페르시아의 수학자 알 콰리즈미와 이탈리아 수학자 피보나치를 중심으로, 0의 개념이 어떻게 발전했고, 어떤 과정으로 유럽에 전해졌는지를 상세하게 설명하고 있습니다.

문단으로 생각읽기

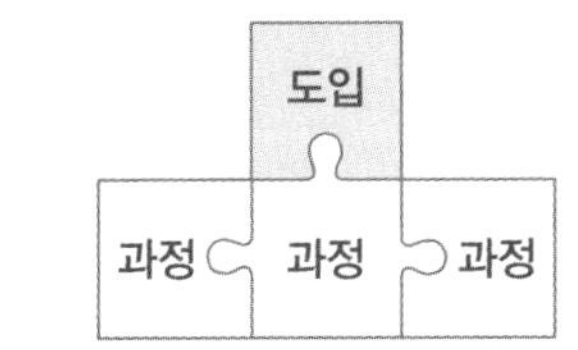

[도입 – 과정 – 과정 – 과정]의 생각 구조

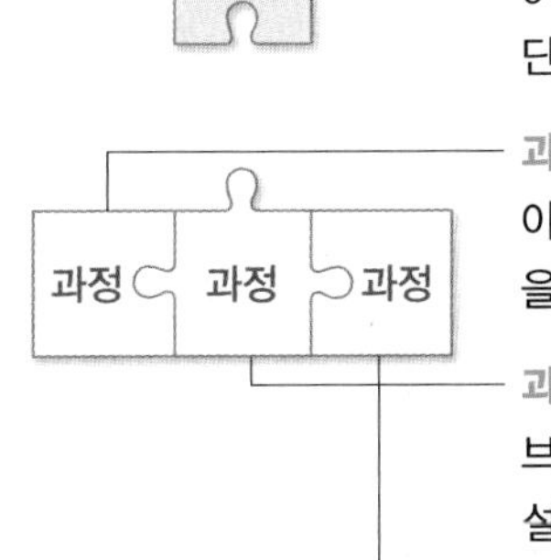

화제 소개
0이 가진 세 가지 기능을 제시함. (1문단)

과정 1
아리아바타가 처음 사용한 0의 개념을 설명함. (2문단)

과정 2
브라마굽타가 발전시킨 0의 개념을 설명함. (3문단)

과정 3
0이 아라비아와 유럽에 전파된 과정과 유럽의 학문에 끼친 영향을 설명하며 마무리함. (4문단)

0 1문단에서 0은 덧셈과 뺄셈을 할 때는 아무것도 할 수 없는 무력한 수이지만, 곱셈을 할 때 모든 수를 0으로 만드는 막강한 능력을 가진 수이며, 어떤 수도 0으로 나누면 안되는 금단의 수라고 설명했습니다. 따라서 0은 사칙 연산 중에서 뺄셈이 아니라 곱셈을 할 때 그 역할이 가장 크다고 할 수 있습니다.

출제 의도 글을 읽을 때에는 중심 화제, 즉 핵심 정보에 대해서 상세하고 정확하게 이해해야 합니다. 이 문제는 지문의 핵심 정보인 0에 대한 세부적인 내용을 바르게 이해하고 있는지 묻고 있습니다.

오답 피하기 ② 0을 '영'이라고도 읽지만, '공'이라고도 읽는 것은 2문단에서 설명한 '아무것도 없이 비어 있음'의 뜻으로 '공(空)'이라고도 하기 때문입니다.
③ 1, 2문단을 보면 10진법에서 0을 사용하여 비어 있는 수의 자릿수를 표현할 수 있다고 설명했습니다.
④ 3문단에서 브라마굽타가 '•'으로 썼다가, 'ㅇ'을 거쳐 오늘날처럼 '0'이 되었음을 알 수 있습니다.
⑤ 4문단에서 0을 포함한 아라비아 숫자는 유럽의 수학과 과학 발전에 큰 공헌을 했다고 설명했습니다.

1 2문단에서 아리아바타가 왜 0을 처음으로 사용했는지 정확하게 알려져 있지는 않다고 설명했습니다. 그러나 당시의 종교인 힌두교에는 '공' 개념, 즉 '아무것도 없이 비어 있음'이라는 개념이 있었고, 아리아바타는 이 개념을 바탕으로 0을 '아무것도 없는 상태'를 나타내는 수로 사용했다고 설명하고 있습니다. 이를 바탕으로 인도에서 0을 처음으로 사용한 이유를 추리할 수 있는데, 그것은 바로 힌두교라는 종교 사상을 바탕으로 한 철학적 사고가 있었기 때문입니다.

오답 피하기 ① 인도에서 세계 최초로 10진법 체계를 완성시켰는지는 이 글을 통해서 알 수 없으며, 0을 처음 사용한 이유와도 관련이 없습니다.
② 아리아바타가 수학 연구를 했다는 것은 알 수 있지만, 그 과정에서 0을 우연히 발견했다는 내용은 이 글에서 찾을 수 없습니다.
④ 브라마굽타가 모든 수에 0을 곱하면 0이 된다고 말한 이유는, 0이 실제 수라는 것을 증명하기 위한 것이었을 뿐, 인도에서 0을 처음 사용하게 된 이유와는 관련이 없습니다.
⑤ 4문단을 보면, 아라비아 숫자를 사용하여 사칙 연산뿐만 아니라 방정식 분야를 발전시킨 것은 페르시아의 알 콰리즈미였습니다.

2 ㉠은 2문단에서 설명한 아리아바타가 가졌던 0에 대한 생각으로, 1문단에서 제시한 0의 세 가지 기능 중, '아무것도 없는 상태'를 의미하는 기능과 '수의 자릿수'를 표시하는 기능을 의미합니다. 3문단에서는 브라마굽타가 ㉠에 '연산을 하는 수'로서의 기능을 추가하여 0의 개념을 발전시켰다고 설명하였으므로 ④가 적절합니다.

3 아라비아 숫자는 101에서처럼 백의 자리에 '1', 십의 자리에 '0', 일의 자리에 '1'로 모두 숫자를 사용하고 있습니다. 그러나 아라비아 숫자 101을 로마 숫자로 표기하면 'CI'가 되는데, 여기서 백의 자리 'C'와 일의 자리 'Ⅰ'은 사용했지만, 십의 자리에 해당하는 숫자를 사용하고 있지 않습니다. 따라서 101의 사례를 보면, 아라비아 숫자에서는 모든 자릿수에 숫자를 사용하지만, 로마 숫자에서는 모든 자릿수에 숫자를 사용하지 않는다고 판단할 수 있습니다. 따라서 ⑤는 적절하지 않습니다.

오답 피하기 ① 2문단과 〈보기〉에서 아라비아 숫자와 로마 숫자는 10진법의 수 체계를 사용한다는 것을 알 수 있습니다.

② 로마 숫자에서 20은 'XX', 30은 'XXX', 50은 'L', 60은 'LX'와 같이 십의 자릿수에 새로운 숫자를 사용하고 있고, 백의 자릿수 역시 'C'로 표현하는 것을 확인할 수 있습니다.

③ 표에서 100은 'C', 200은 'CC'로 표현했는데, 10은 'X', 20은 'XX', 30은 'XXX'라고 표현한 것으로 보아, 300은 'CCC'로 쓴다고 추리할 수 있습니다. 또한 사용 예에서 33은 'XXXIII'으로 쓴다고 했으므로, 종합하면 '333'은 'CCCXXXIII'으로 쓴다고 판단할 수 있습니다.

④ 88은 'LXXXVIII', 99는 'XCIX'로 로마 숫자보다 아라비아 숫자로 표기하는 것이 훨씬 더 간편하고 이해하기 쉽다고 판단할 수 있습니다.

생각읽기 4

노벨상은 누가 받을까

0 ③	1 ①	2 ③	3 ③	4 ④

Q 노벨상이 수여되는 부문에는 어떠한 것이 있나요?

물리학상, 화학상, 생리 · 의학상, 문학상, 평화상, 경제학상의 6개 부문이 있습니다.

이 글은 세계적 권위를 지닌 노벨상이 지닌 의의를 과학 분야의 새로운 발견에 초점을 맞추어 설명하고 있습니다. 과학 부문 노벨상 수상자들의 업적이 이후의 새로운 연구를 이끌고, 과학적 발전을 이끌었던 특정한 흐름과 그 사례들을 상세하게 설명하고, 그 의의를 요약적으로 설명하면서 글을 마무리하고 있습니다.

문단으로 생각읽기

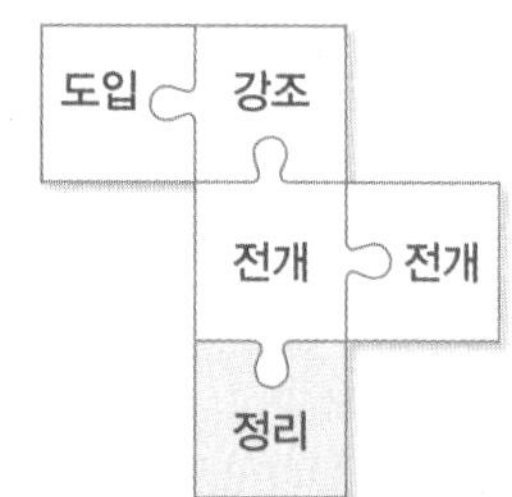

[도입 – 강조 – 전개 – 전개 – 정리]의 생각 구조

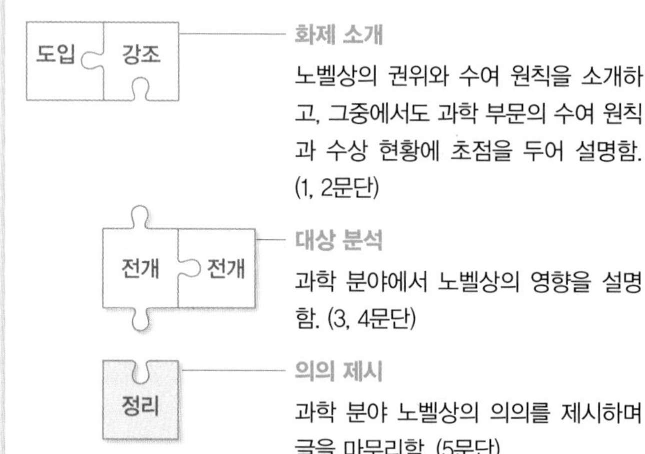

화제 소개
노벨상의 권위와 수여 원칙을 소개하고, 그중에서도 과학 부문의 수여 원칙과 수상 현황에 초점을 두어 설명함. (1, 2문단)

대상 분석
과학 분야에서 노벨상의 영향을 설명함. (3, 4문단)

의의 제시
과학 분야 노벨상의 의의를 제시하며 글을 마무리함. (5문단)

0 ㉢은 노벨상을 받은 과학자의 업적이 이후에 이어지는 연구에 밑거름이 되는 경우입니다. 그런데 3문단에서는 1906년 전자를 발견하여 물리학상을 받은 톰슨의 연구가 다른 연구의 바탕이 되었다는 내용은 제시되어 있지 않습니다. 1901년 물리학상을 받은 뢴트겐의 연구와 1905년 물리학상을 받은 레나르트의 연구가 ㉢에 해당하고, 톰슨의 연구는 그 결과에 해당한다고 볼 수 있습니다.

오답 피하기 ① ㉠은 노벨상을 받은 과학자의 업적이 인류의 지식을 확장한 경우인데, 4문단의 ㉣ 역시 ㉠에 포함된다고 볼 수 있습니다. 그래서 1905년 결핵균을 발견하여 생리 · 의학상을 수상한 코흐의 연구는 질병에 대한 이해를 높이는(㉣) 동시에, 인류의 지식을 확장한 것(㉠)에도 해당됩니다.

출제 의도 문단의 첫머리에서 일반적인 원리나 특징 등을 설명하고, 그에 대한 구체적 사례를 들고 있는 경우는, 어떤 사례가 어떤 원리나 특징에 대응되는지 정확하게 파악할 수 있어야 합니다.

1 1문단에서 1969년 추가로 제정된 경제학상을 제외한 부문들의 수여 원칙은 노벨의 유언장에 쓰여 있는 내용을 기준으로 한다고 했습니다. 이를 통해 경제학상의 수여 기준은 노벨이 직접 정한 내용을 기준으로 하는 것이 아님을 알 수 있습니다.

오답 피하기 ② 2문단에서 노벨상 수상자 선정 과정은 1년이 넘는 기간 동안 공정하고 엄격하게 진행된다고 하였는데, 이는 노벨상에 대한 신뢰성이 높은 이유라고 추론할 수 있습니다.
③ 2문단에서 노벨상 수상자 중 여성은 3%밖에 되지 않으며, 미국과 서유럽 국가들에 편중되어 있음을 확인할 수 있습니다.
④ 2문단에서 과학 부문별로 수상자 수가 다르다는 것을 확인할 수 있는데, 최근 10여 년 동안 90%가 공동 수상이었다고 설명한 데에서 그 이유를 찾을 수 있습니다.
⑤ 2문단에서 수상자 선정 과정은 1년이 넘는 기간 동안 진행된다고 하였고, 과학 분야의 경우 그 지난해에 각 분야에서 가장 큰 발견이나 발명을 한 사람에게 수여한다고 설명한 것에서 알 수 있습니다.

2 ㉮는 최근 10여 년 동안 노벨상을 받은 과학적 업적 중에서 그동안 실험이나 관찰 등 경험적으로 확인되지 않았던 이론을 증명한 경우를 의미합니다. ③에서 아인슈타인이 100년 전 예측했던 중력파는 이론으로만 존재했던 것인데, 이를 최초로 관측한 것은 아인슈타인의 시공간에 대한 이론을 경험적으로 증명한 사례에 해당합니다.

오답 피하기 ① 새로운 발견을 통해 과학적 지식을 심화 · 확장시킨 사례입니다.
② 새로운 분자 기계를 발명해 과학을 발전시킨 사례입니다.
④, ⑤ 새로운 발견을 통해 과학적 지식을 심화 · 확장시키고, 질병 치료에 획기적인 전기를 마련한 사례입니다.

3 이 글에 따르면 과학 부문의 노벨상은 새로운 과학적 발견을 통해 인류의 과학적 진보를 이끌어 왔다는 것을 알 수 있습니다. 또한 〈보기〉에서 이그노벨상은 사람들이 과학을 친숙하고 재미있게 접근할 수 있게 만들어 준다는 점에서 그 의의가 있다고 설명했는데, 이를 바탕으로 과학 부문의 이그노벨상이 과학의 대중화에 기여하고 있다고 판단할 수 있습니다.

오답 피하기 ① 〈보기〉에서 사례로 든 2018년 이그노벨상 의학상을 수상한 연구도 실제 수행한 과학 연구에 해당합니다.
② 이그노벨상은 유머와 재미를 통해 과학을 친숙하게 접근할 수 있게 하는 것이지, 과학을 우스꽝스럽게 만들거나 노벨상의 권위를 비판한다고 볼 수 없습니다.
④ 1문단에서 노벨 평화상이나 문학상은 이상적인 세계를 만드는 데 공헌이 큰 사람에게 주는 것을 확인할 수 있지만, 〈보기〉에서는 이러한 수여 원칙을 확인할 수 없습니다.
⑤ 연구자들이 선정한 과학 연구 주제에 대해 실험적 증명이 뒷받침되는 것은 노벨상도 마찬가지입니다.

4 ⓐ '수상(受賞)'은 '상을 받음.', ⓑ '수여(授與)'는 '증서, 상장, 훈장 따위를 줌.'으로, 서로 반대말 관계입니다. ④의 '매수(買受)'와 '매도(賣渡)' 역시 이와 같은 반대말 관계의 단어로, '매수(買受)'는 '물건을 사서 넘겨받음.', '매도(賣渡)'는 '물건을 팔아넘김.'이라는 뜻입니다.

오답 피하기 ①, ②, ③, ⑤는 모두 반대말 관계가 아니라, 비슷한 말 관계에 있는 한자어들입니다.

생각읽기 **5**

2000여 년의 세월 저편에서

0 ⑤ 1 ① 2 ② 3 ③

Q 농부들이 발견한 병마용의 정체는 무엇인가요?

병마용은 병용과 마용을 의미하는데, 이는 진시황릉을 지키는 상징적인 군대이며, 흙 인형으로 만들어진 군대를 말합니다.

이 글은 우연히 발견된 병마용갱에는 어떤 유물들이 있으며, 그 의의는 무엇인지 설명하고 있습니다. 그리고 화제를 진시황릉으로 바꾸어, 진시황릉의 위치와 규모, 진시황릉에 대한 역사적 기록을 바탕으로 한 추정 내용을 설명한 다음, 마지막으로 진시황릉을 발굴하지 않는 이유를 설명하고 있습니다.

문단으로 생각읽기

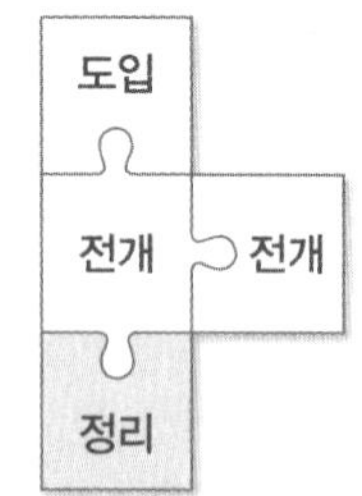

[도입 – 전개 – 전개 – 정리]의 생각 구조

도입 — **흥미 유발**
우연히 발견된 병마용갱을 소개하며 흥미를 유발함. (1문단)

대상 설명 1
병마용갱의 규모와 개념, 병마용갱에서 발견된 유물의 의의를 제시함. (2문단)

대상 설명 2
병마용갱의 발견으로 알게 된 진시황릉과 역사적 기록으로 추정되는 묘실의 구조와 특징을 설명함. (3문단)

이유 제시
중국 당국이 발견된 것 이외의 병마용갱과 진시황릉을 발굴하지 않는 이유를 언급하며 글을 마무리함. (4문단)

0 3문단에서는 역사서에 기록된 진시황릉의 묘실 내부 모습을 설명하고 있습니다. 그중에서 묘실 바닥에는 진나라의 영토를 축소하여 형상화했는데, 수은으로 된 강이 흘러 바다로 이어져 있다고 기록되어 있다고 했습니다. 따라서 묘실에 굳이 수은을 사용하여 강과 바다를 표현한 이유를 묻는 것은 심화 학습의 질문 내용으로 적절합니다.

출제 의도 글을 읽고 심화 학습을 할 때에는, 글의 내용 중 설명이 더 필요한 부분에 대해 스스로 질문하는 과정이 필요합니다. 이때 지문에서 대답을 찾을 수 있는 질문은 심화 학습을 하기 위한 질문으로 적절하지 않으므로 주의해야 합니다.

오답 피하기 ① 3문단을 보면 진시황릉은 병마용갱에서 조금 떨어져 있는 야산처럼 보이는 거대한 봉분 아래에 있으며, 진시황은 중국을 통일한 직후부터 본격적으로 무덤 조성 사업을 시작했다고 나와 있습니다. 이렇게 글에서 찾을 수 있는 내용은 심화 학습을 위한 질문으로 적절하지 않습니다.
② 3문단에서 한(漢)나라에 대한 공식 역사서인 『한서』와, 사마천이 쓴 역사서인 『사기』에 진시황릉에 대한 기록이 있고, 이 역사서들의 기록을 근거로 묘실 내부의 구조를 설명하고 있습니다.
③ 4문단에서 현재의 기술로는 거대한 무덤을 훼손하지 않고 발굴하는 것이 불가능하다고 판단하여 발굴을 하지 않고 있음을 추론할 수 있으므로 심화 학습을 위한 질문으로 적절하지 않습니다.
④ 3문단에서 병마용갱이 발견되기 전까지 진시황릉은 역사적 기록으로만 존재했을 뿐, 어디에 있는지 아무도 몰랐기 때문에 그저 흥미로운 전설로 취급받았다고 했으므로 심화 학습을 위한 질문으로 적절하지 않습니다.

1 1문단에서 마을 농부들이 우물을 파다가 진흙으로 만들어진 단단한 조각상을 발견했다고 했습니다. 그런데 2문단에서 왕의 무덤을 지키는 상징적인 군대로서 흙으로 만든 인형을 함께 묻었고, 이 흙 인형을 '토용'이라고 한다고 설명했습니다. 따라서 병마용갱 유적에서 토용을 처음 발견한 것은 고고학자들이 아니라 마을 농부들이라고 판단할 수 있습니다.

오답 피하기 ② 2문단에 따르면 발굴된 유적에서 병용, 마용이 나와 병마용갱이라고 부르며, 처음 발견되었기에 1호 갱이라고 한다고 설명했습니다. 또한 2호 갱에서는 마용, 기마병용, 전차용, 궁용 등이 발견되었다고 했습니다. 따라서 '마용'이 두 갱에서 발견된 같은 종류의 토용이라는 것을 알 수 있습니다.
③ 3문단에서 병마용갱이 발견되기 전까지 진시황릉은 기록으로만 존재했고, 아무도 그 위치를 알지 못했다고 설명했습니다. 따라서 병마용갱이 진시황릉의 실제 위치를 알게 되는 결정적 계기가 되었음을 알 수 있습니다.
④ 3문단에서 진시황의 관이 있는 묘실의 천장은 둥근 형태로 만들어져 고대 중국의 우주관인 천원지방 사상이 반영된 것으로 추정된다고 설명했습니다.

⑤ 4문단의 저우언라이의 말 "해낼 능력이 없다면 후손을 위해 남겨 두는 편이 낫다."는, 현재의 호기심을 채우기 위해 부족한 기술로 섣불리 발굴하면 유적과 유물을 파괴하게 되므로, 미래 세대를 위해 충분한 기술을 확보할 때까지 발굴을 하지 않고 유물을 보존해야 한다는 의미를 담고 있습니다.

2 무덤에 시신과 함께 묻는 물건을 부장품이라고 하는데, 〈보기〉의 바하리야 유적지에서 발견된 어떤 미라는 개인 유품과 보석으로 만들어진 귀걸이나 목걸이가 부장품으로 함께 묻혀 있습니다. 그러나 병마용갱은 시신을 묻은 무덤이 아닐 뿐만 아니라, 값비싼 부장품이 함께 묻혀 있지도 않았습니다. 금은보화가 부장품으로 묻혀 있을 것으로 추정되는 것은 병마용갱이 아니라 진시황릉의 묘실입니다. 따라서 값비싼 부장품이 함께 묻혀 있는 것은 병마용갱과 바하리야 유적지의 공통점으로 볼 수 없습니다.

오답 피하기 ① 병마용갱은 농민들이 우물을 파다가, 바하리야 유적지는 어떤 사람이 당나귀를 타고 지나가다가 우연히 발견했습니다.
③ 병마용갱은 진시황의 무덤이 아니라, 진시황릉에서 떨어진 곳에 있는 진시황릉을 지키는 상징적인 군대로서 흙으로 만든 인형들이 묻혀 있는 곳이에요. 이에 비해 바하리야 유적지는 그 자체가 공동묘지입니다.
④ 병마용갱은 고대 중국의 뛰어난 예술적 면모를 보여 주는 역사적 자료로 평가받습니다. 반면에 바하리야 유적지는 이집트를 정복했던 고대 그리스와 로마 사람들의 공동묘지로, 여기서 발견된 미라들을 통해 당시 이 지역에 정착했던 그리스와 로마 사람들의 매장 풍습을 알 수 있는 역사적 자료가 됩니다.
⑤ 〈보기〉에서 어떤 미라는 그냥 천으로만 싸여 있고, 어떤 미라는 채색된 미라 커버 속에 있다고 했습니다. 따라서 바하리야 유적지에서 발견된 미라들은 모두 제작 당시 채색된 것은 아니라는 것을 알 수 있습니다. 이에 비해 병마용갱의 토용들은 발견 당시 햇빛에 노출되자 불과 몇 시간 만에 모두 색이 바래졌던 것으로 보아 제작 당시 모두 다양한 색으로 채색되었다고 판단할 수 있습니다.

3 '병사 인형은 병용, 말 인형은 마용, 그들을 모두 뭉뚱그려서 '병마용'이라고 한다.'라고 한 것으로 보아 ㉢은 병용과 마용을 의미함을 알 수 있습니다. 토용은 그보다 더 넓은 개념으로 기마병용, 전차용, 궁용, 장군용 등이 포함됩니다.

생각읽기

6 세상의 끝을 향해 나아가다

0 ② **1** ⑤ **2** ④ **3** ①

Q 포르투갈이 인도로 가는 항로를 개척하려고 한 이유는 무엇인가요?
포르투갈은 금과 향신료를 구입하기 위해, 그리고 기독교 원리주의에 입각하여 이슬람을 격퇴하고 기독교 문명을 전 세계에 전파하고자 하는 야심에서 인도로 가는 새로운 항로를 개척하려 하였습니다.

이 글은 15세기 유럽인들 입장에서 지리적 발견을 이루었던 시기, 포르투갈이 가장 먼저 인도로 가는 항로를 개척할 수 있도록 기틀을 마련했던 인물인 엔리케 왕자의 업적을 설명하고 있습니다.

문단으로 생각읽기

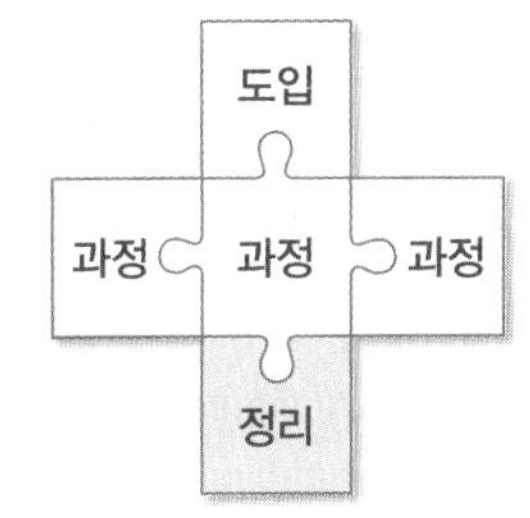

[도입 – 과정 – 과정 – 과정 – 정리]의 생각 구조

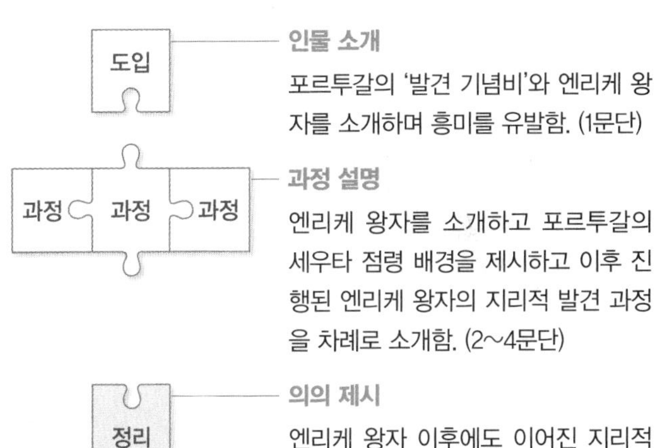

도입
인물 소개
포르투갈의 '발견 기념비'와 엔리케 왕자를 소개하며 흥미를 유발함. (1문단)
과정
과정
과정
과정 설명
엔리케 왕자를 소개하고 포르투갈의 세우타 점령 배경을 제시하고 이후 진행된 엔리케 왕자의 지리적 발견 과정을 차례로 소개함. (2~4문단)
정리
의의 제시
엔리케 왕자 이후에도 이어진 지리적 발견과 엔리케 왕자의 업적이 지닌 의의를 언급하며 글을 마무리함. (5문단)

원리로 생각읽기

독해연습 1 **1** 조선 초기, 고려 시대, 신라, 고려 후기
2 (다)–(나)–(라)–(가)

독해연습 2 **1** 종이가 개발되기 전, 18세기 말, 20세기 중반
2 제책 기술

0 1문단에서는 포르투갈이 인도로 가기 위한 새로운 항로를 개척하게 된 이유, 즉 지리적 발견에 뛰어들게 된 두 가지 배경을 소개하고 있습니다. 우선, 포르투갈은 이슬람 상인들과 이탈리아 상인들이 독점한 향신료와 금 등에 대한 중계 무역에서 철저하게 소외되었기에 세우타를 점령하여 직접 인도로 향하는 항로 개척의 발판으로 삼으려 했던 것이 첫 번째 이유입니다. 두 번째 이유는 종교적인 이유로, 기독교 원리주의에 입각하여 이슬람을 격퇴하고 기독교 문명을 전 세계에 전파하고자 하는 야심을 가지고 있었기 때문입니다. 따라서 ②가 적절합니다.

출제 의도 글을 읽을 때에는 내용 간의 관계를 파악하며 읽는 것이 중요합니다. 이 글은 15세기 포르투갈의 지리적 발견이라는 역사적 사실을 설명하고 있는데 그 배경, 즉 이유를 언급하고 있으므로 이를 파악할 수 있어야 합니다.

오답 피하기 ① 향신료를 생산하여 유럽 국가들과 무역했다는 사실은 이 글에서 확인할 수 없습니다.
③ 2문단을 보면 당시 이탈리아 상인들과 이슬람 상인들이 향신료의 중계 무역을 독점했고, 포르투갈은 이 향신료 무역에서 소외되어 있었다고 하였습니다. 포르투갈이 이탈리아 상인들과 이슬람 상인들의 중계 무역을 방해했다는 내용은 이 글에서 확인할 수 없습니다.
④ 인도로 가는 항로를 처음으로 개척하여 인도와 직접 무역한 것은 인도 항로를 개척한 결과이므로 이를 배경으로 보는 것은 적절하지 않습니다.
⑤ 세우타 점령 이후 엔리케 왕자가 향신료 무역을 목격하고, 무역의 중요성을 깨달았다는 내용은 나오지만 아프리카 상인들에게서 금을 확보했다는 내용은 제시되어 있지 않습니다.

1 5문단에 따르면 엔리케 왕자가 직접 항해를 한 것은 아니지만, 포르투갈 탐험 선단을 적극적으로 지원했기 때문에 포르투갈 선단의 새로운 발견이 가능했던 것입니다. 이로 인해 엔리케 왕자는 포르투갈이 대항해 시대를 여는 데 결정적인 역할을 했기 때문에, 그의 이름이 발견 기념비의 맨 앞에 위치했으며 '항해 왕자'라고 불렸다고 판단할 수 있습니다.

오답 피하기 ① 4문단에서 1434년 엔리케 왕자가 파견한 선단이 보자도르 곶보다 더 남쪽으로 내려가 북회귀선도 통과해 버린 사건은 보자도르 곶보다 남쪽은 부글부글 끓는 바다가 펼쳐져 있는 세상의 끝이라고 생각했던 당시 유럽 사람들의 세계관이 달라지게 된 계기가 되었습니다.
② 엔리케 왕자는 항해가, 천문학자, 선박 기술자, 지도 제작자를 초빙하여 캐러벨선을 개발하고, 항해용 기기들과 새로운 지도를 만들었습니다. 이것은 이후 포르투갈 탐험 선단이 아프리카의 서해안과 대서양의 여러 섬들을 발견할 수 있게 만든 밑거름이 되었습니다.
③ 3문단에서 1427년 포르투갈 서쪽으로 탐험 선단을 파견했고, 아조레스 제도를 발견하게 되었는데, 이곳은 이후 장거리 항해를 할 때 반드시 거치게 되는 중간 기지, 즉 중요한 거점이 되었다고 하였습니다.
④ 5문단에서 1443년에 아르긴 만에 군대를 주둔시킨 다음부터, 금을 약탈하고 아프리카인들을 노예로 잡아와 노예 무역을 하여 포르투갈이 부유해졌다고 설명했습니다.

2 ㉠은 1427년에 발견한 '아조레스 제도'이고, ㉡은 1419년에 발견한 '마데이라 제도'이며, ㉢은 1456년에 발견한 '카보베르데 제도'로, ㉠~㉢은 모두 대서양에 있는 제도(여러 섬들이 모여 있는 곳)들입니다. 이에 비해 ㉣과 ㉤은 아프리카 서부 해안 지역인데, ㉣은 1443년에 도달한 '아르긴 만'이고, ㉤은 1460년에 발견한 '시에라리온'입니다. 이를 발견된 시기별로 다시 정리해 보면, '㉡(1419년) – ㉠(1427년) – ㉣(1443년) – ㉢(1456년) – ㉤(1460년)'입니다.

3 ㉠은 1427년에 발견한 아조레스 제도로, 이곳은 아메리카 대륙을 향하는 신항로 개척을 위한 장거리 항해를 할 때 반드시 거치게 되는 중간 기지가 되었다고 설명했습니다. 하지만 엔리케 왕자가 후원한 탐험 선단들은 아메리카 대륙만이 아니라, 아프리카 대륙으로도 향했기 때문에 엔리케 왕자의 후원을 받은 탐험 선단들이 모두 ㉠에 들렀다고 볼 수 없습니다.

오답 피하기 ② 3문단에서 ㉡ '마데이라 제도'를 대형 선박 건조에 필요한 목재 공급원으로 삼았다고 설명했습니다. 따라서 마데이라 제도에 있던 나무들을 베어 포르투갈로 가져가 탐험 선단의 배인 캐러벨선을 만들었을 것임을 추론할 수 있습니다.
③ ㉢ '카보베르데 제도'는 1434년 엔리케 왕자가 파견한 선단이 보자도르 곶에 도달한 이후에 발견된 곳입니다. 1434년 이후에는 먼 남쪽 바다에 대한 두려움과 미신 대신, 미지의 땅과 바다에 대한 호기심과 모험심을 가지게 되었다고 하였으므로 ㉢을 발견한 사람들은 더 이상 무서워하지 않았을 것입니다.
④ 엔리케 왕자는 ㉣ '아르긴 만'에 포르투갈의 요새를 쌓게 하고 군대를 주둔시켰다고 설명했습니다. 따라서 이곳을 향해 출발한 포르투갈의 배에는 군인들이 많이 타고 있었을 것입니다.
⑤ ㉤ '시에라리온'은 그때까지 발견한 곳들 중 가장 적도에 가까운 곳이라고 설명했습니다. 따라서 상대적으로 북쪽 지역, 즉 위도가 높은 지역인 포르투갈이나 유럽에서 보기에 당시 시에라리온은 가장 남쪽에 있는 지역으로 여겨졌을 것입니다.

생각의 구조화 MIND MAP

생각읽기 1 ㉠	생각읽기 2 ㉤	생각읽기 3 ㉡
생각읽기 4 ㉢	생각읽기 5 ㉠	생각읽기 6 ㉣
1 무의식	2 원자론	3 자릿수
4 노벨상	5 토용(도용)	6 엔리케

생각읽기 1

별빛의 강, 은하수

0 ④ 1 ③ 2 ② 3 ⑤ 4 ②

Q 갈릴레이의 발견을 통해 알게 된 은하수의 실체는 무엇인가요?

갈릴레이가 발견한 은하수는 작게 빛나는 별들이 이어져 만들어 낸 황홀한 야경이었습니다.

이 글은 갈릴레오 갈릴레이가 망원경으로 밤하늘을 처음으로 관찰한 후 알게 된 은하수의 실체와 이후 천문학자들의 은하수에 대해 탐구하고 은하계의 지도를 만드는 과정을 설명하고 있습니다.

문단으로 생각읽기

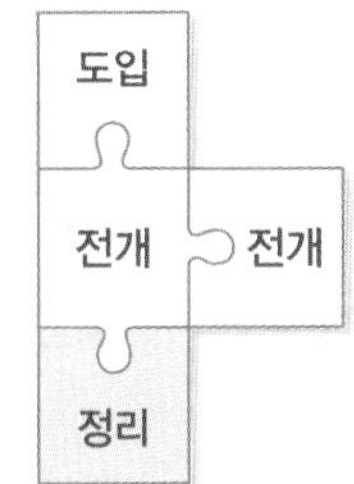

[도입 – 전개 – 전개 – 정리]의 생각 구조

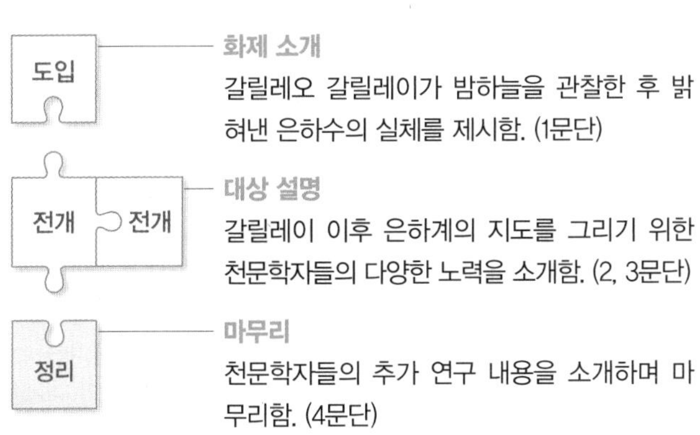

도입
화제 소개
갈릴레오 갈릴레이가 밤하늘을 관찰한 후 밝혀낸 은하수의 실체를 제시함. (1문단)
전개
전개
대상 설명
갈릴레이 이후 은하계의 지도를 그리기 위한 천문학자들의 다양한 노력을 소개함. (2, 3문단)
정리
마무리
천문학자들의 추가 연구 내용을 소개하며 마무리함. (4문단)

0 인류 최초로 망원경을 사용해 밤하늘을 관찰한 갈릴레이는 그동안 인간의 상상 속에서만 존재했던 풍경을 직접 보게 됩니다. 많은 것을 보았지만 특히 은하수가 작은 별들이 이어져 만들어진 것이라는 사실은 갈릴레이에게 큰 감동을 주었습니다.

출제 의도 글의 화제를 제대로 알고 있는지 확인하는 문제입니다. 글에서 갈릴레이가 발견한 사실이 무엇인지 정확하게 파악하는 것이 중요합니다.

1 (가)는 갈릴레이가 망원경을 통해 밤하늘을 관찰하고 은하수의 실체를 발견한 내용과 갈릴레이 이전 시기의 사람들이 은하수에 대해 어떻게 생각했는지에 관한 내용이 제시되어 있습니다. (가)에 따르면 갈릴레이 이전의 사람들은 은하수를 밤하늘에 그려진 거대한 무늬로 여기고 여신이 우유를 흘리고 지나간 자리 같다고 해서 우윳길이라고 불렀다고 했습니다.

오답 피하기 ① 목성 주위를 맴도는 천체가 존재한다는 것은 알 수 있지만 구체적인 종류까지는 알 수 없습니다.
② 은하수의 기원에 관한 내용은 제시되어 있지 않습니다.
④ 갈릴레이가 발명한 망원경의 구체적인 형태에 대해서는 언급되어 있지 않습니다.
⑤ 사람들은 갈릴레이로 인해 우주가 별들로 가득한 무한의 공간이라는 것을 깨달았습니다.

2 (나)에 따르면 천문학자들은 갈릴레이로 인해 은하수의 실체를 알게 된 후 별들이 이어져 만들어 낸 황홀한 야경인 은하수를 포함한 우주의 정확한 지도를 그리고 싶어 했습니다(ⓐ). 그러나 은하계는 너무 거대하기 때문에 한눈에 관찰하는 것이 쉽지 않으므로 은하계의 지도를 그리는 것은 몹시 어려운 일이었습니다(ⓒ).

3 은하계의 지도를 그리는 일이 간단하지는 않지만 과학이 이처럼 발달하기 전에도 오랫동안 천문학자들은 다양한 방법을 활용해 은하계의 지도를 그려 왔음을 (다)를 통해 알 수 있습니다. 또한 윌리엄 허셜은 별의 겉보기 밝기를 비교해 최초로 우리 은하계의 지도를 그렸다는 내용이 (다)에 제시되어 있습니다. 그러므로 ⑤는 적절하지 않습니다.

4 (라)의 첫 부분에서는 천문학자들이 별의 위치를 파악하는 것에서 더 나아가 별들의 운동에 관한 연구를 진행했음을 알 수 있습니다. 별의 움직임을 관찰하기 위한 연구가 과학자들 사이에서 이루어졌다는 내용이 (라)에 언급되어 있으므로 (라)의 뒤에는 이와 관련된 상세한 내용이 제시되는 것이 적절합니다.

생각읽기 2

빛의 두 얼굴

0 긍정, 부정 **1** ⑤ **2** ④ **3** ③ **4** ②

Q '빛 공해'는 생태계에 어떤 문제를 일으킬까요?

빛 공해는 식물들의 정상적인 성장과 동물들의 먹이 사냥이나 짝짓기를 방해하여 생태계를 교란시키는 문제를 일으킵니다.

이 글은 빛 공해의 개념과 빛 공해가 끼치는 부정적인 영향을 설명한 후 빛 공해로 인한 문제를 해소하기 위한 법 조항을 소개하였습니다. 아울러 우리의 삶을 이롭게 하는 빛의 본래 기능을 되찾을 수 있도록 우리 모두가 노력해야 함을 주장하고 있습니다.

■ **문단으로 생각읽기**

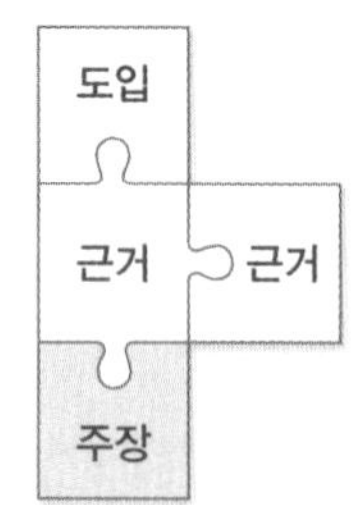

[도입 – 근거 – 근거 – 주장]의 생각 구조

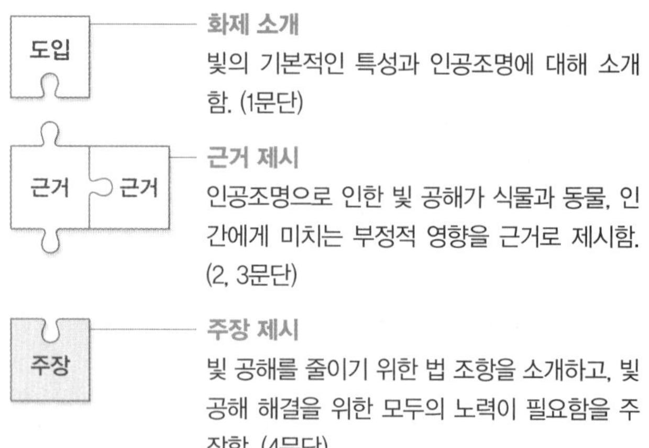

화제 소개
빛의 기본적인 특성과 인공조명에 대해 소개함. (1문단)

근거 제시
인공조명으로 인한 빛 공해가 식물과 동물, 인간에게 미치는 부정적 영향을 근거로 제시함. (2, 3문단)

주장 제시
빛 공해를 줄이기 위한 법 조항을 소개하고, 빛 공해 해결을 위한 모두의 노력이 필요함을 주장함. (4문단).

원리로 생각읽기

독해연습 1 **1** 따라서 ~ 한다.
2 동물 실험을 통해 만들어진 제품을 사지 말자.

독해연습 2 **1** 주장, 생각
2 주변에 소문을 내자.(주변 사람들에게 그것을 알리자.)

0 이 글은 빛의 긍정적인 측면과 부정적인 측면을 모두 소개하고 이를 표현하는 '빛의 두 얼굴'이라는 제목을 취하고 있습니다.

출제 의도 제목을 정하는 과정에 대해 생각해 보는 문제입니다. 글의 제목은 글의 핵심을 보여 주는 역할을 합니다.

1 이 글에서 언급한 수면 장애는 인공조명으로 인한 부작용으로 생겨난 것입니다. 그러므로 수면 장애를 겪는 사람들이 늘어나면서 인공조명의 필요성이 커졌다고 보는 것은 적절하지 않습니다.

오답 피하기 ① 1문단에서 우리가 물체를 볼 수 있는 이유는 빛 때문임을 밝히고 있습니다.
② 1문단에서 달은 태양 빛에 반사되어 보이는 것이라고 하였습니다.
③ 1문단에서 태양이 없는 밤에는 인공조명이 있어 낮과 같이 활동하고 사물을 볼 수 있다고 하였습니다.
④ 3문단에서 인간의 생체 리듬은 빛을 쐬는 주기와 관련된다고 하였습니다.

2 빛 공해에 관해서 정부와 민간 모두 문제의식을 갖고 있기 때문에 빛 공해로 인한 불편함을 줄이기 위한 법 조항이 제정되었다고 이해할 수 있습니다.

3 〈보기〉는 빛 공해로 인해 많은 새들이 희생되는 사례가 늘고 있다는 내용을 다루고 있습니다. 이 글과 〈보기〉 모두 빛 공해에 대해 부정적인 입장을 취하고 있음을 알 수 있습니다.

오답 피하기 ① 이 글에서는 물체를 볼 수 있게 하는 태양 빛의 특성을 언급한 뒤, 밤에 이 태양 빛의 역할을 하는 것이 인공조명이라며 빛의 긍정적인 측면도 언급하고 있습니다.
② 〈보기〉에서는 인공조명의 부정적인 면만 언급하고 있으므로 인공조명의 중요성에 공감한다고 보기 어렵습니다.
④ 이 글과 〈보기〉 모두 인공 구조물이 아닌 인공조명으로 인한 문제를 다루고 있습니다.
⑤ 이 글과 〈보기〉 모두 인간 위주의 사고방식이 얼마나 위험한지에 대해 경고하는 글은 아닙니다.

4 ㉡ '교란'은 '마음이나 상황 따위를 뒤흔들어서 어지럽고 혼란하게 함.'을 뜻합니다. '사람이나 사물을 다른 사람이나 사물로 대신함.'은 '교체'입니다.

생각읽기 3

모네, 빛을 그리다

0 ①	1 ②	2 ⑤	3 ②	4 ⑤

Q 모네, 드가 등은 그림을 그릴 때 왜 빛을 활용해야 한다고 생각했나요?

빛의 조건에 따라 미묘하게 변화하는 색채를 표현하는 것이 자연을 자연답게 보이게 하며 진실을 표현하는 것이라고 생각했기 때문입니다.

이 글은 인상파의 특징과 인상파를 대표하는 화가인 모네의 작품 세계를 소개하고 있습니다. 인상파는 고정된 색은 존재하지 않으며 빛의 움직임이나 각도에 따라 같은 자연이라도 다양한 색채와 분위기가 존재한다고 생각했는데, 모네는 이러한 생각을 그림에 적용한 화가임을 설명하고 있습니다.

문단으로 생각읽기

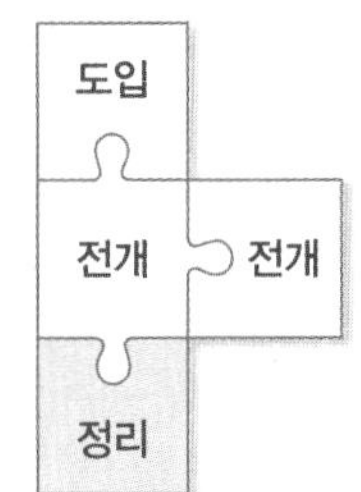

[도입 – 전개 – 전개 – 정리]의 생각 구조

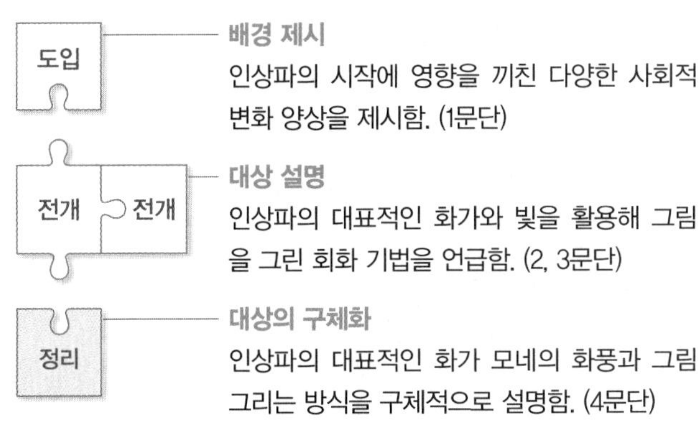

배경 제시
인상파의 시작에 영향을 끼친 다양한 사회적 변화 양상을 제시함. (1문단)

대상 설명
인상파의 대표적인 화가와 빛을 활용해 그림을 그린 회화 기법을 언급함. (2, 3문단)

대상의 구체화
인상파의 대표적인 화가 모네의 화풍과 그림 그리는 방식을 구체적으로 설명함. (4문단)

본문 50~53쪽

0 이 글은 인상파가 '빛'을 얼마나 다채롭게 활용했는지를 모네의 작품을 예로 들어 설명하고 모네가 풍요한 빛의 세계를 미술로 표현한 인상파 화가임을 밝히고 있습니다.

출제 의도 글쓴이가 글을 쓰기 전에 어떤 내용을 쓸지 정하는 과정에 대해 생각해 보는 문제입니다. 결국 글에서 핵심어를 찾아내는 문제이기도 합니다.

1 1문단에 따르면 회화가 새로운 변화의 시대를 맞이할 수 있었던 것은 과학의 발달, 특히 사진기의 발명과 색채학의 발달 때문이라고 볼 수 있습니다. 먼저 과학의 발달(ⓐ)은 그림의 주제 선택이나 기법에 변화를 가져왔고, 사진기가 발명(ⓒ)되면서 사실 묘사는 더 이상 의미를 갖지 못하게 되었다고 하였습니다. 그리고 색채학의 과학적이고 체계적인 발달(ⓓ)은 기존 색채 표현에서 벗어나 새로운 변화의 세계로 나아가는 데 기여했다고 하였습니다.

2 ⓛ은 인상파의 대표적인 화가들입니다. 인상파는 자연의 모든 색은 빛의 조건에 따라 변화하므로 고정된 색은 존재하지 않으며, 빛의 세기나 방향에 따라 다르게 표현하고 이해하는 것이 적절하다고 보았습니다. 이러한 맥락에서 볼 때 ⑤는 적절하지 않습니다.

3 인상파는 전통적인 회화 기법을 거부하고 빛에 의해 달라지는 색의 변화에 집중했습니다. 3문단의 '사물마다 고유한 색채가 있는 것이 아니라 빛에 따라 달리 보일 수 있다고 보았다.'에서 알 수 있듯이, 사물의 고유한 색에 집중하였다는 문구는 인상파 화가들이 거부했던 전통적 회화법에 대한 설명에 해당합니다.

4 3문단에서 인상파는 '짧은 붓질로 나란히 찍어 나가면서 보는 사람의 눈에서 색이 저절로 섞여 보이도록 하거나 가벼운 붓질로 빛으로 인해 생기는 색채의 변화와 반짝임을 표현하였다.'라고 하였습니다. 이러한 특징을 고려할 때 자연스러운 빛의 변화를 담아낸 작품으로 보기 어려운 것은 ⑤입니다. ⑤는 르네상스 미술을 대표하는 화가인 라파엘로의 「기사의 꿈」으로, 인물의 윤곽선이 뚜렷하고 무거운 느낌의 색채로 이루어진 것으로 보아 가볍고 밝은 느낌의 색채를 표현하고자 했던 인상파의 그림은 아님을 알 수 있습니다.

오답 피하기 ①은 모네의 「인상, 해돋이」, ②는 모네의 「수련」, ③은 드가의 「별(무대 위의 댄서)」, ④는 마네의 「봄」으로 모두 인상파 화가의 작품에 해당합니다.

생각읽기 4

스테인드글라스와 중세 성당

0 ③	1 ②	2 ⑤	3 ④	4 ⑤

Q 건축 양식상 스테인드글라스는 왜 고딕 시대에 전성기를 맞이했을까?

고딕 시대의 건축물들은 대체로 공간이 높고, 수직 기둥이 많았는데, 기둥과 기둥을 연결시키는 창이 많아 이들 창에 스테인드글라스를 적극적으로 활용할 수 있었기 때문입니다.

이 글은 스테인드글라스의 유래를 살펴보고, 시대별로 스테인드글라스가 어떻게 발전해 왔는지를 살펴보고 있습니다. 스테인드글라스는 그 자체로 아름다운 것이 아니라 빛이 창을 통과해 들어오면서 다채로운 아름다움을 만들어 냅니다. 이러한 스테인드글라스가 고딕 시대에 어떻게 꽃을 피울 수 있었는지, 현대적으로는 어떤 가치가 있는지를 소개하고 있습니다.

문단으로 생각읽기

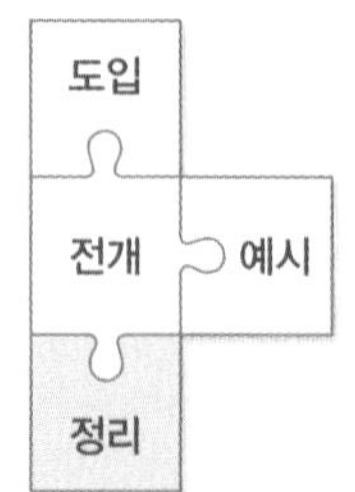

[도입 – 전개 – 예시 – 정리]의 생각 구조

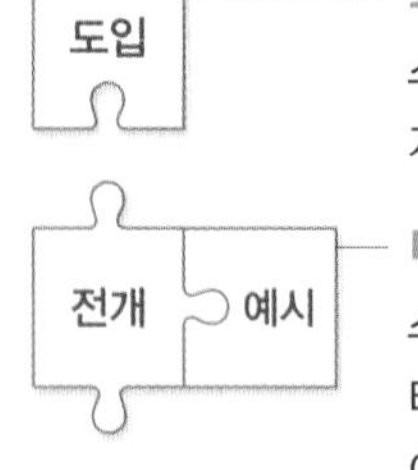

화제 소개
스테인드글라스의 개념과 기본적인 특징을 소개함. (1문단)

대상 설명
스테인드글라스의 기원과 발전 과정, 특히 스테인드글라스가 고딕 시대에 전성기를 맞이한 이유를 설명하고, 구체적 예로 샤르트르 성당을 소개함. (2, 3문단)

정리

가치 언급
스테인드글라스의 종교적 의미와 현대적 가치에 대해 설명함. (4문단)

0 이 글의 핵심 화제는 '스테인드글라스'입니다. 스테인드글라스는 색유리와 이를 통과하는 빛의 아름다움을 보여 주는 특성이 있습니다. 그러므로 중심 화제와 그 특성을 포함하고 비유적 표현을 활용한 것을 고르면 '빛의 오케스트라, 스테인드글라스'가 가장 잘 어울립니다.

출제 의도 제목은 글의 핵심 화제를 포함해야 합니다. 여기서는 비유적 표현을 활용하라고 했으니 먼저 비유법이 활용된 것을 찾을 수 있어야 합니다.

1 이 글은 스테인드글라스가 무엇인지 그 개념을 밝힌 후, 스테인드글라스가 언제 시작되어 어떻게 발전해 왔는지를 설명하고 있습니다.

2 테세라 기법은 스테인드글라스의 기원으로 알려져 있습니다. 이 기법은 고딕 시대 훨씬 이전부터 활용되었던 것으로 비잔틴, 로마네스크 시대를 거치면서 스테인드글라스 기법으로 발전하였고, 고딕 시대에 전성기를 맞이했음을 알 수 있습니다. 하지만 이 글의 내용만으로는 테세라 기법이 현재까지 남아 있는지 알 수 없습니다.

3 스테인드글라스 기법은 고딕 시대에 이르러 건축 양식이 화려해지면서 전성기를 맞이하게 됩니다. 2문단에 따르면 고딕 시대 건축물에는 수직적인 기둥이 많고, 기둥과 기둥을 연결시키는 창도 많아서 스테인드글라스가 적극적으로 활용되었다고 하였습니다. 그런데 스테인드글라스가 비잔틴, 로마네스크 시대를 거치면서 차차 창문에 응용되었음을 알 수는 있지만, 그 시대의 건축 양식이 스테인드글라스의 발달에 큰 영향을 주었는지는 확인할 수 없습니다.

4 4문단에 따르면 스테인드글라스가 현대 사회에서도 그 가치를 인정받아 다양하게 쓰임을 알 수 있습니다. 이러한 관점에 따르면 〈보기〉는 스테인드글라스의 현대적 가치를 인정하지 않은 것이므로 ⑤와 같이 평가할 수 있습니다.

오답 피하기 ①, ② 이 글에서 스테인드글라스는 빛을 통한 화려한 광채로 교회 건축물을 신비한 미적 공간으로 만들었다고 하였는데, 〈보기〉에서도 스테인드글라스는 교회 내부의 공간을 빛이 가득한 천국을 연상시키게 한다고 하였습니다. 이는 스테인드글라스의 역할, 빛과 스테인드글라스의 관계를 제대로 이해하고 평가한 것입니다.

③ 스테인드글라스의 수요 감소는 이 글과는 관련이 없으므로, 이 글을 바탕으로 한 평가로 보기 어렵습니다.

④ 〈보기〉에서 스테인드글라스는 '지성소 영역에 대체로 집중'되었다고 설명하면서 어떤 부분에서 활용되었는지 밝히고 있습니다.

생각읽기 5

빛은 입자일까, 파동일까

0 ⓐ 입자, ⓑ 파동, ⓒ 입자, ⓓ 파동
1 ④ **2** ② **3** ④ **4** ④

Q 아인슈타인은 광전 효과에 대한 설명을 통해 빛의 어떤 속성을 증명했나요?

빛이 입자와 파동의 성질을 모두 가지고 있다는 빛의 이중성을 증명했습니다.

이 글은 빛의 정체에 관해 그동안 겪어 온 논란의 과정을 소개하고 있습니다. 빛은 입자설로도 파동설로도 완전히 설명되지 않고 오랫동안 논란을 거듭해 왔습니다. 그러다 아인슈타인이 광전 효과를 통해 빛이란 입자이면서 동시에 파동임을 밝혀내면서 그동안의 혼란이 정리가 되었음을 밝히고 있습니다.

■ **문단으로 생각읽기**

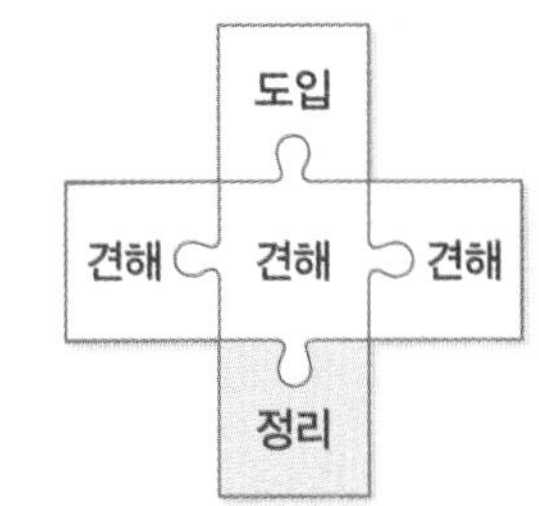

[도입 – 견해 – 견해 – 견해 – 정리]의 생각 구조

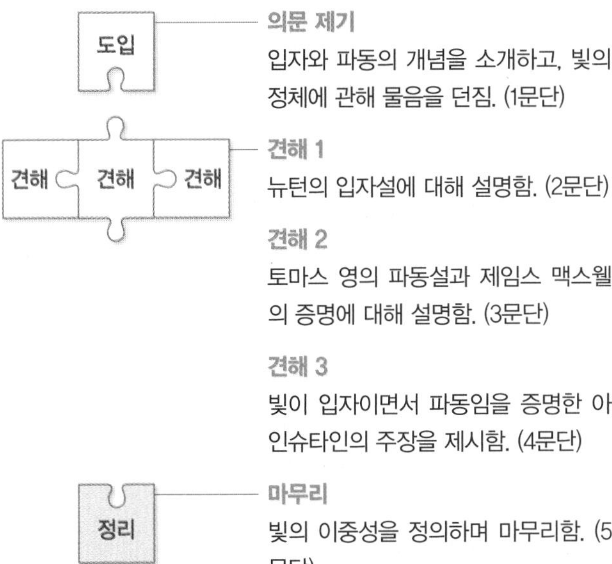

도입
견해
견해
견해
정리
의문 제기
입자와 파동의 개념을 소개하고, 빛의 정체에 관해 물음을 던짐. (1문단)
견해 1
뉴턴의 입자설에 대해 설명함. (2문단)
견해 2
토마스 영의 파동설과 제임스 맥스웰의 증명에 대해 설명함. (3문단)
견해 3
빛이 입자이면서 파동임을 증명한 아인슈타인의 주장을 제시함. (4문단)
마무리
빛의 이중성을 정의하며 마무리함. (5문단)

0 뉴턴과 토마스 영, 아인슈타인은 빛의 정체에 관해, 즉 빛이 입자인지 파동인지에 대해 의견을 나누고 있습니다. 결론적으로 뉴턴은 입자설(ⓐ)을, 토마스 영은 파동설(ⓑ)을, 아인슈타인은 빛이 입자(ⓒ)와 파동(ⓓ)의 특성을 모두 가진 독특한 존재임을 주장하였습니다.

출제 의도 글에 등장하는 과학자들의 가상 대화의 주제가 곧 글의 주제이므로 글의 내용을 종합적으로 이해하고 있는지 묻고 있습니다.

1 이 글은 빛의 정체가 입자인지 파동인지를 둘러싼 이론이 시대에 따라 어떻게 변화해 왔는지를 설명하고 있습니다. 이러한 서술 방식을 통해 독자는 빛의 정체에 관한 논란을 통시적으로 살펴보게 되므로 ④가 적절합니다.

2 3문단에 따르면 제임스 맥스웰은 빛이 전자기파, 즉 파동이라는 것을 증명하였습니다. 그러므로 빛의 성질에 관해서는 입자설을 주장한 뉴턴과 다른 생각을 갖고 있다고 이해할 수 있습니다.

3 1문단에 따르면 '돌멩이'는 파동 자체가 아니라 파동을 만들어 내는 물질에 해당합니다.

오답 피하기 ① 1문단에 입자란 물질이라는 내용이 나와 있습니다.
② 1문단에서는 입자란 물질이고, 물질을 아주 작게 쪼개도 입자라고 설명하고 있습니다.
③ 1문단의 예시에서 보듯 호수의 물결이 퍼지는 것은 파동의 원리로 설명할 수 있습니다.
⑤ 1문단에 따르면 입자는 그 자체가 움직이지만 파동은 에너지를 전달해 움직임을 만듭니다.

4 5문단에 따르면 아인슈타인은 '파장이 짧은 빛은 에너지가 큰 입자들의 모임이고, 파장이 긴 빛은 에너지가 작은 입자들의 모임'이라고 하였습니다. 그러므로 아인슈타인이 빛의 입자 크기와 파장의 길이가 무관하다는 것을 밝혀냈다는 '은수'의 생각은 적절하지 않습니다.

오답 피하기 ① 4문단에서 빛의 정체 논란에 대한 혼란스러운 상황을 정리한 사람이 아인슈타인임을 밝히고 있습니다.
② 4문단에서 광전 효과를 설명할 때 빛은 파동으로 설명할 수 없는 현상들이 나타나는데, 아인슈타인은 이에 근거해 파동설에 의문을 제기했다고 하였습니다.
③ 4~5문단에 따르면, 빛이 파동이면 주파수와 관계가 없어야 하는데 그렇지 않은 현상들이 나타나므로, 아인슈타인은 빛을 입자라고 가정하고 이 현상을 설명함으로써 빛이 파동의 성질과 입자의 성질을 모두 가지고 있음을 밝혀냈습니다.
⑤ 빛의 이중성은 빛이 파동의 성질과 입자의 성질을 모두 가지고 있는 존재임을 의미합니다.

생각읽기 6 빛을 숭배한 조로아스터교

0 빛, 조로아스터교, 불　　1 ①　　2 ③
3 ③　　4 ④

Q 조로아스터교에서는 '어둠'을 어떻게 정의하고 있나요?

어둠은 악을 상징하고 빛과 반대되는 속성을 지니며, 어둠은 빛에 언제나 패배한다고 정의하고 있습니다.

이 글은 빛의 종교라고 불리는 조로아스터교의 특징과 다른 종교와의 관계에 대해 설명하고 있습니다. 불을 숭상하는 것으로 알려진 조로아스터교는 유일신을 믿고 어둠, 즉 악을 인정한 종교라는 점에서 특이하며, 또한 세계 종교사에 끼친 영향이 큰 종교 중 하나임을 설명하고 있습니다.

문단으로 생각읽기

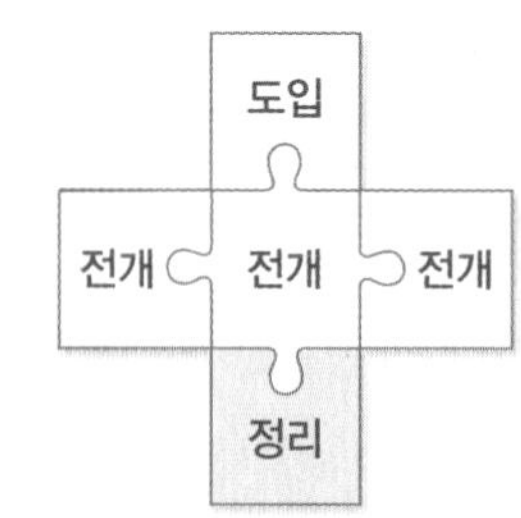

[도입 – 전개 – 전개 – 전개 – 정리]의 생각 구조

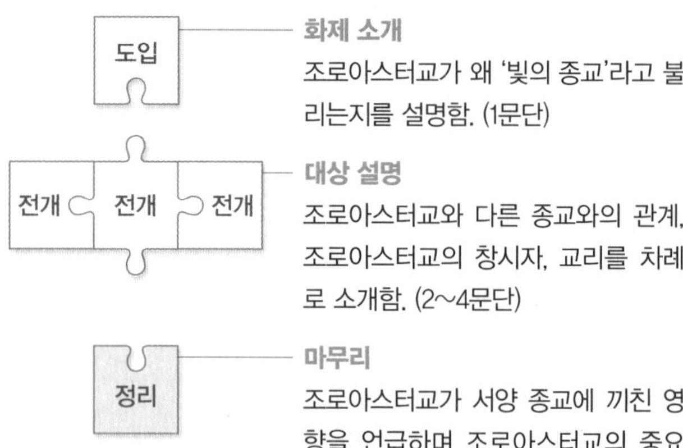

도입
화제 소개
조로아스터교가 왜 '빛의 종교'라고 불리는지를 설명함. (1문단)
전개
전개
전개
대상 설명
조로아스터교와 다른 종교와의 관계, 조로아스터교의 창시자, 교리를 차례로 소개함. (2~4문단)
정리
마무리
조로아스터교가 서양 종교에 끼친 영향을 언급하며 조로아스터교의 중요성을 강조함. (5문단)

0 빛의 종교라고 불리는 조로아스터교는 불을 신성시하며 소중히 다루었습니다.

출제 의도 글의 핵심어를 활용해 문장을 완성하는 문제입니다. 글의 내용을 참고하여 〈보기〉에서 제시한 핵심어를 문맥에 맞게 넣어 문장을 완성할 수 있어야 합니다.

1 조로아스터교가 6세기 이래 중국으로 전해진 것일뿐 중국에서 시작된 종교는 아닙니다.

2 (나)에서 알 수 있듯이, 조로아스터교는 유대교에 영향을 끼쳤고(ⓐ), 성경에 등장하는 동방 박사는 조로아스터교 제사장들을 가리킵니다(ⓔ). 그리고 (다)에서 알 수 있듯이 조로아스터교는 조로아스터가 창시한 종교이며(ⓓ), 아후라 마즈다를 유일신으로 섬깁니다(ⓒ).

오답 피하기 ⓑ 조로아스터교는 이슬람교의 영향을 받은 것이 아니라 이슬람교에 영향을 주었습니다.
ⓕ (다)의 '왕과 조정을 설득하는 데 성공하여 조로아스터교는 전국으로 급속히 퍼져 나갔다.'를 보면, 조로아스터교는 왕실을 중심으로 전파되었음을 알 수 있습니다.

3 조로아스터교는 빛과 어둠이 동시에 존재하는 것으로 인식하고 있습니다. 이는 아후라 마즈다를 중심으로 구분되는 개념인데, 어둠은 언제나 빛에게 패하지만 선한 빛이 존재하는 한 악한 어둠 또한 존재한다고 보는 것이므로 ③은 적절하지 않습니다.

4 조로아스터교는 신도 수가 많지 않은 작은 종교이지만 세계 종교의 형성에 많은 영향을 끼쳤습니다. (마)에서는 이러한 조로아스터교의 영향력을 소개하고 해당 종교의 중요성을 강조하고 있습니다. 이러한 문맥을 고려할 때 ㉠에는 '그러나', ㉡에는 '그러므로'가 들어가는 것이 적절합니다.

생각의 구조화 MIND MAP

생각읽기1 ㉡　　생각읽기2 ㉠　　생각읽기3 ㉡
생각읽기4 ㉣　　생각읽기5 ㉢　　생각읽기6 ㉤
1 은하수　　2 인공조명　　3 인상파
4 고딕　　5 이중성　　6 빛

생각읽기 1 자연에서 발견한 피보나치수열

본문 70~73쪽

0 ⑤ 1 ⑤ 2 ④ 3 ① 4 ②

Q 식물이 피보나치수열에 따라 꽃잎이나 잎을 피우는 이유는 무엇일까요?

식물이 생장에 유리한 효율적 환경을 만들기 위해서입니다.

이 글은 자연에서 발견되는 피보나치수열을 설명하고 있습니다. 피보나치에 의해 만들어진 수열을 살펴보고, 자연에서 발견되는 피보나치 수열을 통해 알 수 있는 자연의 원리를 구체적 사례를 들어 설명하고 있습니다.

문단으로 생각읽기

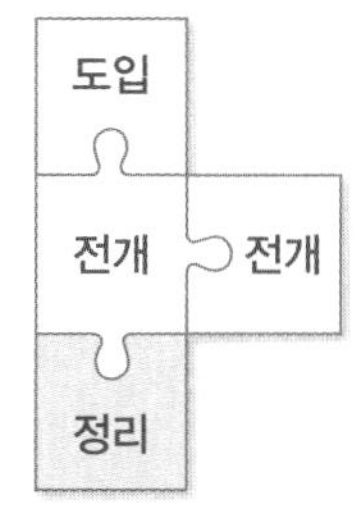

[도입 – 전개 – 전개 – 정리]의 생각 구조

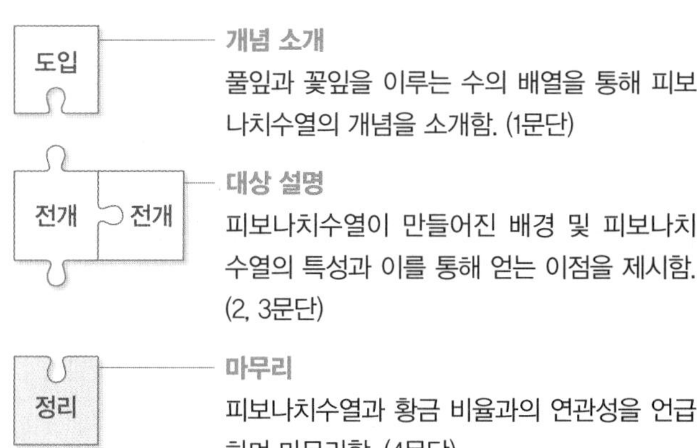

도입
개념 소개
풀잎과 꽃잎을 이루는 수의 배열을 통해 피보나치수열의 개념을 소개함. (1문단)
전개
전개
대상 설명
피보나치수열이 만들어진 배경 및 피보나치 수열의 특성과 이를 통해 얻는 이점을 제시함. (2, 3문단)
정리
마무리
피보나치수열과 황금 비율과의 연관성을 언급하며 마무리함. (4문단)

0 이 글은 식물의 잎, 꽃잎, 씨앗, 토끼의 번식 등에서 나타나는 피보나치수열을 설명하면서 이러한 수의 규칙은 식물이 최적의 환경을 만들기 위한 선택이며 그 결과가 황금비와 이어짐을 밝히고 있습니다. 따라서 '자연에서 찾은 수학 법칙'을 표제로 하고 이를 좀 더 구체화한 '피보나치수열과 황금비율의 관계'를 부제로 정할 수 있습니다.

출제 의도 글의 제목을 추리하는 문제는 글을 읽고 글 전체 내용을 압축하여 표현할 수 있는지를 확인하기 위한 물음에 해당합니다.

1 3문단에서 해바라기 꽃이 더 큰 경우에 나선의 수가 증가하여 나타난다고 하였으므로 꽃의 크기가 달라져도 나선의 개수가 동일하다는 것은 적절하지 않습니다.

오답 피하기 ① 4문단에서 '꽃은 가장 효율적으로 암술과 수술을 보호하기 위해 피보나치수의 꽃잎'으로 되어 있다고 하였습니다.
② 20은 피보나치수에 해당하지 않으므로, 20장의 꽃잎으로 이루어진 꽃은 흔하지 않을 것임을 추론할 수 있습니다.
③ 1문단에서 토끼풀은 일반적으로 3장의 잎을 가진다고 하였는데, 3은 피보나치수열에 속하는 수입니다.
④ 3문단에서 해바라기는 시계 방향과 시계 반대 방향으로 씨앗이 나선을 그리며 박혀 있으며, 나선의 수가 각각 21개와 34개로 차이가 난다는 점을 확인할 수 있습니다.

2 피보나치수열은 앞의 두 수를 더하면 다음 수가 만들어지는 특성이 있으므로 '셋째 달(2쌍)+넷째 달(3쌍) = 다섯째 달(5쌍)'이라는 식이 성립합니다.

오답 피하기 ① 첫 달과 둘째 달은 토끼가 한 쌍이므로 마릿수는 2마리로 같습니다.
② 토끼는 태어난 지 두 달이 넘어야 번식이 가능하므로 셋째 달에 태어난 토끼는 다섯째 달이 되어야 출산이 가능합니다.
③ 번식 가능한 토끼는 매달 암수 한 쌍만을 낳는다고 하였으므로 셋째 달에 태어난 토끼는 다섯째 달 이후 매월 암수 한 쌍을 출산합니다.
⑤ 여섯째 달에 번식 가능한 토끼 쌍은 두 달 전에 태어난 토끼 쌍 외에도 첫 달과 셋째 달에 태어난 토끼 쌍이 포함됩니다.

3 식물이 피보나치수열을 따르는 이유는 골고루 많은 씨를 담아내거나 서로를 가리지 않고 햇빛을 받는 등 생장에 유리한 효율적 환경을 만들기 위해서입니다. 이를 바탕으로 볼 때, 〈보기〉의 나뭇가지도 각 가지가 어느 한쪽으로 성장이 치우치지 않도록 효율적으로 성장하기 위해 피보나치수열을 따른다고 볼 수 있습니다.

4 구성원 모두에게 최적의 환경을 만들어 내는 사례를 찾아야 하므로 ②가 가장 적절합니다.

생각읽기 2

양귀비는 지금 봐도 예쁠까

0 ① 1 ② 2 ② 3 ④ 4 ①

Q 철학자 볼테르의 견해를 인용해 글쓴이가 말하고자 한 것은 무엇인가요?

두꺼비의 시각에서 바라보는 미의 기준이 다른 동물이나 사람들의 기준과 같지 않다는 것을 통해 상대적 관점에 따라 미의 기준이 달라진다는 것을 강조하고 있습니다.

이 글은 동양을 대표하는 미녀로 당나라 때 최고의 미녀로 평가받았던 양귀비가 지금 기준에서도 미인인가 하는 질문으로 호기심을 끈 후, 여러 사례를 바탕으로 시대의 흐름과 사회 문화적 환경에 따라 미의 기준이 달라짐을 설명하고 있습니다.

문단으로 생각읽기

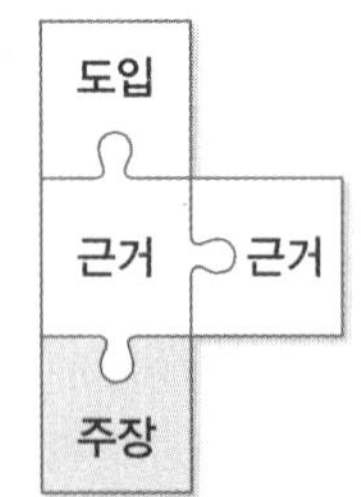

[도입 – 근거 – 근거 – 주장]의 생각 구조

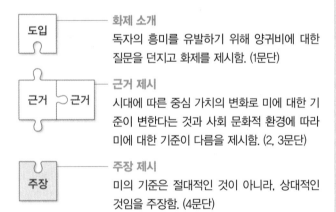

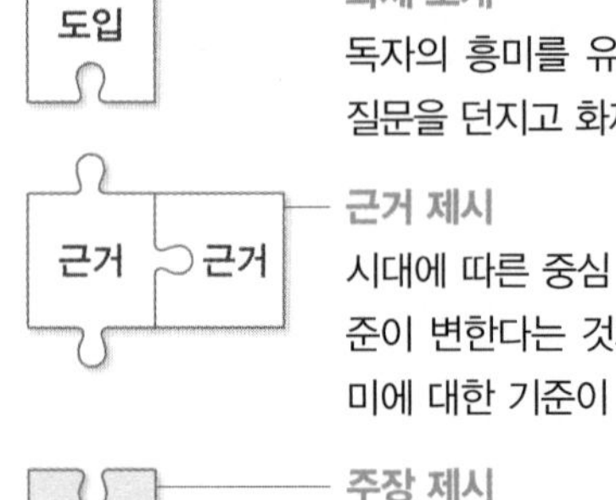

화제 소개
독자의 흥미를 유발하기 위해 양귀비에 대한 질문을 던지고 화제를 제시함. (1문단)

근거 제시
시대에 따른 중심 가치의 변화로 미에 대한 기준이 변한다는 것과 사회 문화적 환경에 따라 미에 대한 기준이 다름을 제시함. (2, 3문단)

주장 제시
미의 기준은 절대적인 것이 아니라, 상대적인 것임을 주장함. (4문단)

원리로 생각읽기

독해연습 1 **1** 최저 임금제 **2** 최저 임금제의 개념과 효과

독해연습 2 **1** ㉥ 양날의 칼, 인공 지능

2 ㉥ 인공 지능은 인류의 친구인가, 지배자인가

0 이 글은 시대적 가치와 사회 문화적 환경에 따라 미를 바라보는 기준이 다르기 때문에 결국 미의 기준이 상대적이라는 주제를 말하고 있습니다.

출제 의도 주제는 글의 전체 내용을 포괄할 수 있어야 합니다. 부분적으로만 일치하는 것은 주제가 될 수 없습니다.

1 이 글은 처음, 중간, 끝의 3단 구성으로 되어 있습니다. 처음 부분인 (가)에서 양귀비를 언급하며 화제를 제시하고 있습니다. 중간 부분은 시대에 따라 미의 기준이 변한다는 내용 (나)와 사회 문화적 환경에 따라 미의 기준이 다르다는 내용 (다)로서, 이 두 문단은 어느 것이 앞에 와도 짜임에 문제가 없는 병렬식 구성입니다. 마지막으로 (라)에서 전체 내용을 정리하고 있습니다.

2 (나)는 고대, 로마 시대, 중세 시대라는 시대의 흐름에 따라 중심적인 가치가 변하고, 이에 따라 미인에 대한 기준도 달라졌음을 설명하고 있습니다.

3 각 문화는 저마다의 특수한 환경에서 만들어진 것으로, 그 나름대로 가치를 지닌다고 〈보기〉에서 말하고 있습니다. 이 글도 미의 기준이 시대와 사회 문화적 환경에 따라 다르다는 입장이므로, 이 글과 〈보기〉 모두 어느 하나의 절대적 기준만 고집하지 말고 상대적인 기준을 인정해야 한다는 공통된 생각을 보여 줍니다.

오답 피하기 ① 이 글과 〈보기〉는 모두 시대·사회 문화적 환경 등의 특수한 상황을 중시하고 있습니다.
② 〈보기〉에서 문화는 다른 집단과 교류하면서 축적된 결과물로서 가치가 있다고 언급하기는 하였지만, 이 글에서는 다른 대상과의 교류를 통해 얻은 가치에 대해서는 언급하지 않았습니다.
③ 이 글과 〈보기〉 모두 다양한 가치의 인정을 강조하였을 뿐, 이로 인해 자신의 중심 가치를 잃게 된다고 보지는 않았습니다.
⑤ 시대에 따라 나타나는 것은 그 시대만의 특수한 가치에 해당하는 것이지 보편적 가치라고 말할 수 없습니다.

4 '경국지색'은 '임금이 혹하여 나라가 기울어져도 모를 정도의 아름다움'이라는 뜻으로 '나라를 기울게 할 만한 미모'에 해당합니다.

오답 피하기 ② '군계일학'은 닭의 무리 속에 있는 한 마리의 학이라는 뜻으로, 많은 사람 가운데서 뛰어난 인물을 가리킵니다.
③ '조강지처'는 몹시 가난하고 천할 때에 고생을 함께 겪어 온 아내를 말합니다.
④ '팔방미인'은 어느 모로 보나 아름다운 사람이라는 뜻으로 여러 방면에 능통한 사람을 가리킵니다.
⑤ '현모양처'는 어진 어머니이면서 또한 착한 아내를 가리킵니다.

생각읽기 3

무지개는 왜 여러 색을 띨까

0 ④	1 ④	2 ⑤	3 ⑤	4 ①

Q 무지개의 색에 대한 데카르트의 주장이 타당하지 않음을 밝히기 위해 뉴턴이 사용한 방법은 무엇인가요?

뉴턴은 두 개의 프리즘에 빛을 통과시켜 빛의 성질을 규명한 실험을 통해 데카르트의 주장이 타당하지 않음을 밝혔습니다.

이 글은 빛이 굴절과 산란 과정을 통해 무지개가 여러 빛깔의 색을 띠는 이유를 밝혀내고 빛의 성질을 규명한 뉴턴의 실험을 소개하고 있습니다.

문단으로 생각읽기

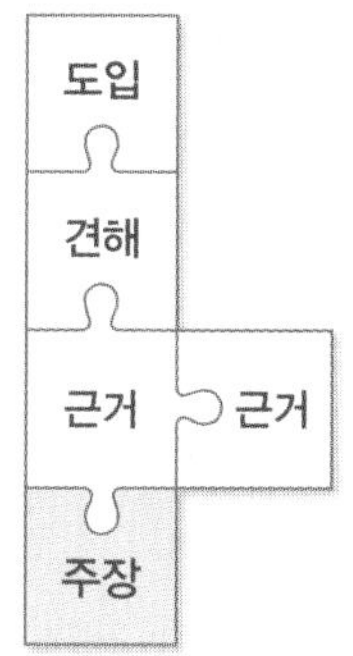

[도입 – 견해 – 근거 – 근거 – 주장]의 생각 구조

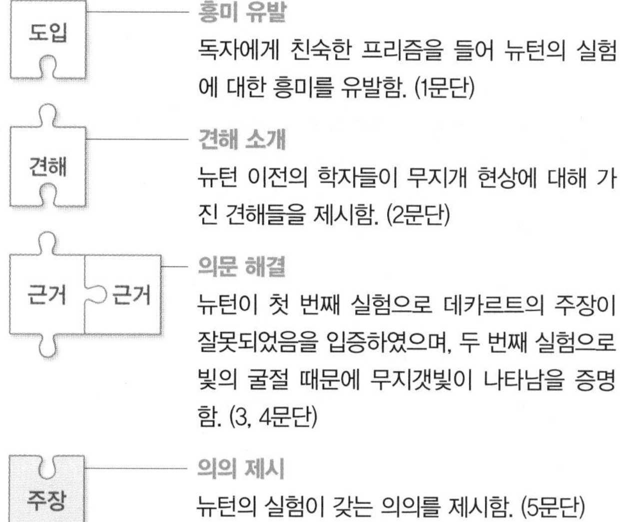

흥미 유발
독자에게 친숙한 프리즘을 들어 뉴턴의 실험에 대한 흥미를 유발함. (1문단)

견해 소개
뉴턴 이전의 학자들이 무지개 현상에 대해 가진 견해들을 제시함. (2문단)

의문 해결
뉴턴이 첫 번째 실험으로 데카르트의 주장이 잘못되었음을 입증하였으며, 두 번째 실험으로 빛의 굴절 때문에 무지갯빛이 나타남을 증명함. (3, 4문단)

의의 제시
뉴턴의 실험이 갖는 의의를 제시함. (5문단)

0 (라)에서 뉴턴의 첫 번째 실험에 이어 두 번째 실험을 소개한 것은 맞지만, 두 번째 실험이 첫 번째 실험의 문제점을 해결하기 위한 것은 아닙니다. 그보다는 햇빛에 여러 색이 포함되어 있다는 사실을 확인하려는 의도에서 진행된 것이므로 첫 번째 실험을 보강하기 위한 의도로 보아야 합니다.

출제 의도 글쓰기 계획을 묻는 대화를 활용해 글의 세부 내용에 대한 이해를 묻고 있습니다. 각 문단에 제시된 내용과 인터뷰 내용의 일치 여부를 확인하면 답을 찾아낼 수 있습니다.

1 (라)에서 뉴턴은 빛을 프리즘에 통과시켰다가 볼록렌즈로 다시 모으는 실험을 하고 있습니다. 이는 뉴턴이 자신의 주장을 증명하기 위해 창안한 실험 방법으로서 기존 학자들이 했던 실험 방식에는 해당하지 않습니다.

2 뉴턴은 프리즘을 통과한 빛이 그 안에 포함된 색의 성질에 따라 꺾이는 정도가 달라서 무지갯빛이 나타난다고 보았습니다. 곧 색의 성질에 따라 빛이 꺾이는 정도가 다른 것이지 프리즘이라는 물체의 고유한 성질에 따라 빛이 꺾이는 정도에 차이를 보인다고 생각한 것은 아닙니다.

3 (다)~(라)에 따르면 빛은 프리즘을 통과하여 꺾이면서 무지개 색으로 나뉩니다. 〈보기〉에서 비가 내리고 있거나, 비가 내린 직후의 공기 중에는 많은 물방울이 포함되어 있다고 하였으므로 이 물방울이 빛을 꺾이게 하는 프리즘의 역할을 한다고 판단할 수 있습니다. 즉 여러 색이 합쳐져 있는 햇빛이 물방울을 통과하면서 꺾이는 정도에 따라 분리되어 여러 색의 무지개가 나타남을 알 수 있습니다.

오답 피하기 ① 공기 중에 들어 있는 물방울은 프리즘에 대응되는데, 뉴턴은 프리즘의 재질로 인해 여러 색이 나오는 것이 아니라 빛이 프리즘을 통과하면서 꺾이는 정도에 따라 그 색이 달라진다고 보았습니다. 따라서 공기 중에 다양한 물방울의 성질이 섞여 있어서 무지개의 일곱 색깔이 나온다고 보는 것은 적절하지 않습니다.
② 여러 색의 빛이 물방울을 통과하는 것이 아니라 햇빛 속에 여러 색이 포함되어 있다가 물방울을 통과하여 꺾이면서 여러 색으로 나타난다고 보아야 합니다.
③ 물방울의 성질로 인해 여러 색으로 바뀐다는 것은 뉴턴이 부정했던 데카르트의 생각에 해당합니다.
④ 무지개가 진정한 색이 아니라는 것은 고대 학자들의 생각입니다.

4 '연구하여 새로운 안을 생각해 냄.'은 '고안'의 사전적 의미입니다. '규명'은 '어떤 사실을 자세히 따져서 바로 밝힘.'의 의미를 갖는 단어입니다.

생각읽기 4

자연을 닮은 가우디의 건축 세계

0 ⑤	1 ④	2 ④	3 ⑤	4 ④

Q 가우디를 빼어난 건축가로 손꼽는 이유는 무엇인가요?

가우디는 기존 건축의 흐름에 얽매이지 않고 자연에서 아이디어를 찾아 합리적이고 아름다운 건축물을 만들어 낸 창의적인 건축가이기 때문입니다.

이 글은 자연에서 아이디어를 얻고 자연의 본성을 합리적으로 사고하여 건축에 감성을 담아낸 스페인의 건축가 가우디의 건축 세계를 다양한 사례를 들어 설명하고 있습니다.

문단으로 생각읽기

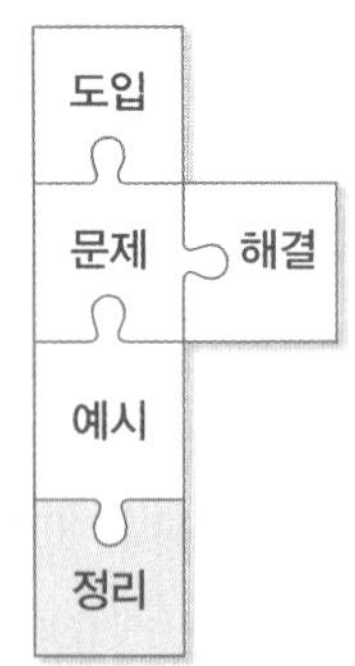

[도입 – 문제 – 해결 – 예시 – 정리]의 생각 구조

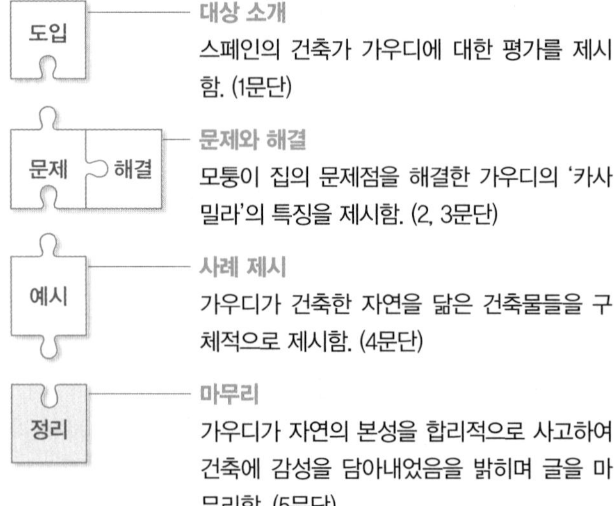

도입
대상 소개
스페인의 건축가 가우디에 대한 평가를 제시함. (1문단)
문제
해결
문제와 해결
모퉁이 집의 문제점을 해결한 가우디의 '카사밀라'의 특징을 제시함. (2, 3문단)
예시
사례 제시
가우디가 건축한 자연을 닮은 건축물들을 구체적으로 제시함. (4문단)
정리
마무리
가우디가 자연의 본성을 합리적으로 사고하여 건축에 감성을 담아내었음을 밝히며 글을 마무리함. (5문단)

0 3, 4문단에서 자연을 모티프로 삼은 가우디의 건축물을 소개하고, 5문단에서 가우디는 자연의 본성을 합리적으로 사고하여 건축에 감성을 담아냈다고 평가하였습니다. 따라서 이를 잘 담아낸 제목은 ⑤입니다.

출제 의도 글의 제목은 글 전체의 내용을 포괄하고 있어야 하므로 전체 내용을 파악하고 있는지 묻는 문제입니다.

1 바르셀로나는 위생적이지 못한 도시 환경을 개조하기 위해 건축물들을 정사각형으로 구획하고 건물의 높이를 6층으로 제한하여 모든 집에 채광과 환기가 잘 되게 하였다고 했습니다. 그런데 그 결과로 블록의 모퉁이에 지어진 집은 햇빛이 잘 들지 않고 바람이 잘 통하지 않는 문제가 있었고, 모퉁이에 지어질 집이었던 '카사밀라'는 이 문제를 해결하기 위해 자유로운 형태로 디자인이 되었습니다. 따라서 도시 전체의 건물과 노화를 고려하여 직선과 대칭으로 디자인이 되었다는 설명은 적절하지 않습니다.

2 가우디의 건축물들은 자연에서 모티프를 가져와 대부분 직선이나 대칭보다는 포물선과 나선 등의 곡선과 자연스러운 비대칭 구조가 주를 이룬다고 했습니다. ④는 노트르담 대성당으로, 직선과 정형화된 곡선을 사용하여 건물의 좌우가 대칭이 되도록 만들어져 있습니다.

오답 피하기 ① 돌로 만든 세상이 펼쳐져 있는 '구엘 공원'의 일부입니다.
② 기둥에 플라타너스 나무의 모습을 덧입힌 '사그라다 파밀리아 성당'입니다.
③ '뼈로 지은 집'이라는 별명이 붙은 '카사바트요'입니다.
⑤ 석조 건물의 유기적 형태를 만들어 낸 '카사밀라'입니다.

3 자연의 본성을 합리적으로 사고함으로써 획득한 기술력과 탁월한 창의성이 결합된 건축물이라는 내용은 ㉠을 설명하는 글의 마지막 문장에서 찾을 수 있으나 ㉡을 설명하고 있는 〈보기〉에서는 이와 같은 내용을 찾아보거나 유추할 수 없습니다.

4 ⓓ의 '근거'는 '어떤 일이나 의논, 의견에 그 근본이 됨. 또는 그런 까닭'의 뜻으로, '추론은 사실에 근거해야 한다.'와 같은 예문을 들 수 있습니다. 반면 ④의 '근거'는 '근본이 되는 거점'의 뜻으로, '활동의 근거로 삼다.'와 같은 예문을 들 수 있습니다.

생각읽기 5

한국의 전통미와 자연

0 한국적 미의 근원은 한국의 자연이다.

1 ④ **2** ④ **3** ① **4** ⑤

Q 한국적 곡선미가 형성되는 데 영향을 준 독특한 한국의 자연 조건은 무엇인가요?

완만한 산과 평평한 들을 이루는 노년기 지형이 한국적 곡선미의 형성에 영향을 주었습니다.

이 글에서는 한국적 미의 원천이 오랜 침식의 과정을 통해 완만한 산과 평평한 들을 이루는 노년기 지형인 한국의 자연임을 밝히며, 우리의 전통 가옥인 초가집과 기와집, 조선 백자, 풍속화와 산수화, 민화의 사례를 근거로 들어 주장을 펼치고 있습니다.

■ 문단으로 생각읽기

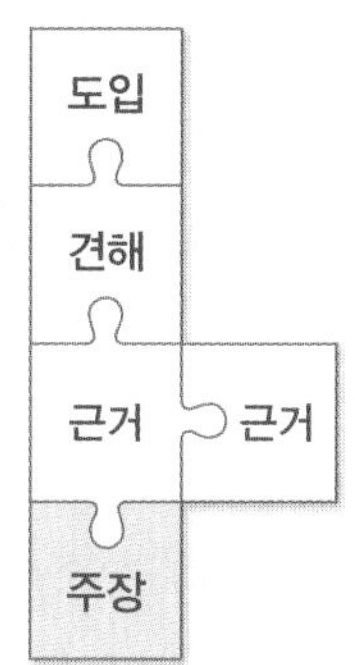

[도입 – 견해 – 근거 – 근거 – 주장]의 생각 구조

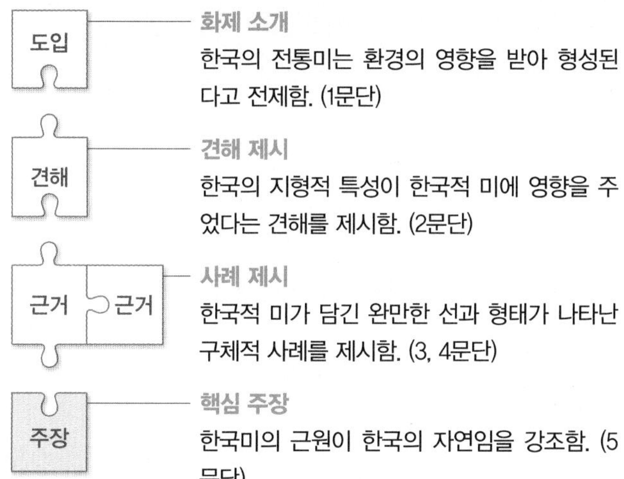

도입
화제 소개
한국의 전통미는 환경의 영향을 받아 형성된다고 전제함. (1문단)
견해
견해 제시
한국의 지형적 특성이 한국적 미에 영향을 주었다는 견해를 제시함. (2문단)
근거
근거
사례 제시
한국적 미가 담긴 완만한 선과 형태가 나타난 구체적 사례를 제시함. (3, 4문단)
주장
핵심 주장
한국미의 근원이 한국의 자연임을 강조함. (5문단)

0 이 글은 한국적 미의 원천이 지질학적으로 오랜 침식의 과정을 통해 완만한 산과 평평한 들을 이루는 노년기 지형인 한국의 자연에 있음을 주장하는 글로, 이를 전통 가옥의 지붕과 그림 등 다양한 사례를 들어 뒷받침하고 있습니다.

출제 의도 글에 제시된 다양한 사례를 일반화하여 글쓴이가 궁극적으로 말하고자 하는 바를 파악할 수 있는지를 알아보는 문제입니다.

1 이 글에서 수수하면서도 파격적인 곡선미가 드러나는 예로 제시한 것은 한국의 전통 가옥이 아니라 민화입니다. 한국의 전통 가옥은 자연스러우면서 운치 있는 곡선미를 가지고 있습니다.

2 5문단에서 '선과 형태에 관한 전통적인 개념이 현대 미술에까지 계승되고 있다고 자신 있게 말하지는 못한다.'라고 했으므로 ④는 적절하지 않습니다.

3 〈보기〉를 참고하면 다음과 같이 추론할 수 있습니다.

- 대전제: 환경은 미의식에 영향을 준다.
- 소전제: 노년기 지형의 부드러운 선은 한국적 환경의 특징이다.
- 결론: 부드러운 선과 형태가 한국의 미이다.

4 '맹모삼천지교(孟母三遷之敎)'는 맹자의 어머니가 아들의 교육을 위해 집을 세 번 옮겼다는 고사로, 환경이 인간에게 끼치는 영향이 크다는 뜻을 담고 있습니다. ⑤의 '검은 데 가면 검어지고 흰 데 가면 희어진다'는 주위 환경이 사람의 사상이나 성격에 큰 영향을 준다는 뜻이므로 '맹모삼천지교'와 바꿔 쓸 수 있습니다.

오답 피하기 ① '아니 땐 굴뚝에 연기 날까'는 원인이 없으면 결과가 있을 수 없음을 비유적으로 이르는 속담입니다.
② '윗물이 맑아야 아랫물이 맑다'는 윗사람의 행실이 바르면 아랫사람도 행실이 바르게 된다는 말입니다.
③ '가는 말이 고와야 오는 말이 곱다'는 남에게 말이나 행동을 좋게 해야 자기에게도 좋은 반응이 돌아온다는 뜻입니다.
④ '콩 심은 데 콩 나고 팥 심은 데 팥 난다'는 원인에 따라서 결과가 생긴다는 것을 비유적으로 이르는 말입니다.

생각읽기 6

음악을 들으면 어떻게 정서가 느껴질까

0 ⑤ 1 ⑤ 2 ④ 3 ② 4 ③

Q 키비는 표현주의와 형식주의 이론을 어떤 방식으로 접목시켰나요?

키비는 정서가 대상이나 믿음과 같은 인지적인 요소를 포함한다는 형식주의자들의 입장에서 어떻게 음악이 정서를 나타내는가 하는 표현주의자들의 입장을 접목하였습니다.

이 글은 음악을 들으면 어떻게 정서가 느껴지는가에 대해 음악이 특정 정서를 표현하기 때문에 정서를 느낄 수 있다는 표현주의자들의 입장과, 음악은 정서를 표현할 수 없고 음악은 음악적 형식에 담긴 고유한 요소들에 의해 아름다운 것이라는 형식주의자들의 입장을 소개하고, 이를 접목하여 음악과 정서의 관계를 설명한 키비의 주장을 소개하고 있습니다.

문단으로 생각읽기

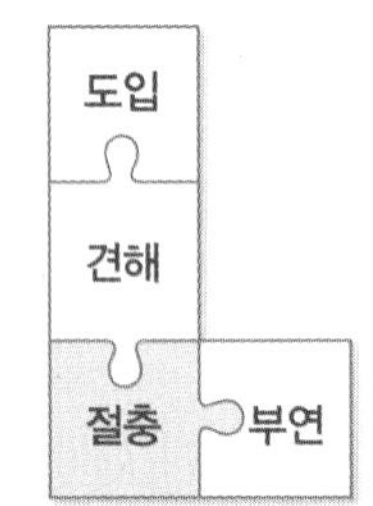

[도입 – 견해 – 절충 – 부연]의 생각 구조

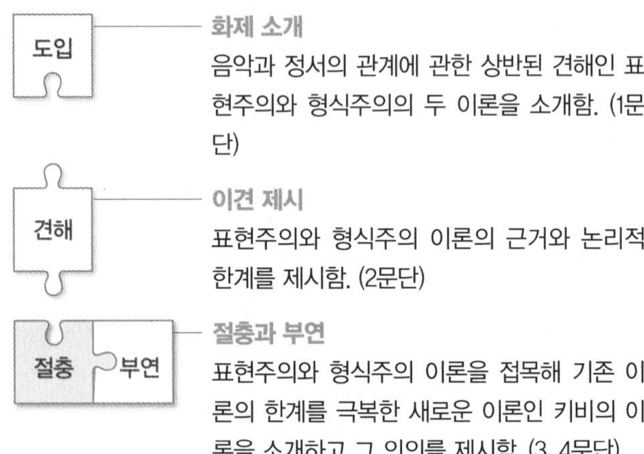

도입
화제 소개
음악과 정서의 관계에 관한 상반된 견해인 표현주의와 형식주의의 두 이론을 소개함. (1문단)
견해
이견 제시
표현주의와 형식주의 이론의 근거와 논리적 한계를 제시함. (2문단)
절충
부연
절충과 부연
표현주의와 형식주의 이론을 접목해 기존 이론의 한계를 극복한 새로운 이론인 키비의 이론을 소개하고 그 의의를 제시함. (3, 4문단)

0 이 글은 음악과 정서의 관계에 관한 표현주의와 형식주의의 입장을 제시하고 이를 접목한 키비의 주장을 중점적으로 다루고 있으므로 이와 관련하여 주제를 정리할 수 있어야 합니다. ⑤는 표현주의와 형식주의를 절충한 키비의 주장을 담고 있으므로 질문에 대한 답변이 될 수 있습니다.

출제 의도 여러 주장이 제시된 글에서 핵심 내용을 정리할 수 있는지를 확인하는 문제입니다.

1 4문단을 보면 키비는 음악 외적 요소인 정서를 음악의 내재적 형식과 연관 지음으로써 정서가 단순히 청자의 주관적 반응이 아니라, 음악을 듣고 인지되는 객관적 속성에서 비롯된 것으로 설명하였습니다. 따라서 '음악 내적 요소인 정서를 음악의 외재적 형식과 연관' 짓는 것이라는 진술과 '청자의 주관적 반응'이라는 설명은 적절하지 않습니다.

2 느린 박자와 낮은 음이 사용된 단조 선법은 음악의 형식적 요소에 주목하는 것으로 이러한 음악의 내재적 형식과 정서를 연결지어 설명하는 것은 키비의 접근법으로 볼 수 있습니다.

오답 피하기 ① 플라톤은 특정 음계가 특정 정서를 유발한다고 하였고, 라비냑도 올림 바장조와 라단조가 각각 특정 정서를 유발한다고 하였으므로, 두 사람은 음악이 정서와 관계가 있다고 보았음을 알 수 있습니다.
② 플라톤은 도리아 음계가 엄숙한 정서를 유발한다고 하였는데, 이 도리아 음계는 현대의 라단조와 닮았다고 하였습니다. 그리고 라비냑도 라단조가 엄숙한 정서를 유발한다고 하였으므로, 두 사람은 라단조인 모차르트의 「레퀴엠」이 엄숙한 정서를 유발한다고 볼 것입니다.
③ 형식주의자들은 음악의 형식적 요소를 중시하고 정서를 배제하였으므로, 나약한 정서나 엄숙한 정서는 음악의 본질이 아니라고 생각할 것입니다.
⑤ 키비는 음악 내적인 형식 요소들을 적절히 선별하여 음악을 구성하면 정서를 환기하는 다양한 패턴, 즉 음악의 윤곽선을 만들어 낼 수 있다고 하였습니다. 음계, 장조, 단조는 음악 내적인 형식 요소에 해당하므로 이를 구성하여 정서를 환기하는 다양한 패턴인 '음악의 윤곽선'이 된다고 볼 수 있습니다.

3 ②는 성경에 적힌 것이 진리인 이유가 성경에 그렇게 적혀 있기 때문이라고 하는 것으로, 결론에서 주장하고자 하는 바를 전제로 제시한 순환 논증의 오류를 범하고 있습니다.

오답 피하기 ① 종교적 의미의 '인간'과 사전적 의미의 '인간'을 혼동한 애매어의 오류입니다.
③ 반론이 일어날 수 있는 원천을 막아 버린 원천 봉쇄의 오류입니다.
④ 과학적으로 밝혀지지 않은 것을 근거로 삼은 무지에 호소하는 오

류입니다.
⑤ 다른 상황에 동일한 원칙을 적용한 원칙 혼동의 오류입니다.

4 ⓛ은 문맥상 '해결하기 어렵거나 난처한 대상. 또는 그런 일'의 의미를 가지고 있습니다. ③의 '문제'도 같은 의미로 사용되었습니다.

오답 피하기 ① '어떤 사물과 관련되는 일'의 의미를 가지고 있습니다.
② '귀찮은 일이나 말썽'의 의미를 가지고 있습니다.
④ '논쟁, 논의, 연구 따위의 대상이 되는 것'의 의미를 가지고 있습니다.
⑤ '해답을 요구하는 물음'의 의미를 가지고 있습니다.

생각의 구조화 MIND MAP

생각읽기 1 ㉠ 생각읽기 2 ㉤ 생각읽기 3 ㉡
생각읽기 4 ㉢ 생각읽기 5 ㉡ 생각읽기 6 ㉣
1 피보나치 2 아름다움 3 무지개
4 가우디 5 자연 6 키비

생각읽기 1 힘을 정확하게 재려면

본문 100~103쪽

0 ② 1 ④ 2 ① 3 ⑤

Q 물리학적 힘이라고 판단할 수 있는 세 가지 요소에는 무엇이 있나요?
힘이 가해지는 대상과 힘이 작용한 결과로 대상이 움직이는 방향과 속도가 달라지는데, 이렇게 힘이 가해지는 대상, 방향, 속도를 물리학적 힘의 요소라고 합니다.

이 글은 물리학에서 말하는 힘의 개념과 알짜힘, 물리학에서 힘을 표현하는 방법인 벡터의 개념을 설명한 다음, 물리학적 힘의 개념과 벡터가 지닌 의의를 설명하고 있습니다. 까다로운 물리학 용어를 설명하면서 일상적인 사례와 그림 자료, 그리고 구체적 수치를 활용하여 독자의 이해를 돕고 있습니다.

■ 문단으로 생각읽기

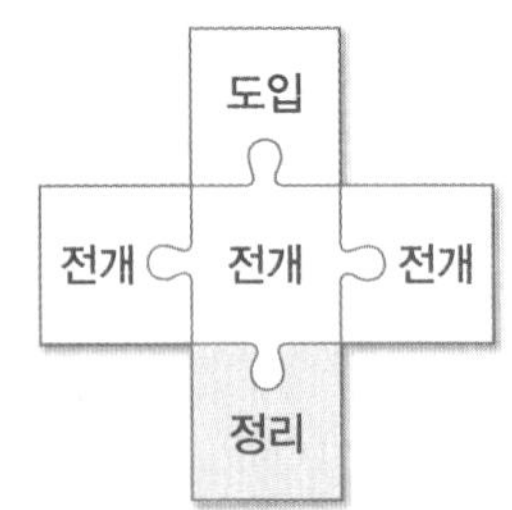

[도입 – 전개 – 전개 – 전개 – 정리]의 생각 구조

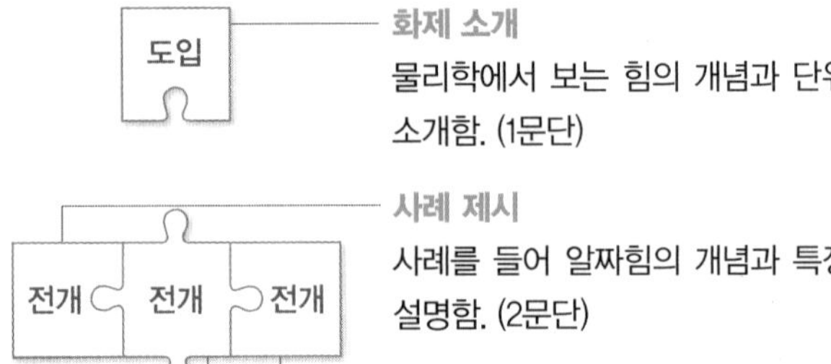

화제 소개
물리학에서 보는 힘의 개념과 단위를 소개함. (1문단)

사례 제시
사례를 들어 알짜힘의 개념과 특징을 설명함. (2문단)

개념 설명
벡터의 개념과 표현 방법, 좌표 평면 상에서 벡터를 표시하는 방법을 설명함. (3, 4문단)

마무리
벡터로 표시되는 물리학적 힘의 의의를 제시함. (5문단)

0 [A]에서 나는 10N의 힘을 가하고 있고, 친구는 나와 반대 방향으로 각각 5N, 10N, 15N의 힘을 가하고 있습니다. 친구가 힘을 가하는 세 가지 경우 중 10N의 힘을 가할 때에는 3문단의 〈그림 2〉와 같은 경우이므로 내가 가하는 힘을 $\vec{A}$라고 표현한다면 친구의 힘은 $-\vec{A}$로 표현해야 합니다. 하지만 친구가 5N, 또는 15N의 힘을 가한다면 내가 가하는 힘과 방향과 크기 모두 다르므로, 내가 가하는 힘을 $\vec{A}$라고 표현한다면 친구의 힘은 $\vec{B}$라고 표현해야 합니다.

출제 의도 서로 다른 문단에 제시된 두 정보를 종합적으로 사고할 수 있는지를 묻는 문제입니다. 글에서 설명한 내용 중 서로 연관성이 있는 내용이 있을 경우, 글쓴이가 서술하지 않았더라도 독자는 능동적으로 두 내용을 종합하여 이해할 수 있어야 합니다.

1 2문단에서 벡터를 사용하여 물체에 작용하는 힘과 물체가 움직이는 방향을 표현한다고 했습니다. 그리고 5문단에서 알짜힘의 벡터에 시간 개념을 더하면 물체의 속도를 알 수 있다고 설명했습니다. 따라서 두 내용을 종합하면, 시간에 따른 알짜힘의 벡터를 파악하여 비행기가 날아가는 속도는 물론 방향도 알 수 있다고 판단할 수 있습니다.

오답 피하기 ① 야구공을 치는 순간 야구공에 가해지는 힘의 크기뿐만 아니라 방향도 알아야 하고, 날아오는 야구공에 가해진 힘과 방향 역시 알아야 알짜힘을 알 수 있습니다.
② 2문단에서 한 물체에 하나의 힘만 가해져도 알짜힘이라고 표현한다고 했습니다.
③ 다리 근육의 힘을 측정하는 것은 힘의 크기만 파악한 것입니다. 자유롭게 운동장을 달리고 있으므로 달리는 방향도 알아야 알짜힘을 알 수 있습니다.
⑤ 멈추려 하는 자동차의 알짜힘을 알기 위해서는 진행 방향으로 작용하는 힘의 크기와 반대 방향으로 작용하는 힘의 크기 차이를 알아야 합니다. 즉 자동차의 반대 방향으로 작용하는 힘도 더해야 하므로 진행 방향으로 작용하는 힘들을 모두 더한 힘이 곧 알짜힘이 되는 것은 아닙니다.

2 ⓐ의 맥락에서 '힘'은 '어떤 일을 할 수 있는 능력이나 역량.'이라는 의미로 사용되었습니다. ①의 문장에서도 역시 같은 의미로 사용되었습니다.

오답 피하기 ②의 '힘'은 '한 나라의 국력이나 세력.'이라는 의미입니다.
③의 '힘'은 '기계나 기구 따위가 스스로 움직이거나 다른 물체를 움직이게 하는 작용.'이라는 의미입니다.
④의 '힘'은 '사람이나 동물이 몸에 갖추고 있으면서 스스로 움직이거나 다른 물건을 움직이게 하는 근육 작용.'이라는 의미입니다.
⑤의 '힘'은 '자연 현상이 일어나는 작용의 세기나 그것이 다른 사물에 영향을 미치는 작용.'이라는 의미입니다.

3 〈그림 4〉는 $\vec{A}$와 $\vec{B}$로 평행 사변형을 만들면 그 대각선이 알짜힘의 벡터 $\vec{C}$가 되며, 도형의 성질을 이용하여 $\vec{C}$를 구한다고 설명했습니다. 그런데 〈보기〉에서는 직각 삼각형의 성질, 즉 피타고라스의 정리를 설명하고 있으므로, 이를 종합하면 〈그림 4〉의 $\vec{C}$의 크기는 직각 삼각형을 이용하여 그 크기를 알 수 있다고 판단할 수 있습니다. $\vec{C}$의 끝점에서 x축과 직교하는 연장선을 그으면 직각 삼각형이 만들어지므로, $\vec{C}$의 끝점 좌표 (5, 3)를 활용하여 $\vec{C}$의 크기를 구할 수 있습니다. 그런데 이때 만들어지는 직각 삼각형의 밑변은 5, 높이가 3이므로, 이를 피타고라스의 정리에 대입하면 $5^2+3^2=25+9=34$가 됩니다. 따라서 $\vec{C}$의 힘의 크기는 '제곱해서 34가 되는 수'이지 5가 아니므로 ⑤는 적절하지 않습니다.

오답 피하기 ① 〈보기〉와 〈그림 3〉은 모두 삼각형을 이용하는 방법인데, 이 두 경우 모두 때 $\vec{B}$의 시작점 좌표는 $\vec{A}$의 끝점 좌표입니다. 이와 달리 〈그림 4〉의 $\vec{A}$와 $\vec{B}$의 시작점은 모두 원점입니다.
② 〈보기〉와 다르게 〈그림 3〉과 같이 $\vec{A}$와 $\vec{B}$가 서로 직교하지 않을 경우, $\vec{B}$의 끝점에서 x축에 직교하는 선을 긋게 되면, 직각 삼각형이 만들어지고, 이때 피타고라스의 정리를 이용하여 빗변인 $\vec{C}$의 길이, 즉 힘의 크기를 구할 수 있습니다.
③ $\vec{B}$의 끝점 좌표가 (12, 5)이므로, 끝점에서 x축과 직교하는 연장선을 그으면 직각 삼각형이 만들어집니다. 이때 밑변은 12, 높이가 5가 되는데, 피타고라스의 수(5, 12, 13)를 만족하게 되므로 $\vec{C}$의 길이, 즉 힘의 크기는 13N이 되는 것입니다.
④ $\vec{C}$의 끝점 좌표를 알 때, $\vec{C}$의 끝점에서 x축과 직교하는 연장선을 그으면 직각 삼각형을 만들 수 있고, 이때 x축 좌표는 밑변이 되고, y축 좌표는 높이가 되므로, 피타고라스의 정리를 이용해 $\vec{C}$의 크기를 알 수 있습니다.

생각읽기 2 유치원의 권력

0 ④　　1 ②　　2 ⑤　　3 ②

Q 사회적 힘이 큰 유아들은 어떤 특성을 지니고 있나요?
사회적 힘이 큰 유아들은 다른 아이들에 비해 신체적인 힘이 세고 운동 능력, 인지 능력이 뛰어나며 언어 표현력이 우수합니다.

이 글은 사회적 힘의 개념이 무엇인지를 밝힌 다음, 사회적 힘의 개념을 교육학에서 중요하게 다루는 까닭과 통념과 달리 유아들도 사회적 힘을 가지고 있음을 설명하고 있습니다. 유아들이 사용하는 사회적 힘의 양상을 긍정적인 것과 부정적인 것으로 나눈 다음, 각 유형별로 구체적인 전략과 각 전략에 대응하는 아이들의 행동 전략을 비교해 다루고 있습니다.

문단으로 생각읽기

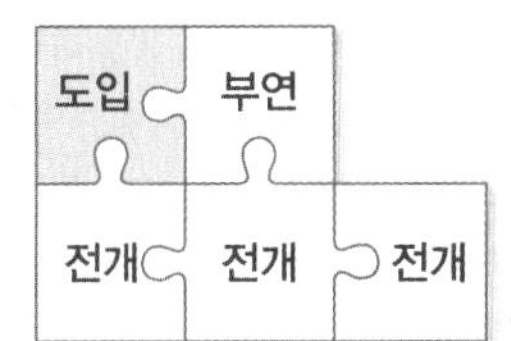

[도입 – 부연 – 전개 – 전개 – 전개]의 생각 구조

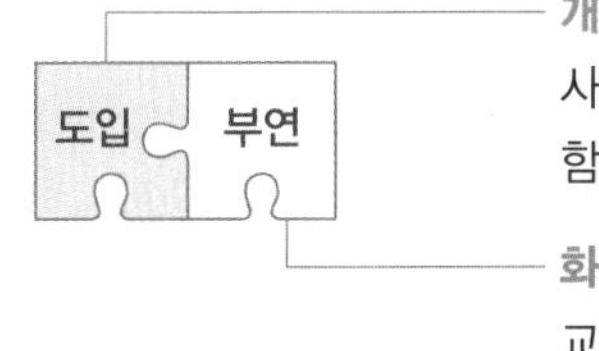

개념 설명
사회적 힘의 개념과 형성 요인을 설명함. (1문단)

화제 소개
교육학에서 중요하게 다루는 유아들의 사회적 힘을 제시함. (2문단)

대상 설명
유아들의 사회적 힘의 요소와 사용 양상을 설명하고, 유아들의 사회적 힘의 긍정적 사용과 부정적 사용에 대해 언급함. (3~5문단)

0 3문단을 보면 갈등이 발생했을 때 설득력 있는 설명과 협상을 통해 갈등을 중재하여 문제를 해결하는 것이 '타협하기'와 '중재하기' 전략입니다. 이는 사회적 힘을 긍정적으로 사용하는 친사회적인 행동입니다. 따라서 큰 사회적 힘을 가진 아이가 자신이 가진 힘을 부정적으로 사용하지 않고 다른 아이를 위해 긍정적으로 사용한 행위에 대해 칭찬해 주는 것은, 이후에도 친사회적인 행동을 강화하게 만들어 줄 수 있습니다.

출제 의도 이 글은 유아들 사이에 나타나는 사회적 힘의 작용 양상을 중점적으로 설명하고 있으므로, 이와 연관성이 높은 유치원 교사가 되려는 사람의 상황을 가정해 보고 이에 적용해 보도록 하는 문제입니다.

오답 피하기 ① 3문단에서는 사회적 힘이 큰 아이들은 교사나 부모의 칭찬을 많이 받게 되고, 리더십이 강화된다고 했습니다. 문제는 사회적 힘이 큰 것 자체가 아니라 그 힘을 부정적으로 사용하는 것입니다. 따라서 인기가 많은 아이에게 되도록 칭찬을 하지 않는 것은 오히려 사회적 힘을 긍정적으로 사용하지 않도록 만들 수 있으므로 적절하지 않습니다.
② 5문단에 따르면 '회피하기' 전략을 사용하는 아이는 부정적인 감정 상태에 있을 확률이 높으므로, 이 아이에게 엄격하게 꾸짖는 훈육을 하는 것은 적절하지 않습니다.
③ 4문단에 따르면 '억지 부리기' 전략을 사용하는 아이는 이미 다른 아이들에 비해 인지 능력이나 언어 표현 능력이 뛰어난 상태입니다.
⑤ 사회적 힘을 부정적으로 사용하는 행위는 반사회적 행동에 해당하므로, 무조건 사회적 힘이 큰 것이 좋다고 생각하게 만드는 것은 적절하지 않습니다.

1 사회적 힘은 다른 사람의 생각이나 태도, 행동, 감정 등을 변화시킬 수 있는 능력을 의미하는 것으로, 이를 다른 사람의 생각과 감정을 조종한다고 표현하는 것은 적절하지 않습니다. 이뿐만 아니라 사회적 힘을 가진 사람이 이 힘을 부정적으로 사용할 경우 다른 사람이 반사회적 행위를 하도록 만들 수는 있으나 사회적 힘 자체가 반사회적 행위를 유도하는 힘은 아닙니다.

오답 피하기 ① 서로 동등한 위치에 있는 유아들과 달리 성인 사회에서 사회적 힘을 형성하는 요인에는 사회적 · 경제적 지위나 권력 등이 포함되어 있습니다.
③ 유아들이 사회적 힘을 긍정적으로 발휘할 때에는 다른 아이를 돕는 이타적 행위로 나타나고, 부정적으로 발휘할 때에는 자기 이익만 위하는 이기적 행위로 나타나게 됩니다.
④ 사회적 힘의 정의 자체가 타인에게 영향력을 미치는 능력이므로, 어른 집단에서도 이 힘이 큰 사람이 리더십을 가지게 됩니다.
⑤ 2문단에서 교육학에서 사회적 힘에 대해 중요하게 다루는 것은 이에 대한 연구를 통해 아이들의 원만한 발달과 성장을 돕기 위해서라고 하였습니다.

2 ㉡의 앞 문장을 보면 사람들은 일반적으로 학교에 갈 정도의 나이가 되어야 자신의 말과 행동에 대해 타인이 어떻게 생각하고 느끼는지 알게 된다고 설명했습니다. 사회적 힘을 형성하려면 자신의 말과 행동이 다른 사람에게 어떤 영향을 끼칠지 알아야 하는데, 이렇게 아는 능력을 인지적 능력이라고 합니다. 그리고 다른 사람의 감정을 헤아리는 것은 정서적 수준이 높아야 가능합니다. 이를 종합해 보면 사람들은 일반적으로 유아들이 아직 인지적 수준이나 정서적 수준이 낮기 때문에 사회적 힘이 존재하지 않을 것이라고 생각한다고 추론할 수 있습니다.

오답 피하기 ①, ③, ④ 유아들에게 나타나는 특징이라고 볼 수는 있지만, ㉡과는 관련이 없습니다.
② 유아들도 교사나 부모, 유치원 친구 등과의 사회생활을 하고 있으므로 다른 사람과의 접촉 기회가 없는 것은 아니며, 또한 이는 ㉡과도 관련이 없는 내용입니다.

3 <보기>의 대화 상황은 사회적 힘이 큰 '재희'가 '놀이 독점하기' 전략을 사용하는 모습을 보여 주고 있습니다. 재희는 정국에게 가위를 가져오도록 명령하고, 소영의 행동을 제지하며, 석진에게는 화장실의 위치를 지정해 주고 있는데, 이를 통해 재희가 놀잇감, 놀이 역할, 주도권, 선택권 등을 모두 독차지하는 것을 알 수 있습니다. 그런데 ⓑ는 지민이 재희가 요구하지 않은 행위를 자발적으로 하고 있음을 보여 주는 것이므로, 청자인 재희의 요구를 자발적으로 수용하고 있다고 보기 어렵습니다. 그리고 사회적 힘을 부정적으로 사용하고 있는 재희에 대해 언제 있을지도 모를 갈등을 미리 중재하고 있지도 않습니다.

오답 피하기 ① 발화자인 재희는 놀이의 주도권을 독점하고 있으며, 청자인 정국에게 가위를 가져올 것을 명령하고 있습니다.
③ 발화자인 재희는 다른 아이들 앞에서 자신을 '엄마'라고 지칭하고 있는데, 이를 통해 재희가 자신을 어른과 동일시한다는 것을 알 수 있습니다.
④ 발화자인 소영은 청자인 재희의 말을 반박하고 자신의 행동을 계속함으로써 재희의 말을 무시하고 있는데, 이는 재희가 가진 사회적 힘이 자기보다 약하다고 생각하기 때문입니다.
⑤ 발화자인 석진은 재희의 놀이 독점하기를 인정하고 그대로 따르는 '수용하기' 전략을 사용하고 있습니다.

생각읽기 3

왕의 권력은 어디에서 오는가

0 ④ 1 ⑤ 2 ② 3 ①

Q 동양에서 왕의 권력이 정당화되었던 이유는 무엇인가요?

하늘의 명령인 천명을 수행하는 덕이 있는 통치자를 천자라고 하여 하늘이 천자, 즉 왕에게 하늘의 절대적인 권력을 부여했다고 여겼기 때문입니다.

이 글은 황제와 왕이 절대적인 권력을 갖는 이유에 대해 질문하고, 이에 대한 대답의 실마리를 '천자'라는 단어의 의미에서 찾고 있습니다. 동양에서 왕권을 정당화했던 이론인 천명사상이란 무엇이고, 어떻게 발전해 나갔으며, 우리나라 역사에는 어떠한 영향을 주었는지를 설명하고 있습니다.

문단으로 생각읽기

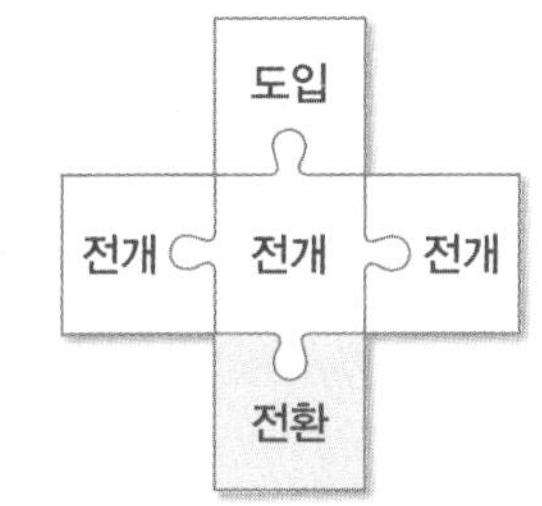

[도입 – 전개 – 전개 – 전개 – 전환]의 생각 구조

도입 — **화제 소개**
왕이 지닌 정치적 권력의 근원은 무엇인지 질문을 던지고 '천자'에서 그 해답의 실마리를 찾음. (1문단)

전개 전개 전개 — **대상 설명**
천명사상에 대해 설명하고, 천명사상이 재이론 및 민본주의 사상과 결합하였으며, 천인감응 사상을 내포하고 있음을 밝힘. (2~4문단)

전환 — **내용 전환**
우리나라의 역사 중, 특히 조선 건국의 정당성과 관련지어 천명사상을 설명함. (5문단)

0 ㄱ은 하늘이 백성을 위하며, 군주는 자기의 이익을 위해서 백성들을 함부로 대해서는 안 된다는 의미를 담고 있습니다. 이는 '민본주의'와 결합된 '천명사상'에 해당합니다. 그리고 ㄷ은 천인감응 사상과 관련된 것으로, 나라가 번영하려 할 때 상서로운 기운이 나타나는 것과 쇠망하려 할 때 불길한 조짐이 나타나는 것은 모두 하늘이 인간의 행위를 평가하고 그 결과를 자연 현상을 통해 알려 주는 것에 해당합니다. 그러나 ㄴ은 천인감응 사상을 부정하는 내용으로, 특히 '하늘도 인간의 행실에 따라 보답해 줄 수 없다.'에서 이러한 내용이 반영되어 있습니다.

출제 의도 글의 내용과 관련해 새로운 자료를 해석하는 문제는, 글에 대한 정확한 이해를 바탕으로 하여 새로운 자료의 성격을 비교 분석할 수 있는 사고력이 필요합니다.

1 5문단을 보면 고려 왕조가 망하고 조선 왕조가 새롭게 들어선 것은 천자인 고려의 왕이 천명을 다하지 못했기 때문에 새로운 천자인 이성계가 천명을 부여받은 것이라며 천명사상에 근거하여 조선 왕조의 정당성을 확보하였다고 했습니다. 따라서 조선 건국의 정당성 여부를 판단할 때, 천명을 실행하는 것 자체를 부정하는 것이 아니라, 천자에게 천명을 수행할 능력이 있는가 여부에 기반을 두고 있음을 알 수 있으므로, ⑤는 적절하지 않습니다.

오답 피하기 ① 1문단에서 동서양을 막론하고 황제 및 왕은 절대적인 권력을 지닌다고 하였습니다.
② 동양에서는 절대적 힘을 가진 하늘이 왕의 행위의 옳고 그름에 따라 자연 현상을 일으킬 수 있다고 한 데서 이를 확인할 수 있습니다.
③ '재이론', '민본주의', '천인감응 사상'은 모두 천자의 절대적인 권력을 견제할 수 있는 사상들입니다.
④ 5문단의 재이가 발생하면 왕은 신하들에게 조언을 구하고 신하들이 어떤 말을 하더라도 이를 수용해야 했다는 내용을 통해 짐작할 수 있습니다.

2 [A]를 보면 공자는 역사책인 『춘추』를 쓸 때, 천명사상에 입각하여 천자의 권력에 도전하는 제후들을 난신적자라고 비판적으로 서술하였다고 했습니다. 이로 볼 때 공자는 〈보기〉의 춘추 시대에 있었던 '천토지맹'은 진나라 문공이 주나라 천자의 권력을 넘본 사건으로 판단하고 진나라 문공을 '난신적자'로 인식했을 것입니다. 따라서 공자는 난신적자가 천자를 능멸한 행위인 '천토지맹'을 아예 『춘추』에 기록하지 않고, 이마저도 왜곡해서 서술했을 것임을 추론할 수 있습니다.

오답 피하기 ①, ③, ④ 공자는 진나라 문공을 부정적으로 인식했을 것입니다.

⑤ 천자의 지위를 넘본 이는 다른 제후들이 아니라 진나라 문공입니다.

3 '천명사상'에 따르면 최고 권력자인 천자가 지닌 권력은 영원불변한 것이 아닙니다. 재이론, 천인감응 사상에 따라 천명을 다하지 못하는 천자는 자신이 가진 권력을 잃게 되기 때문입니다. 이는 3문단의 '천자가 지닌 절대적 권력은 천명에서 나오지만 천명을 한번 부여받았다고 해서 영원한 것은 아니며'에서 확인할 수 있습니다. 또한 〈보기〉의 왕권신수설에 따르면 왕은 죽을 때까지만 신에게 부여받은 절대적인 권력을 가진다고 했습니다. 엄밀히 말하자면 왕권신수설에서의 왕도 살아있을 때까지만 권력을 가지므로 영원불변한 것이라고 보기는 어렵습니다.

오답 피하기 ② 천명사상과 왕권신수설 모두 왕의 권력을 정당화하는 수단으로 이용되었습니다. 그러나 동양의 천명사상과 달리 서양의 왕권신수설은 100년이 채 지나지 않아 급격히 쇠퇴했습니다.
③ 천명사상은 천자의 절대적인 권력은 하늘이 부여했다는 전제가 깔려 있는 사상이고, 왕권신수설은 왕의 권력은 신에게서 부여받았다고 보는 사상입니다.
④ 왕권신수설에서 왕의 권력 행사는 아무런 제약을 받지 않은 것에 비해, 천명사상의 경우에는 재이와 같은 자연 현상이 나타나면 제약을 받았습니다.
⑤ 왕권신수설은 종교와 관련된 전쟁으로 인해 사회가 혼란스러워진 시기에, 천명사상은 춘추 시대와 같은 혼란스러운 시기에 왕권은 물론 사회의 안정을 추구하기 위해 이용되었습니다.

생각읽기 **4**

인간의 힘을 넘어서다

0 ⑤	1 ④	2 ④	3 ②

Q 이 글에서 언급한 압력과 힘의 관계를 수식으로 정리해 볼까요?

'물체에 작용하는 압력$=\frac{\text{물체에 작용하는 힘}}{\text{힘이 작용하는 넓이}}$'이므로, '물체에 작용하는 힘=물체에 작용하는 압력×힘이 작용하는 넓이'의 관계가 성립합니다.

이 글은 유공압 장치에 대해 설명하고 있는 글입니다. 먼저 유공압 장치에 적용된 과학적 원리인 파스칼의 법칙을 상세하게 설명하고, 유공압 장치의 개념, 종류와 각각의 장점을 소개한 뒤 각 장치들의 구조를 분석한 다음, 실제 사례를 설명하며 글을 마무리하고 있습니다.

■ **문단으로 생각읽기**

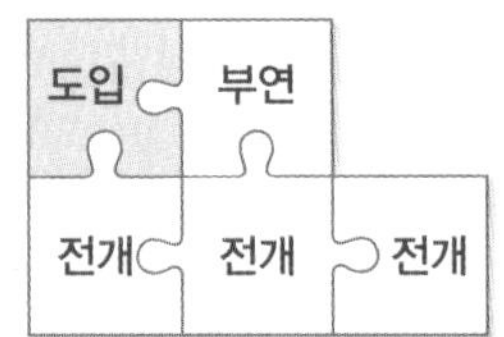

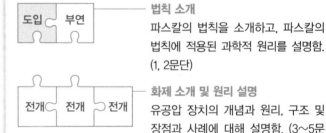

[도입 – 부연 – 전개 – 전개 – 전개]의 생각 구조

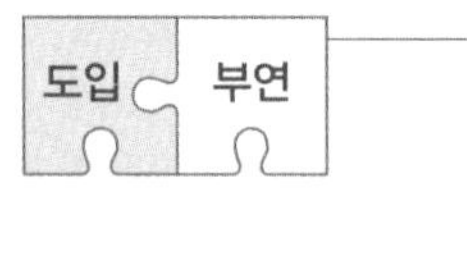

법칙 소개
파스칼의 법칙을 소개하고, 파스칼의 법칙에 적용된 과학적 원리를 설명함. (1, 2문단)

화제 소개 및 원리 설명
유공압 장치의 개념과 원리, 구조 및 장점과 사례에 대해 설명함. (3~5문단)

0 〈보기〉의 장치는 파스칼의 법칙이 적용된 것으로, A_1에 F_1의 힘을 가하면 A_2에 F_2의 힘이 작용하는데, A_1의 단면적보다 A_2의 단면적이 3배가 더 크므로 F_2는 F_1보다 3배가 더 커지게 되는 것을 보여 주고 있습니다. 이때 F_1의 힘으로 눌러서 A_1 부분의 유체가 받는 압력의 크기는 A_2 부분의 유체가 받는 압력과 같습니다. 다만 A_2 부분의 넓이가 더 넓어서 작용하는 힘이 더 커지는 것입니다. 따라서 A_2 부분을 지금보다 더 크게 만든다고 하더라도, A_2 부분에서 유체가 받는 압력은 더 커지지 않고 동일하지만, 작용하는 힘인 F_2가 지금보다 더 커질 것입니다. 그런데 ⑤는 유체가 받는 압력이 커진다고 했으므로 적절하지 않습니다.

출제 의도 글에 특정한 원리가 설명되어 있을 때, 이를 구체적 상황에 적용해 사고하는 것은, 읽은 내용을 정확하게 이해했는지 점검할 수도 있고, 읽은 내용을 더 깊이 있게 생각할 수 있게 합니다. 이 문제는 1, 2문단에서 설명한 '파스칼의 법칙'을 〈보기〉와 같은 상황에 적용하여 사고할 수 있는지 묻는 문제입니다.

오답 피하기 ①, ② A_1은 단면적이 좁으므로 포도주병의 마개 쪽에 대응하고, A_2는 단면적이 넓으므로 포도주병의 바닥 쪽에 대응한다고 볼 수 있습니다. 그런데 2문단을 보면 '포도주에서 발생하는 압력은 마개 쪽이나 바닥 쪽이나 모두 같다.'라고 하였으므로, A_1 부분과 A_2 부분의 압력은 동일함을 알 수 있습니다.

③ 2문단에서 물체에 작용하는 압력과 힘이 작용하는 넓이를 곱하면, 그 물체에 작용하는 힘의 크기를 알 수 있다고 설명했습니다. 그런데 A_1과 A_2의 유체에 작용하는 압력은 동일하므로, 단면적의 넓이에 비례하게 됩니다. 따라서 A_1보다 A_2의 단면적이 3배가 더 넓으므로, A_1에 1N의 힘을 가하면, A_2에는 3N의 힘이 작용합니다.

④ 2문단에서 어떤 물체에 작용하는 압력은 그 물체에 작용하는 힘을 힘이 작용하는 넓이로 나눈 값이라고 설명했습니다. 그런데 A_1과 A_2의 유체에 작용하는 압력은 동일하므로, A_1에 작용하는 힘인 F_1을 A_1의 넓이로 나눈 값인 F_1/A_1과 A_2에 작용하는 힘인 F_2을 A_2의 넓이로 나눈 값인 F_2/A_2는 같습니다.

1 5문단에서 유공압 장치의 장점으로 비교적 작고 간단한 장치로 큰 힘을 얻을 수 있고, 힘을 쉽게 조절할 수 있다고 설명했습니다. 따라서 공압 장치(㉡)가 유압 장치(㉠)에 비해 형성된 힘을 쉽게 조절할 수 있다는 것이 아니라 ㉠과 ㉡의 공통점으로 볼 수 있습니다.

오답 피하기 ① 3문단에서 유압 장치는 공압 장치에 비해 에너지 변환 효율이 좋고 큰 힘을 출력하기에 더 유리하다고 하였습니다.

② 3문단에서 유압 장치가 공압 장치에 비해 작동자의 제어 명령에 대한 응답 속도가 빠르다고 설명했는데, 이는 조작에 대한 반응이 더 빠르다는 것을 의미합니다.

③ 공압 장치가 화재 및 폭발의 위험성이 낮다는 것은 그만큼 안전성이 높다는 의미로 유지와 보수가 쉽다는 것은 관리하기가 쉽다는 의미로 이해할 수 있습니다.

⑤ 5문단을 보면 유공압 장치가 산업 전반에서 광범위하게 사용되고 있다고 하였습니다.

2 ㉢은 작은 힘으로 크고 무거운 기기의 '방향이나 속도'를 쉽게 조종할 수 있는 기기의 유압 장치를 의미합니다. 그리고 그 사례로 자동차의 브레이크 페달과 핸들을 들고 있습니다. ④에 나온 비행기의 꼬리 날개의 방향타와 연결되어 있는 조종간은, 조종사가 작은 힘으로 조종간을 작동해도 큰 힘으로 작용하여 비행기의 꼬리 날개의 방향타를 움직여 비행기를 조종할 수 있는 유압 장치의 사례에 해당됩니다.

오답 피하기 ① 무거운 물체를 수직으로 들어 올리고 내리는 기중기는 유압 장치가 사용된 예로 볼 수 있으나 방향이나 속도를 조종하는 ㉢의 사례로는 적절하지 않습니다.

② 자동차를 정비할 때 들어 올리는 리프트 장치는 작은 힘으로도 무거운 자동차를 들어 올릴 수 있는 유압 장치의 사례로 볼 수 있지만, 방향이나 속도를 조종하는 ㉢과는 관련이 없습니다.

③, ⑤ 유압 장치가 사용된 사례가 아니므로 적절하지 않습니다.

3 4문단에서 공압 장치와 유압 장치의 구조상 차이는 '동력원' 부분이고, 나머지 부분은 동일하다고 설명했습니다. 따라서 공압 장치의 제어부 역시 압력 제어 밸브, 유량 제어 밸브, 방향 제어 밸브로 구성되어 있다고 판단할 수 있습니다.

오답 피하기 ① ⓑ는 공기를 압축시켜 전체 배관에 공기가 순환하게 만드는 역할을 하지만, ⓑ가 작동하도록 힘을 공급하는 것은 ⓐ이므로, 결국 공압 장치가 작동하게 만드는 근본적인 힘을 공급하는 것은 ⓐ입니다.

③ 유압 장치와 공압 장치는 동력원 부분을 제외하고, 제어부(ⓔ), 액추에이터(ⓕ), 배관(ⓖ)은 같다고 설명했습니다. 그리고 두 장치 모두에서 엔진(ⓐ)도 동일하게 설치되어 있습니다.

④ 배관은 유체인 공기를 공압 장치의 각 부분에서 순환할 수 있도록 하는 것입니다. 특히 공압 장치에서는 필터(ⓓ)가 공기를 정화하므로, 오염 물질은 ⓓ에서 걸러지게 됩니다.

⑤ 유압 장치나 공압 장치 모두 이를 통해 발생하는 큰 힘을 직선 운동으로 전환하려면 ⓕ '액추에이터'의 '실린더'를, 회전 운동으로 이용하려면 '모터'를 사용할 것입니다.

생각읽기 5

태양의 빛과 열에너지

0 ③　**1** ②　**2** ④　**3** ③

Q 태양에서 만들어져 방출되는 에너지에는 어떤 것들이 있나요?

태양에서는 핵융합 반응을 통해 빛과 열에너지가 생성되어 방출됩니다.

이 글은 태양계의 중심인 태양에 대한 전반적인 특성을 소개하고, 태양 에너지의 생성 과정을 제시한 다음, 그것이 지구에 어떠한 영향을 주고 있는지 설명하고 있습니다. 태양에서 에너지가 생성되는 과정을 과학적인 원리를 바탕으로 설명하고, 태양 에너지가 지구에 끼친 영향을 몇 가지 유형으로 나누어 체계적으로 제시하고 있습니다.

문단으로 생각읽기

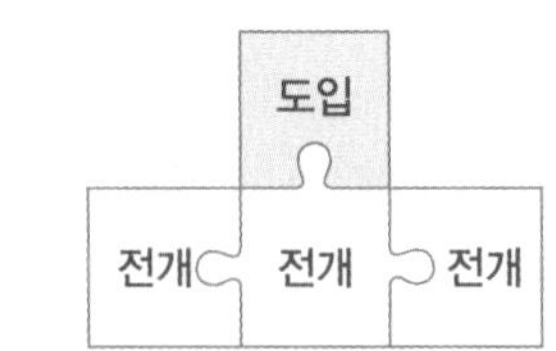

[도입 – 전개 – 전개 – 전개]의 생각 구조

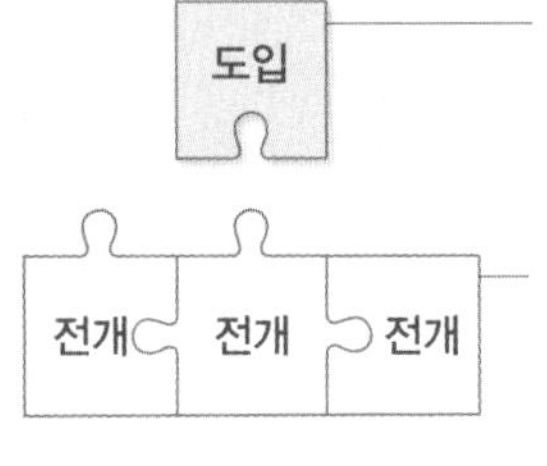

화제 소개
태양의 전반적인 특성을 제시하며 흥미를 유발함. (1문단)

대상 설명
태양의 에너지 생성과 구조를 설명하고, 태양의 빛 에너지와 열에너지가 지구에 끼치는 영향을 언급함. (2~4문단)

원리로 생각읽기

독해연습 1　**1** (나)　**2** (다)

독해연습 2　**1** 맥거핀은 영국의　**2** 글의 내용을 이해하고 정리하는 데 시간이 많이 걸린다. (글의 내용을 파악할 때 효율성이 떨어진다.)

0 2문단에서 태양은 핵융합 반응의 결과로 에너지를 만드는데, 이는 태양 전체 반지름의 약 25%를 차지하는 핵 부분에서만 일어난다고 설명했습니다. 따라서 태양 중심부에서 1초 동안 만드는 약 4×10^{26}J가 태양이 1초 동안 만드는 에너지의 전체 양입니다. 그러므로 이 에너지 양의 네 배인 16×10^{26}J가 만들어진다고 이해하는 것은 적절하지 않습니다.

출제 의도 글을 읽을 때에는 글의 전체적인 흐름을 이해하는 것도 중요하지만, 그 못지않게 세부적인 정보를 파악하는 것이 중요합니다. 세부적인 정보들을 하나씩 이해하다 보면 전체 내용을 이해하게 되기 때문입니다. 이 문제는 중심 화제와 관련된 세부 정보를 얼마나 잘 파악하고 있는지를 묻고 있습니다.

1 2문단에 따르면 태양의 핵에서 플라스마 상태의 수소 원자핵이 융합하여 헬륨 원자핵이 된다고 설명했습니다. 그리고 〈보기〉에서는 그 융합 과정에서 질량이 줄어드는 것, 즉 질량 결손이 발생하는데, 이렇게 줄어든 질량만큼의 에너지가 생성되며, 이는 빛과 열의 형태를 띤다고 설명했습니다. 따라서 태양이 방출하는 엄청난 양의 빛과 열에너지는 수소 핵융합 반응 과정에서 질량이 결손된 만큼 생성된 에너지이므로, 핵융합 과정에서 발생하는 질량 결손이 태양이 방출하는 빛 에너지와 열에너지의 원천이 된다고 이해할 수 있습니다.

오답 피하기 ① 수소 원자핵 하나의 질량이 1.008이므로, 만일 융합 반응 이후의 헬륨 원자핵 질량이 4.020이라고 하더라도, 4.032보다 작으므로 손실된 질량만큼의 에너지가 생성될 것입니다.
③ 태양 핵의 높은 온도는 수소를 플라스마 상태로 만들고, 높은 밀도는 핵융합 반응을 일으킵니다. 따라서 핵융합 과정에서 질량 변화의 원인이 되는 것은 아닙니다.
④ 1문단에서 태양은 대부분 수소와 헬륨으로 구성되어 있다고 설명했으므로, 핵에만 수소가 있다고 이해하는 것은 적절하지 않습니다.
⑤ 플라스마 상태로 전환될 때 질량이 줄어든다고 판단할 근거는 이 글이나 〈보기〉에서 알 수 없습니다.

2 3문단에 따르면 태양에서 지구로 흡수된 빛 에너지가 식물에 의해 화학 에너지로 전환된다고 설명했습니다. 따라서 열에너지가 화학 에너지로 전환된 것은 아니며, 빛 에너지를 화학 에너지로 전환하는 것은 식물이지 동물이 아니라는 점에서 적절하지 않습니다.

오답 피하기 ① 3문단에서 지구에 흡수된 태양의 빛 에너지를 식물이 화학 에너지로 전환하여 자신의 생명을 유지하는 데 사용하며, 이렇게 만들어진 화학 에너지는 먹이 사슬 관계에 따라 연쇄적으로 상위 수준의 동물에게 전달된다고 설명했습니다. 따라서 태양의 빛 에너지는 지구의 모든 동물과 식물이 생명을 유지하는 활동의 원천으로 볼 수 있습니다.

② 3문단의 '지구에 도달하는 태양 에너지는 전체의 약 1/20억 수준에 해당한다.'라는 내용에서 알 수 있습니다.
③ 4문단의 내용을 통해서 확인할 수 있습니다.
⑤ 4문단의 집열판으로 열에너지를 모아 온수, 난방에 이용하거나 비닐하우스로 농업에 이용하는 것, 그리고 태양 전지를 이용해 전기 에너지로 전환하는 것은 태양 에너지의 직접적인 이용에 해당합니다. 그리고 3문단의 화석 연료를 열에너지로 전환하여 사용하는 것은 태양 에너지의 간접적인 이용에 해당합니다.

3 〈보기〉의 K-STAR는 핵융합 반응을 연구하기 위한 실험 장치로, 인공적으로 1억 ℃라는 높은 온도를 만들어 중수소를 플라스마 상태로 만들었고, 이 온도를 8초까지 유지하는 데 성공했습니다. 이러한 연구는 인공적인 태양, 즉 핵융합 반응을 통해 빛과 열을 발생시켜 이를 전기로 만드는 핵융합 발전 기술을 개발하는 기초 연구에 해당합니다.

오답 피하기 ① K-STAR는 플라스마를 고온의 상태로 유지하는 성과는 냈지만, 핵융합 발전을 최초로 성공으로 이끈 것은 아닙니다.
② 〈보기〉의 '토카막'에서 플라스마 상태를 만드는 원리는, 태양과 달리 전자레인지처럼 인위적으로 마이크로파를 쏘는 것입니다.
④ 이 글에서는 태양의 중심부의 밀도가 높다는 것을 설명하기 위해 금과 납에 비교했을 뿐, 금과 납이 밀도를 높이는 것은 아닙니다. 또한 〈보기〉에서 '토카막'에 금과 납을 사용했다는 내용도 없습니다.
⑤ 〈보기〉에서는 '토카막'의 형태가 도넛 모양이라고만 설명했을 뿐, 그 이유를 설명하지 않았습니다.

생각읽기 6 펜은 칼보다 강하다

0 ⑤ **1** ④ **2** ⑤ **3** ③

Q 소프트 파워는 어떤 능력을 의미하나요?
소프트 파워는 강제나 명령에 의해서가 아니라 그 매력을 통해 상대로부터 자발적 동의를 이끌어 내는 능력을 의미합니다.

이 글은 조지프 나이 교수가 창안한 '소프트 파워'의 개념을 '하드 파워'와의 차이점을 중심으로 설명하고 있습니다. 이를 위해 '소프트 파워'라는 용어가 어떻게 처음 사용되었는지를 밝힌 다음 '하드 파워'의 개념을 설명하고, 이와 대조되는 '소프트 파워'의 개념과 이를 이루는 요소들을 나열하고 있습니다. 그리고 '소프트 파워'가 가지는 효과를 설명하고 마지막으로 소프트 파워의 의의를 제시하면서 글을 마무리하고 있습니다.

■ 문단으로 생각읽기

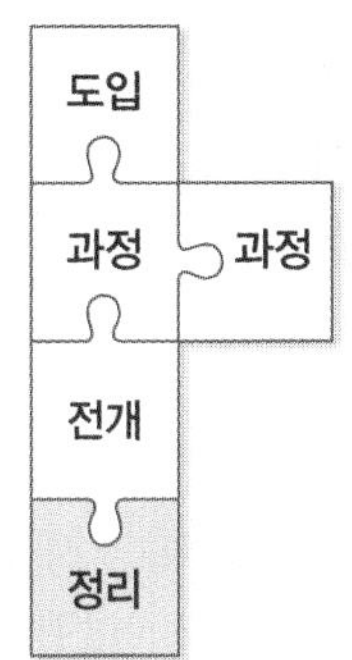

[도입 – 과정 – 과정 – 전개 – 정리]의 생각 구조

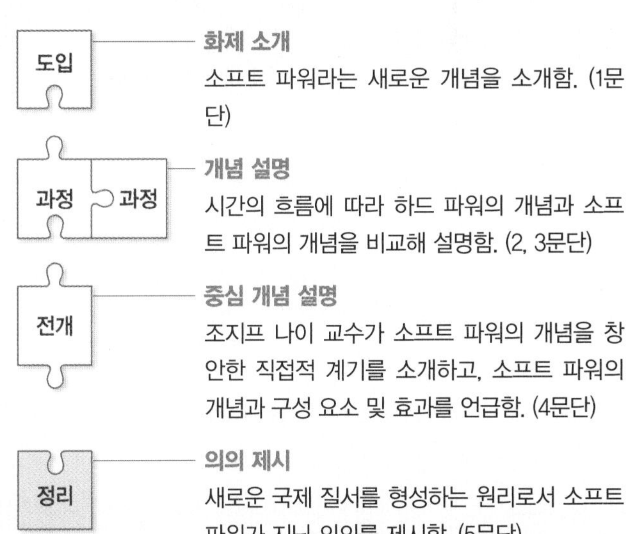

도입
화제 소개
소프트 파워라는 새로운 개념을 소개함. (1문단)
과정
과정
개념 설명
시간의 흐름에 따라 하드 파워의 개념과 소프트 파워의 개념을 비교해 설명함. (2, 3문단)
전개
중심 개념 설명
조지프 나이 교수가 소프트 파워의 개념을 창안한 직접적 계기를 소개하고, 소프트 파워의 개념과 구성 요소 및 효과를 언급함. (4문단)
정리
의의 제시
새로운 국제 질서를 형성하는 원리로서 소프트 파워가 지닌 의의를 제시함. (5문단)

0 (마)에서 소프트 파워는 하드 파워와 상반된 면모를 지니고 있지만, 현실에서는 서로 조화를 이룰 수밖에 없으며, 새로운 국제 질서를 형성하는 원리로서 의의가 있음을 제시하고 있습니다. 그러므로 '소프트 파워'와 '하드 파워'의 특성을 대조하여 '하드 파워'가 지닌 의의를 밝히고 있다는 것은 서술상 특징으로 적절하지 않습니다.

출제 의도 각 문단별 내용을 요약하고 그 서술상 특징을 바르게 이해했는지를 묻는 문제입니다. 글의 내용만 이해하는 것이 아니라, 그 내용이 어떤 방식으로 서술되는지, 어떻게 전개되는지를 파악하는 것도 독해의 과정에서 꼭 필요한 능력입니다.

1 (나)에서 ㉠은 협상이나 외교적 논의의 주제인 의제를 강대국이 자기 이익에 따라 마음대로 설정한다고 했습니다. 이에 비해 (라)에서는 상대적으로 큰 소프트 파워를 지닌 국가는 자신의 매력을 바탕으로 타국과의 협상 의제를 자연스럽게 이끌어 낸다고 설명했습니다. 따라서 협상의 과정에서 일방적으로 의제를 설정하고 진행해 나가는 것은 ㉡과 상반된 ㉠의 특징이라고 할 수 있습니다.

오답 피하기 ① (라)의 사례를 보면 하드 파워를 추구한 몽골 제국이 피정복 국가의 문화에 동화되어 사라졌던 것은 맞지만, 하드 파워를 추구한다고 해서 반드시 몽골 제국처럼 되는 것은 아닙니다.
② ㉡은 미국의 이라크 전쟁에 대한 성찰을 계기로 만들어진 것입니다. ㉡을 성찰하기 위해 미국의 이라크 전쟁을 분석한 것은 아닙니다.
③ ㉡이 문화적 힘의 우위를 전제하고 있다고 볼 수는 있지만, 정치적, 경제적 힘의 우위를 전제하는 것은 아닙니다.
⑤ 외국과 관계를 맺을 때 자국의 매력을 바탕으로 하는 것은 ㉡만의 특성에 해당합니다.

2 강대국과 직접적으로 대립하지는 않지만 상황에 따라 강압적 요구를 거부하는 국가는 소프트 파워보다는 상대적으로 힘이 약한 국가가 하드 파워를 중심으로 유지되는 국제 질서 속에서 보이는 면모에 해당합니다. 만약 이 나라가 소프트 파워를 가졌다면 상황에 따라 거부하는 것이 아니라, '정의'나 '윤리', 또는 '옳다고 여기는 가치나 원칙'에 따라 거부할 것입니다.

오답 피하기 ① 외국에 진출하면서 그 나라의 언어로 노래를 부르는 것은 상호 존중의 태도로 문화를 교류하는 모습에 해당합니다.
② 정당하고 도덕적 권위를 지닌 국가의 정치 권력이 갖추고 있는 소프트 파워에 해당합니다.
③ 협상의 과정에서 도덕적 · 정신적 가치에 기반하고 있으며, 서로에게 이익이 되는 결과를 도출하는 것은 소프트 파워를 지닌 정부의 모습에 해당합니다.
④ 타자에 대한 비적대적 태도와 상호 존중의 태도로 접근하는 문화적 교류에 해당합니다.

3 〈보기〉의 '내가 남의 침략에 가슴 아팠으니, 내 나라가 남을 침략하는 것을 원하지 않는다.'는 힘의 우위를 추구하는 하드 파워에 대한 거부, 즉 지양을 보여 주고 있습니다. 그리고 '오직 한없이 가지고 싶은 것은 높은 문화의 힘'이라고 한 것은 소프트 파워가 지닌 가치를 추구하고 있음을 보여 주는 것입니다.

오답 피하기 ① 타자에 대한 비적대적 태도는 '하드 파워'가 아니라 '소프트 파워'에 해당합니다.
② 〈보기〉에서는 문화의 힘을 갖추기를 원한다고 했을 뿐, 강대국과의 문화 교류나 이를 통한 관계 개선에 대해 말하지 않았습니다.
④ 〈보기〉에서는 최소한의 부력과 강력을 갖추어야 한다고 했으므로, 하드 파워와 소프트 파워 모두 추구하고 있다고 판단할 수 있습니다.
⑤ 우리나라가 소프트 파워를 갖추기를 바란다고 했을 뿐, 소프트 파워 중심의 국제 질서를 추구하는 것으로 보기는 어렵습니다.

생각의 구조화 MIND MAP

생각읽기 1 ㉤	생각읽기 2 ㉢	생각읽기 3 ㉡
생각읽기 4 ㉢	생각읽기 5 ㉣	생각읽기 6 ㉠
1 벡터	2 사회적	3 천명사상
4 파스칼	5 태양	6 소프트

생각읽기 1 큰 수를 간단하게 만드는 비법

0 ⑤	1 ③	2 ①	3 ②	4 ④

Q 아인슈타인이 거듭제곱을 여덟 번째 불가사의라고 말한 이유는 무엇인가요?

거듭제곱이 그 시작은 작아도 얼마 지나지 않아 감당할 수 없을 만큼 커지는 위력을 갖고 있기 때문입니다.

이 글은 거듭제곱이 지닌 위력을 보여 주는 글입니다. 거듭제곱의 개념과 유용성을 설명한 뒤 거듭제곱이 지닌 힘을 구체적인 예를 들어 설명하며, 거듭제곱이 지닌 신비함을 생각하게 하고 있습니다.

문단으로 생각읽기

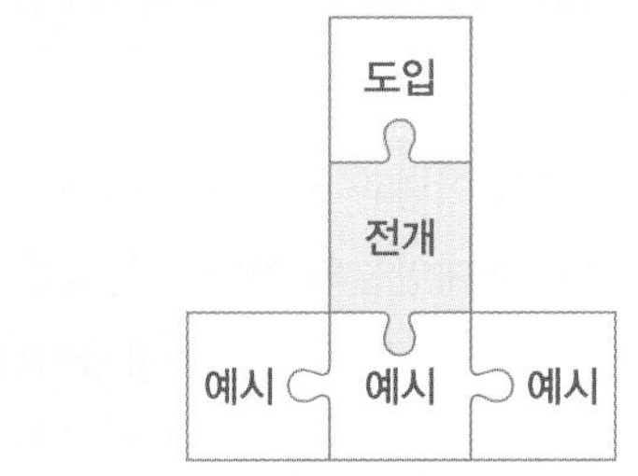

[도입 – 전개 – 예시 – 예시 – 예시]의 생각 구조

화제 소개
일상 속 언어에서 숫자를 나타내는 말을 예로 들어 거듭제곱은 큰 수를 읽고 쓸 때 간편하게 나타낼 수 있는 방법임을 설명함. (1문단)

개념 설명
거듭제곱의 개념과 표기 방식에 대해 설명함. (2문단)

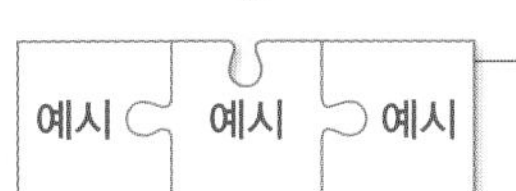

사례 제시
거듭제곱의 위력을 보여 주는 구체적인 예를 제시함. (3~5문단)

본문 130~133쪽

0 이 글은 큰 수를 읽고 쓸 때 간편하게 나타낼 수 있는 방법인 거듭제곱을 설명한 후, 구체적 사례를 통해 거듭제곱의 위력을 보여 주고 있습니다. 따라서 제목으로는 '간단하지만 엄청난 위력을 지닌 거듭제곱'이 오는 것이 가장 적절합니다.

출제 의도 제목은 글의 핵심 내용을 보여 줄 수 있어야 하므로 글의 주제와 밀접한 관계가 있습니다. 그러므로 주제와 관련하여 전체 글의 내용을 압축적으로 표현할 수 있어야 합니다.

1 2문단에 따르면 거듭제곱이란 '같은 수나 식을 거듭 곱하는 것'을 말합니다. 따라서 서로 다른 수를 계속해서 곱하는 것은 거듭제곱이라 할 수 없습니다.

오답 피하기 ① 2문단에서 곱하는 수를 먼저 쓰고 곱하는 횟수를 오른쪽 위에 작게 쓴다고 하였으므로, '10'이 곱하는 수, '68'이 곱하는 횟수입니다.
② 4문단에서 1이라는 작은 수로 시작한 밀알의 수가 거듭제곱을 통해 기하급수적으로 불어나게 된 예로 볼 때 적절하지 않음을 있습니다.
④ 2문단에서 천문학적인 수를 사용하는 과학에서는 거듭제곱을 많이 사용하는데, 그 이유는 아무리 큰 수라도 간단하게 표현할 수 있기 때문이라고 설명하고 있습니다.
⑤ 5문단에서 아인슈타인이 거듭제곱을 세상의 여덟 번째 불가사의라고 말한 것은 시작은 작지만 얼마 지나지 않아 감당할 수 없을 만큼 커지는 거듭제곱의 위력 때문이라고 볼 수 있습니다.

2 ㉠의 방식은 1제곱, 2제곱 등에 해당하는 기호를 부여하는 방식으로 예를 들어 2^1은 2^a, 2^2는 2^b와 같이 표기하는 방식입니다. 반면 ㉡은 별도의 기호 없이 숫자로만 표현이 가능하므로 훨씬 효율적이라고 할 수 있습니다.

3 선행을 받는 사람의 수가 1일부터 2, 4, 8, 16일로 증가하므로 2^1, 2^2, 2^3, 2^4처럼 날짜 수만큼 거듭제곱으로 증가합니다. 따라서 ㉮는 '2^{42}'명이 됩니다. 이처럼 거듭제곱을 사용하면 같은 수를 거듭 곱하는 수의 규칙성을 볼 수 있으므로 ㉯에는 '규칙성'이 들어가야 하고, 아무리 크고 복잡한 수라도 거듭제곱을 사용하면 간편하게 표현할 수 있으므로 ㉰에는 '편리성'이 들어가야 적절합니다.

4 ⓐ는 밀알의 양을 무게로 바꾸다의 의미로 '어떤 단위나 척도로 된 것을 다른 단위나 척도로 고쳐서 헤아리다.'의 의미를 지닌 '환산하면'과 바꿔 쓰는 것이 적절합니다.

오답 피하기 ① '다르게 바꾸어 새롭게 고치다.'의 의미입니다.
② '바뀌어 달라지다.'의 의미입니다.
③ '본디의 상태로 다시 돌아가다'의 의미입니다.
⑤ '미루어 생각하여 판정하다'의 의미입니다.

생각읽기 2

영웅 신화는 어떻게 만들어지는가

본문 134~137쪽

0 ④ 1 ④ 2 ③ 3 ②

Q 영웅에 대한 기억이 시대에 따라 달라지는 이유는 무엇인가요?

영웅은 시대의 정신과 이념에 따라 다른 모습으로 후대인들에게 기억되기 때문입니다.

이 글은 영웅이 어떻게 해서 만들어지고 전해지는지를 인간의 기억 문제와 결부지어 설명하고 있습니다. 인간의 기억은 집단적으로 형성되고 사회 권력의 문제와 직결되어 있기 때문에 영웅은 시대의 정신과 이념에 따라 다른 모습으로 사람들에게 기억된다는 것을 구체적 사례를 들어 설명하고 있습니다.

문단으로 생각읽기

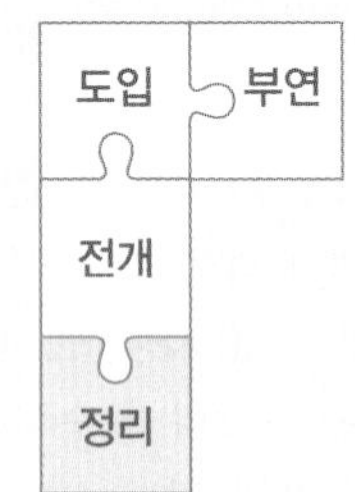

[도입 – 부연 – 전개 – 정리]의 생각 구조

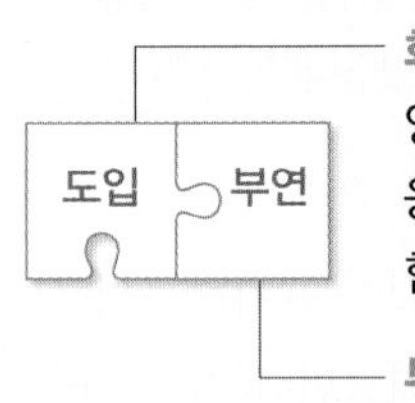

화제 소개
영웅 신화가 만들어지고 전승되는 과정과 영웅에 대한 기억이 시대에 따라 변화함을 소개함. (1문단)

부연 설명
잔 다르크를 예로 들어 후대인들의 변화무쌍한 기억이 영웅을 어떻게 만들고 전승하는지를 구체적으로 제시함. (2문단)

배경 설명
영웅에 대한 후대인들의 기억이 어떻게 형성되는지 그 배경을 설명함. (3문단)

마무리
근대 역사에서 민족에게 영웅이 어떠한 의미가 되었는지를 설명하고 시대에 따라 달라진 영웅의 의미를 제시함. (4문단)

0 영웅의 의미가 시대에 따라 다르다는 점에서 영웅에 대한 평가는 그 시대를 비추는 거울(ㄱ)이라 할 수 있고, 근대의 영웅은 서로 모르는 사람들을 하나의 '국민'으로 묶어 주는 상상의 원천이었으므로 영웅이 집단 정체성 형성에 중요한 역할을 했다(ㄷ)는 것을 알 수 있습니다. 또한 근대에는 영웅이 구성원들의 동일시의 대상이었다는 점에서 영웅의 고난과 승리가 대중에게 정서적 영향을 미쳤음(ㄹ)을 알 수 있습니다.

출제 의도 글에 드러난 내용을 바탕으로 글쓴이의 관점을 파악해야 하는 문제입니다.

오답 피하기 ㄴ. 글쓴이는 영웅이 만들어지고 전승되는 과정을 통해 인간의 기억이 집단적이고 사회 권력적임을 밝히고 있을 뿐 영웅을 만들어 유포하는 체제에 대한 자신의 견해를 밝히고 있지는 않습니다.

1 이 글은 영웅이 시대의 이념과 욕망에 따라 새롭게 창조되고 해석되어 왔으며, 후대인들의 기억은 특정한 사회 집단에 의해서 선택적으로 전해진 것이라고 했습니다. 이를 통해 역사는 사실 그 자체가 아니라 후대에 체계화된 지적 구성물임을 유추할 수 있습니다.

오답 피하기 ① 역사를 이끄는 주체에 대해서는 이 글에서 언급하고 있지 않습니다.

② 역사가 사실에 입각한 역사적 기록을 기초로 하여 쓰여진다는 점에 대해서는 나와 있지 않습니다.

③ 역사가 우연의 지배를 받는다는 내용은 나와 있지 않습니다.

⑤ 이 글은 영웅이 시대에 따라 다르게 서술되고 해석됨을 말하고 있을 뿐 역사가 객관성을 추구한다는 측면을 다루고 있지 않습니다.

2 역사 소설을 읽고 실재한 사실과 문학적 허구를 가려내는 것은 후대인들의 기억을 만들고 전승하는 '기억의 관리'와는 관련이 없습니다.

오답 피하기 ① 마을에 있는 효자비를 재정비하여 효행을 장려하는 것은 효행의 기억을 사회적으로 재구성하는 것이므로 적절합니다.

② 역사적 인물을 지폐에 활용하는 것은 인물에 대한 기억을 사회적으로 환기하는 것이므로 적절합니다.

④ 전쟁 박물관의 전시를 통해 국난 극복의 역사를 널리 알리는 것은 사회적으로 기억하는 것이므로 적절합니다.

⑤ 중요 무형 문화재 보유자를 지정하는 것은 사회적 틀 내에서 형성되는 기억이므로 적절합니다.

3 '화신(化身)'은 '어떤 추상적인 특질이 구체화 또는 유형화된 것'을 의미합니다. '본받을 만한 대상'은 '본보기'의 뜻풀이입니다.

생각읽기 3

우리 몸을 조절하는 호르몬 이야기

0 ②	1 ⑤	2 ②	3 ①	4 ③

Q 호르몬이 우리 몸에서 하는 역할은 무엇인가요?

호르몬은 우리 몸에서 체내 환경을 일정하게 조절하는 역할을 합니다.

이 글은 우리 몸의 상태를 항상 일정하게 유지해 주는 역할을 하는 호르몬에 대해 설명하고 있습니다. 호르몬은 매우 적은 분비량으로 우리 몸에 큰 영향을 줄 수 있음을 강조하면서, 구체적인 예를 들어 호르몬의 기능을 설명하고 있습니다.

문단으로 생각읽기

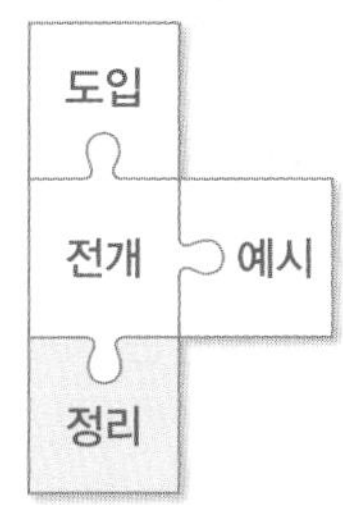

[도입 – 전개 – 예시 – 정리]의 생각 구조

화제 소개
우리 몸의 항상성 원리가 작동하기 위해 정보 전달을 담당하는 것이 호르몬임을 제시함. (1문단)

전개 예시

원리 설명
항상 일정하게 호르몬의 양을 유지하는 것이 중요함을 강조하며, 구체적인 예를 들어 호르몬의 조절 기능을 설명함. (2, 3문단)

마무리
호르몬은 우리 몸의 모든 생명 현상에 영향을 미치는 매우 중요한 요소임을 강조함. (4문단)

원리로 생각읽기

독해연습 1 1 시금치, 사과 2 포유류, 어류

독해연습 2 1 갈등, 해소, 예술

2 무대라는 특정한 공간에서 이야기가 전달된다.

0 이 글은 (가)에서 화제를 제시하고 (나)에서 화제의 특성을 설명한 뒤 (다)에서 구체적인 예를 들어 (나)의 내용을 부연 설명하고 있습니다. (라)에서는 앞에서 다룬 내용을 정리하고 있습니다.

출제 의도 내용의 구조화는 글의 뼈대와도 같습니다. 문단의 중심 화제를 바탕으로 각 문단 간의 관계를 파악하는 문제입니다.

1 (다)에서 호르몬이 지닌 조절 기능을 설명하기 위해 구체적인 예를 들어 호르몬의 분비 과정을 설명하고 있지만, 호르몬의 형태는 나와 있지 않습니다.

오답 피하기 ① (나)에서 호르몬의 분비량에 변화가 생겼을 때 인체에 미치는 영향에 대해 구체적 예를 들어 설명하고 있습니다.
② (다)에서 호르몬의 조절 기능에 대해 설명하고 있습니다.
③ (가)에서 신경과 비교하여 호르몬의 정보 전달 역할에 대해 설명하고 있습니다.
④ (나)에서 호르몬 분비량이 정상보다 적을 때와 많을 때의 상황을 변기의 물이 빠질 때와 물이 어느 정도 찼을 때의 상황에 비유하여 설명하고 있습니다.

2 (나)에서 호르몬은 혈관 안으로 분비되어 혈액에 실려 이동한다고 하였습니다. 따라서 호르몬이 신경을 통해 이동한다는 내용은 적절하지 않습니다.

3 호르몬 A는 인슐린으로 혈당량을 떨어뜨리는 작용을 하며, 호르몬 B는 글루카곤으로 혈당량을 증가시키는 작용을 합니다.

오답 피하기 ② 글루카곤은 간에 저장된 글리코젠을 포도당으로 분해하는 역할을 합니다. 간이나 근육 세포에서 글리코젠 합성을 촉진하는 것은 인슐린으로, 혈당이 높아질 때 작용합니다.
③ 호르몬 B인 글루카곤은 혈당량을 높이기 위해 분비량을 증가시킨다고 볼 수 있습니다.
④ 항이뇨 호르몬이 분비되면 콩팥에서 수분 재흡수를 촉진시키는 것이지 수분을 다른 성분으로 전환시키는 것은 아닙니다.
⑤ 호르몬 C와 D는 모두 항이뇨 호르몬으로 같은 호르몬이며, 같은 기관인 콩팥에 작용합니다. 다만 상황에 따라 분비량의 차이만 있을 뿐입니다.

4 ⓐ의 '떨어뜨리다'는 '값이나 금액을 낮추다.'의 의미이므로 문맥적으로 가장 유사한 것은 '제품의 강도를 낮게하다.'의 의미를 지닌 ③이 가장 적절합니다.

오답 피하기 ① '옷이나 신발 따위가 해어져 못 쓰게 만들다.'의 의미로 쓰였습니다.
② '입찰이나 시험 따위에 붙지 않게 하다.'의 의미로 쓰였습니다.
④ '고개를 아래로 숙이다.'의 의미로 쓰였습니다.
⑤ '무엇과 거리가 벌어지게 하다.'의 의미로 쓰였습니다.

생각읽기 4

블랙홀, 마침내 모습을 드러내다

0 ②	1 ②	2 ③	3 ④	4 ①

Q 블랙홀의 발견으로 증명된 이론은 무엇인가요?

아인슈타인의 일반 상대성 이론은 블랙홀의 발견을 통해 증명되었습니다.

이 글은 사상 최초로 블랙홀 관측에 성공한 사건을 소개하며, 블랙홀의 관측 방법과 블랙홀의 특징, 이와 관련된 이론을 제시하고 있습니다. 또한 블랙홀 관측의 의의를 밝히며 마무리하고 있습니다.

■ 문단으로 생각읽기

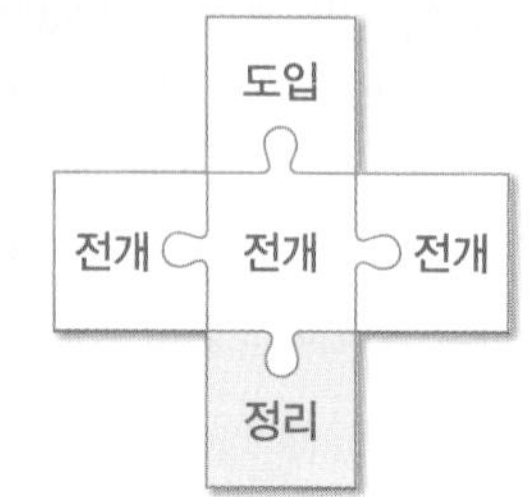

[도입 – 전개 – 전개 – 전개 – 정리]의 생각 구조

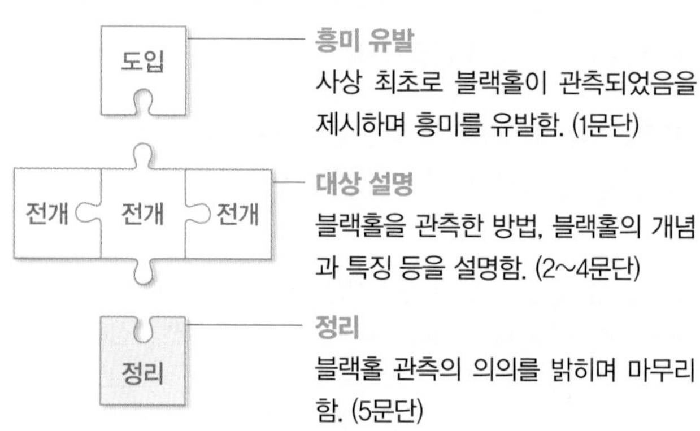

흥미 유발
사상 최초로 블랙홀이 관측되었음을 제시하며 흥미를 유발함. (1문단)

대상 설명
블랙홀을 관측한 방법, 블랙홀의 개념과 특징 등을 설명함. (2~4문단)

정리
블랙홀 관측의 의의를 밝히며 마무리함. (5문단)

0 마지막 문단을 보면 그동안 블랙홀은 사람들의 상상 속의 이미지로만 존재하였으나 블랙홀의 관측으로 드디어 실체화되었다고 설명하고 있습니다. '실체화'란 '단순한 속성이나 추상적 개념을 실제의 물체, 외형에 대한 실제 모양이나 상태로 만드는 일.'을 뜻합니다.

출제 의도 표제에서 압축적으로 표현한 핵심 내용을 부제에서 풀어 설명하는 것이므로, 결국 글의 핵심 내용과 관련이 있어야 합니다.

오답 피하기 ① '구체적이고 복잡한 정보, 사건, 현상 따위가 추상화되어 보편적이고 일반적인 지식으로 됨. 또는 그렇게 만듦.'을 뜻합니다.
③ '법칙을 찾고 체계를 세워 이론이 되게 함.'을 뜻합니다.
④ '추상적인 것으로 됨. 또는 그렇게 만듦.'을 뜻합니다.
⑤ '여럿 중에서 하나씩 따로 나누어짐. 또는 그렇게 만듦.'을 뜻합니다.

1 3문단에서 일반 상대성 이론에 따르면 중력이 클수록 시간이 천천히 간다고 하였으며, 블랙홀은 중력이 매우 크다고 하였으므로 블랙홀에서의 시간은 매우 느리게 흐를 것임을 알 수 있습니다.

2 3문단에서 슈바르츠실트는 아인슈타인의 일반 상대성 이론을 바탕으로 블랙홀의 경계면은 강력한 중력에 의해 빛과 시공간이 크게 휘어지면서 고리 모양을 형성할 것이라고 예측하였다고 했으므로 ③의 설명은 적절하지 않습니다.

3 A는 '특이점', B는 '사건의 지평선'에 해당합니다. B는 블랙홀의 경계면으로 B를 경계로 그 안은 빛도 빠져나가지 못할 정도로 강한 중력이 존재합니다. 따라서 B를 경계로 내부에서 일어난 사건이 외부로 나가는 것은 불가능하므로 외부에 영향을 줄 수 없는 경계라고 볼 수 있습니다.

오답 피하기 ① A는 특이점이며, 블랙홀과 바깥 세계의 경계는 B에 해당합니다.
② 블랙홀 주변에서 탈출이 가능한 마지막 지점은 바로 블랙홀의 경계면인 B에 해당합니다.
③ 중력이 매우 강해 시공간의 왜곡이 생기는 부분은 B의 안쪽에 해당합니다.
⑤ A와 B 사이의 공간에 중력이 매우 크게 작용하지만, 시공간이 존재하지 않는 것이 아니라 휘어지거나 왜곡되는 공간입니다.

4 심화 학습을 할 때에는 글의 주제와 관련이 있지만 글에서는 제시되어 있지 않은 내용을 주제로 설정하는 것이 적절합니다. 따라서 '블랙홀은 어떻게 생겨나게 되는 것일까'에 대한 내용을 심화 학습의 주제로 설정하는 것이 알맞습니다. 나머지는 모두 글에서 확인할 수 있는 내용이므로 심화 학습의 주제로 적절하지 않습니다.

생각읽기 5

선인장, 사막에서 살아남다

0 ④	1 ③	2 ③	3 ③	4 ②

Q 선인장의 잎이 가시로 변한 이유는 무엇인가요?

수분 손실을 최소화하여 사막에서 생존하기 위해서입니다.

이 글은 우리가 흔히 볼 수 있으면서도, 다른 식물들과 다른 생김새를 지닌 선인장이 지닌 신비로움에 대해 설명하는 글입니다. 선인장이 사막과 같이 물이 부족한 환경에서 적응하기 위해 어떻게 진화하였는지를 알려주며 선인장의 가시, 광합성 방식, 줄기의 특징을 구체적으로 설명하고 있습니다.

■ 문단으로 생각읽기

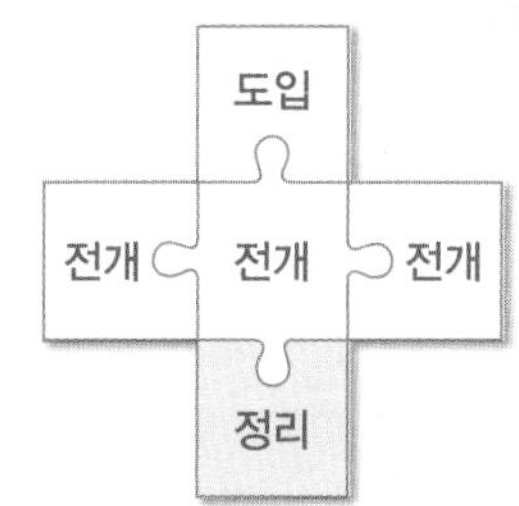

[도입 – 전개 – 전개 – 전개 – 정리]의 생각 구조

도입 — **흥미 유발**
사막과 같은 건조한 환경에서도 살 수 있는 선인장을 제시하며 흥미를 유발함. (1문단)

전개 / 전개 / 전개 — **대상 분석**
선인장의 가시, 광합성 방식, 줄기의 특징을 통해 수분 손실을 최소화하는 선인장의 생존 방식을 제시함. (2~4문단)

정리 — **내용 정리**
선인장의 생존 방식은 환경에 맞선 방식임을 강조함. (5문단)

0 이 글은 다른 생명체들은 살아남기 힘든 사막에서 선인장이 어떻게 살 수 있는지를 보여 주는 글로, 선인장은 사막과 같은 건조한 환경에서 수분 손실을 최소화하는 방식으로 진화하였음을 설명하고 있습니다.

출제 의도 핵심 내용을 한 문장으로 요약하는 문제입니다. 글의 중심 내용과 주제를 압축적으로 드러낼 수 있어야 합니다.

1 이 글은 선인장의 가시, 둥글고 주름이 많은 줄기와 같은 선인장의 형태적 특징들을 제시하며, 이러한 특징은 선인장이 사막에서 생존하기 위해 진화한 것임을 설명하고 있습니다.

오답 피하기 ① 선인장이 환경에 적응하기 위해 진화하였다는 내용은 제시되었지만, 그 과정을 시간 순서대로 설명하고 있지는 않습니다.
② 선인장의 특성을 설명하고 있기는 하지만, 선인장이 사막 환경에 영향을 끼쳤다는 내용은 제시되지 않았습니다.
④ 구체적인 선인장의 종류를 예로 들어 설명하고 있지는 않습니다.
⑤ 선인장이 다른 환경에서 살기 어렵다는 내용은 제시되지 않았습니다.

2 마지막 문단을 보면 선인장은 수분 손실을 최소화하는 방식을 통해 사막과 같은 덜 경쟁적인 환경에서도 살 수 있게 되었다고 하였습니다. 즉 사막에서는 다른 식물들이 자라기 어려우므로 선인장이 생존을 위해 다른 생물들과 덜 경쟁해도 된다는 것입니다. 따라서 사막이 아닌 식물들이 자라기 좋은 환경은 그만큼 생존을 위한 경쟁이 더 치열하다는 것을 알 수 있습니다.

오답 피하기 ① 3문단에서 선인장은 줄기의 기공을 여닫아 광합성을 한다고 하였습니다.
② 2문단에서 다육 식물 중에서 선인장만 가시가 있고, 가시자리라고 불리는 작고 매우 독특한 눈들이 있다고 하였습니다.
④ 4문단에서 선인장은 건기에는 줄기의 주름을 접어 몸의 크기를 최대한 줄였다가 우기에는 주름을 펴서 수분을 저장하고, 이렇게 저장한 물을 조금씩 쓰면서 건기를 견딘다고 하였습니다.
⑤ 4문단에서 선인장의 줄기는 수분을 효과적으로 저장하기 위해 점액질로 이루어져 있다고 하였습니다.

3 3문단에서 선인장은 다른 식물들과 달리 낮에 기공이 닫히고 밤에 열리며, 기공이 열리는 밤에 이산화탄소를 저장한다고 하였습니다. 따라서 선인장은 밤에 이산화탄소를 흡수하는 반면, 민들레는 낮에 이산화탄소를 흡수한다고 볼 수 있습니다.

오답 피하기 ① 4문단에서 선인장의 줄기는 주로 공이나 원기둥 모양인 것이 많은데, 이는 햇빛과 바람을 받는 면적을 최대한 줄이기 위해서라고 하였습니다. 〈보기〉에서 민들레도 최대한 지면에 붙어 잎을 내어 바람을 피한다고 하였습니다.
② 2문단에서 선인장은 가시가 있어서 동물들로부터 자신을 보호한

다고 하였고, 〈보기〉에서 민들레는 땅에 붙어 나서 초식 동물에게 먹힐 확률을 상대적으로 낮춘다고 하였습니다.

④ 3문단을 보면 선인장은 뜨거운 사막에서 생존하기 위해 크래슐산 대사와 같은 방식으로 생존하는 반면, 〈보기〉의 민들레는 이른 봄 최대한 지면에 붙어 추운 바람을 피한다는 것을 알 수 있습니다.

⑤ 2문단을 보면 선인장은 잎을 가시로 변형하여 햇빛에 의한 수분 증발을 최소화하는 반면, 〈보기〉의 민들레는 겹치지 않게 잎이 배열되어 최대한 많은 햇빛을 받으려 한다는 것을 알 수 있습니다.

4 ㉡의 '변형'은 '모양이나 형태가 달라지거나 달라지게 함.'의 의미를 지닙니다. '다르게 바꾸어 새롭게 고침.'은 '변경'에 해당하는 의미입니다.

생각읽기 6

뇌는 어떻게 과거를 기억할까

0 ④	1 ⑤	2 ④	3 ④	4 ⑤

Q 장기 기억 유지를 위한 핵심은 무엇인가요?

시냅스 회로의 유지입니다. 시냅스 회로가 활성화되고 강화되면 기억이 더 깊고 오래 고정될 수 있습니다.

이 글은 인간의 뇌가 어떻게 기억을 하는지에 대해 설명하고 있습니다. 기억의 종류를 어떻게 구분할 수 있는지를 살펴본 뒤, 기억의 과정을 세 가지 단계로 나누어 각 단계의 특징을 설명하고 있습니다. 마지막에는 감정과 기억의 관련성을 보여 주고 있습니다.

■ 문단으로 생각읽기

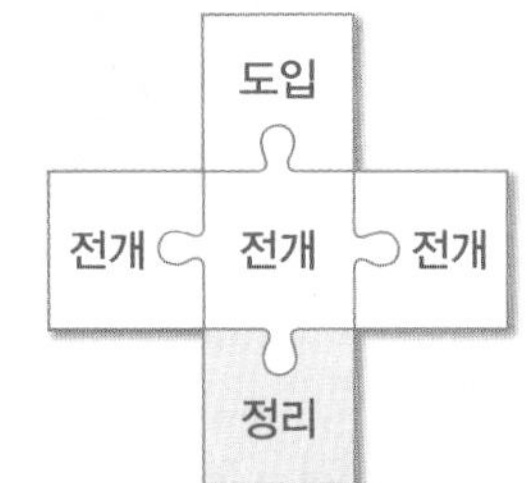

[도입 – 전개 – 전개 – 전개 – 정리]의 생각 구조

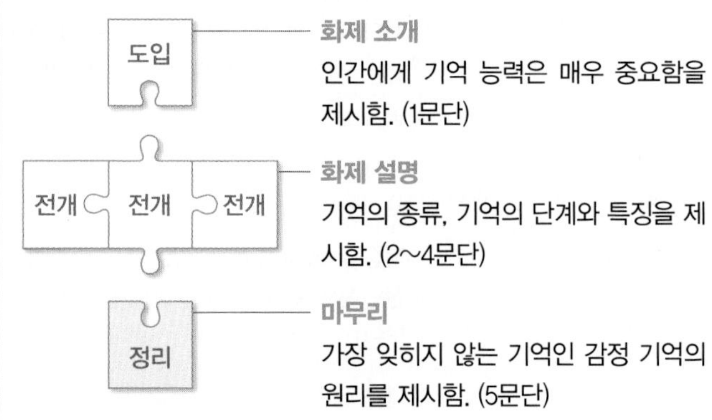

도입
화제 소개
인간에게 기억 능력은 매우 중요함을 제시함. (1문단)
전개
전개
전개
화제 설명
기억의 종류, 기억의 단계와 특징을 제시함. (2~4문단)
정리
마무리
가장 잊히지 않는 기억인 감정 기억의 원리를 제시함. (5문단)

0 이 글에서는 인간의 뇌에서 기억이 어떤 과정으로 이루어지는지를 중심으로 설명하고 있습니다.

출제 의도 핵심 화제는 제시된 글의 내용 중 글의 주제와 가장 직접적인 연관이 있는 것이어야 합니다.

1 이 글에서 뇌에 입력되는 정보의 종류를 구분하는 방법에 대해서는 설명하고 있지 않습니다.

오답 피하기 ① 5문단에서 가장 오랫동안 머릿속에 존재하는 기억은 감정 기억이며, 감정이 동반되면 기억이 더 오래 남을 수 있다고 하였습니다.
② 2문단에서 기억은 유지되는 시간에 따라 단기 기억과 장기 기억으로 구분된다고 하였습니다.
③ 4문단에서 신경 세포의 시냅스에 의해 정보를 기억으로 뇌에 새긴다고 하였습니다.
④ 1문단에서 기억이란 어떤 자극에 대하여 이를 느끼고 이것을 머리에 새겨 두었다가, 자극이 없어지고 나서 그 정보를 다시 상기할 수 있는 정신 기능을 말한다고 하였습니다.

2 4문단에서 대뇌 피질에 전달된 정보는 같은 범주로 분류되는 내용끼리 저장된다고 하였으며, 기억을 회상할 때는 뇌 여기저기에 흩어져 저장되어 있는 정보들을 끄집어낸다고 하였습니다. 따라서 대뇌 피질에 전달된 정보는 하나로 통합되어 저장되는 것이 아니라 여러 곳으로 분산되어 저장되는 것임을 알 수 있습니다.

3 〈보기〉에서 해마가 손상된 후 새로운 기억을 만드는 것은 불가능했으나 과거의 기억은 회상이 가능하다고 하였습니다. 이는 기존의 장기 기억은 해마가 아닌 곳에 저장되기 때문에 가능하다고 볼 수 있습니다.

오답 피하기 ① 〈보기〉에서 해마가 손상되자 새로운 기억이 불가능해졌음을 알 수 있습니다. 또한 3문단에서도 새롭게 입력되는 정보들은 해마를 거쳐 장기 기억으로 전환된다고 하였으므로, 해마가 손상되면 새로운 기억을 형성하는 것이 어렵다고 볼 수 있습니다.
② 〈보기〉에서 대뇌 피질이 망가진 환자는 망가진 부분에 저장된 기억은 사라지지만 다른 기억은 회상했다는 점에서 뇌의 한 부위가 망가져도 여전히 존재하는 기억이 있을 수 있음을 알 수 있습니다.
③ 〈보기〉에서 해마가 손상된 환자라도 과거의 기억을 회상할 수 있었다고 하였습니다. 따라서 해마가 손상되어도 기존의 기억을 회상할 수는 있습니다.
⑤ 3문단에서 새롭게 입력되는 정보들은 해마를 거쳐 대뇌 피질로 전달된다고 하였습니다.

4 ㉠의 앞부분을 보면 '내측두엽으로 들어온 정보는 해마와 그 주변 조직들에서 일시적으로 머물며 정보를 조직화한다'고 하였으며, ㉠의 뒷부분에서는 단기 기억 정보를 대뇌 피질의 여러 부위로 전달한다고 하였습니다. 즉 해마는 입력된 기억을 잠시 저장하고 있다가 대뇌 피질로 보내는 역할을 하는 임시 저장고와 같다고 할 수 있습니다.

생각의 구조화 MIND MAP

생각읽기1 ㉠	생각읽기2 ㉢	생각읽기3 ㉡
생각읽기4 ㉣	생각읽기5 ㉣	생각읽기6 ㉣
1 거듭제곱	2 영웅	3 호르몬
4 블랙홀	5 수분	6 저장

06 라이벌

생각읽기 1 경제 체제에 대한 논쟁

본문 160~163쪽

0 ⑤	1 ④	2 ⑤	3 ④	4 ④

Q 공산주의의 몰락 이후에도 공산주의의 요소가 경제 체제에 일부 적용된 이유는 무엇인가요?

자본주의의 발달에도 불구하고 생산 수단의 독점과 빈부 격차 등의 문제가 크게 대두되었기 때문입니다.

이 글은 생산 수단의 소유를 중심으로 자본주의와 공산주의의 특징을 보여 주고, 공산주의가 몰락할 수밖에 없었던 배경과 자본주의의 발전 과정을 설명하고 있습니다. 하지만 자본주의 체제 역시 많은 문제점들이 나타나고 있으며 이를 해결하기 위해 두 체제의 조화로운 적용을 모색하게 되었다는 내용으로 마무리하고 있습니다.

문단으로 생각읽기

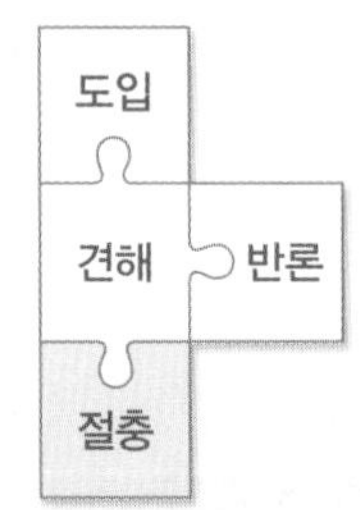

[도입 – 견해 – 반론 – 절충]의 생각 구조

도입 — **화제 소개**
자본주의와 공산주의 경제 체제의 등장 배경과 특성을 소개함. (1문단)

견해 / 반론 — **대상 비교**
자본주의와 공산주의의 특징을 서로 대조하여 설명함. (2, 3문단)

절충 — **결론 제시**
체제 경쟁의 결과와 자본주의 문제의 해결을 위해 두 체제가 조화롭게 적용되어야 함을 이야기하며 마무리함. (4문단)

원리로 생각읽기

독해연습 1 1 입자(성), 파동 2 이중성을 지닌 빛처럼 전자도 입자이면서 파동이기도 하다.

독해연습 2 1 ❹ 2 ②

0 이 글은 자본주의와 공산주의의 특징을 드러내면서 동시에 두 체제 간의 차이를 설명하고 있으므로 제목으로는 ⑤가 가장 적절합니다.

출제 의도 글의 제목을 추리하는 문제는 글을 읽고 글 전체 내용을 아울러 파악하고 압축하여 표현할 수 있어야 합니다.

1 〈보기〉에 따르면 시장의 실패로 사회의 자원 배분이 효율적으로 이루어지지 않는 문제가 발생한 자본주의의 한계를 극복하기 위해 정부가 시장에 개입하거나 시장을 규제한다고 말하고 있습니다. 이는 자본주의의 문제를 해결하기 위해 공산주의의 요소를 일부 반영한 것으로 볼 수 있습니다.

오답 피하기 ① 〈보기〉에 따르면 자본주의 시장 경제에서는 사회의 자원 배분이 효율적으로 이루어지지 않는 문제가 발생하게 되었다고 하였고, 4문단에서도 자본주의 역시 빈부 격차 등의 문제가 크게 대두되었다고 하였으므로 모든 계층의 부가 증가하였다고 보는 것은 적절하지 않음을 알 수 있습니다.
② 생산과 분배를 정부에 맡기면서 위기를 맞이하게 된 것이 아니라 시장의 실패와 자본주의의 발달로 겪게 된 문제 등을 해결하기 위해 정부가 시장에 개입하고 규제하게 된 것입니다.
③ 4문단에서 알 수 있듯이 공산주의는 경제 체제로 성공을 거두지 못하고 몰락하게 되었습니다.
⑤ 자본주의와 공산주의의 대립이 노동자들의 삶에 미친 영향에 대해서는 이 글이나 〈보기〉에서 언급하고 있지 않습니다.

2 이 글은 자본주의와 공산주의라는 대립되는 경제 체제의 특징을 설명하고, 두 체제의 요소를 서로 절충해야 함을 말하며 마무리하고 있습니다.

3 ㉠은 생산 수단을 개인의 소유로 인정하는 자본주의 체제인 반면 ㉡은 생산 수단을 국가가 소유하는 특징을 가지는 공산주의 체제입니다. 즉 자본주의와 공산주의의 차이가 발생하는 이유는 생산 수단을 누가 소유하느냐에 달려 있습니다.

오답 피하기 ① ㉡은 생산물과 시장의 조절 기능이 아닌 중앙 계획 당국이 정하는 재화와 서비스의 가격을 합리적이라 생각하고 있습니다.
② 이 글에서는 시장의 중요성에 대해 어떤 생각을 가지고 있느냐가 자본주의와 공산주의를 구분짓는 차이인지는 확인할 수 없습니다.
③ 이 글에서는 욕망에 대한 견해 차이가 자본주의와 공산주의의 차이인지는 확인할 수 없습니다.
⑤ 2문단에 따르면 ㉠이 분업을 통해 생산력을 증진시키고자 하는 것은 맞지만, 이는 노동자가 아닌 자본가의 이익을 급격하게 증가시킨다는 것을 확인할 수 있습니다.

4 ⓓ '독점'은 '생산과 시장을 지배하여 이익을 독차지함.'을 의미합니다. '모든 권력을 차지하여 일을 독단으로 처리함.'을 뜻하는 것은 '독재'입니다.

생각읽기 2

종교와 과학의 투쟁사

0 ④	1 ⑤	2 ④	3 ③

Q 종교의 진리관이 위협을 받게 된 이유는 무엇인가요?

과학이 개별적 사실에 대한 발견을 바탕으로 법칙을 발견하는 이성적, 합리적 측면이 있다면, 종교는 논리적으로 설명할 수 없는 신비주의적 측면을 지녀 비이성적이고 비합리적인 것으로 여겨지기 때문입니다.

이 글은 16세기 이후 시작된 종교와 과학의 투쟁에 대한 상반된 견해를 설명한 글입니다. 글쓴이는 종교와 과학이 인간의 보다 나은 삶을 위해 서로 협력하고 조화를 이루어야 한다고 주장하고 있습니다.

문단으로 생각읽기

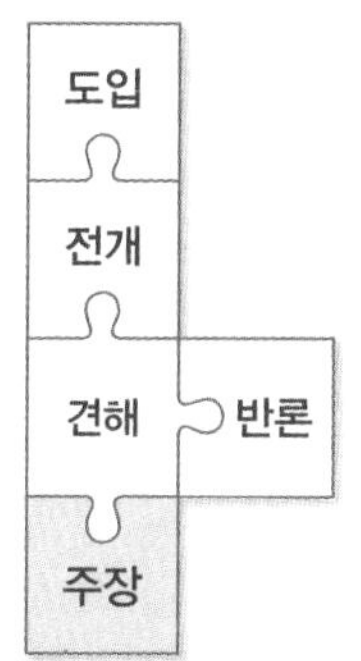

[도입 – 전개 – 견해 – 반론 – 주장]의 생각 구조

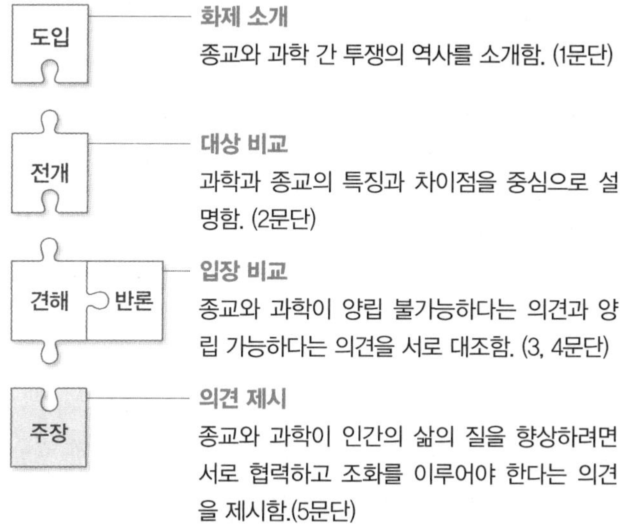

도입
화제 소개
종교와 과학 간 투쟁의 역사를 소개함. (1문단)
전개
대상 비교
과학과 종교의 특징과 차이점을 중심으로 설명함. (2문단)
견해
반론
입장 비교
종교와 과학이 양립 불가능하다는 의견과 양립 가능하다는 의견을 서로 대조함. (3, 4문단)
주장
의견 제시
종교와 과학이 인간의 삶의 질을 향상하려면 서로 협력하고 조화를 이루어야 한다는 의견을 제시함.(5문단)

본문 166~169쪽

0 3문단에 따르면 과학은 주로 자연 과학을 의미하고 종교는 흔히 기독교를 의미하기 때문에 종교와 과학의 투쟁사를 볼 때에는 기독교와 자연 과학의 대립과 충돌에 주목한다고 말하고 있습니다. 따라서 이를 검증하기 위해서는 우선 기독교와 자연 과학이 각각 종교와 과학을 대표하는 것인지에 대한 판단부터 해야 할 것입니다.

출제 의도 논리적 타당성을 검증하기 위한 질문을 찾기 위해서는 먼저 논의의 전제가 되는 말을 찾고 논리적으로 타당한지 살펴보아야 합니다.

1 (다)는 종교와 과학의 양립이 불가능하다는 견해를 제시하고 있습니다. 이에 비해 (라)는 종교와 과학의 충돌이 필연적이지 않으며 상호 의존적이라는 견해가 담겨 있습니다. 따라서 두 문단은 내용상 대조적이며 구성상 병렬적이라 할 수 있습니다.

2 (나)를 보면, 과학은 이성적이고 합리적인 것으로 여겨지는 반면, 종교는 비이성적이고 비합리적으로 여겨진다는 것을 알 수 있습니다. 이는 종교 자체가 지닌 논리적으로 설명할 수 없는 신비주의적 측면 때문으로, 이것이 종교가 과학과 근본적으로 다른 점이라 할 수 있습니다.

3 〈보기〉의 내용을 통해 똘레랑스는 서로 간의 차이를 인정해야 한다는 것, 그리고 '유사성의 질서' 즉, 보편적인 가치를 바탕으로 한 공존을 추구할 때 정착될 수 있다는 것을 알 수 있습니다. 그리고 (라)의 아인슈타인의 견해를 통해 종교와 과학의 관계는 상호 의존적인 성격이 있으며, (마)를 통해 종교와 과학이 인간의 삶의 질을 높이기 위해 서로 협력하고 조화를 이루어야 함을 알 수 있습니다. 따라서 종교와 과학은 상호 간의 입장 차이를 인정해야 하며, 인간의 보다 나은 삶이라는 보편적 가치를 위해 서로 협력하고 조화를 이루는 공존을 추구해야 한다는 내용을 이끌어 낼 수 있습니다.

생각읽기 3

전류 전쟁

0 ③	1 ④	2 ④	3 ①	4 ⑤

Q 전류 전쟁이 끝난 이후 직류가 다시 부상한 이유는 무엇인가요?
충전이 필요한 전자 제품이나 신재생 에너지로 만든 전력을 다룰 때에는 교류보다는 직류가 더 적합하기 때문입니다.

이 글은 1800년대 후반 미국에서 에디슨과 테슬라 사이에 벌어진 '전류 전쟁'에 대해 설명하고 있습니다. 또한 '전류 전쟁'은 결국 교류의 승리로 끝났지만 이후 직류가 다시 부상했다는 것을 언급하며 '전류 전쟁'으로 인류가 편리한 생활을 누릴 수 있게 되었음을 밝히고 있습니다.

■ 문단으로 생각읽기

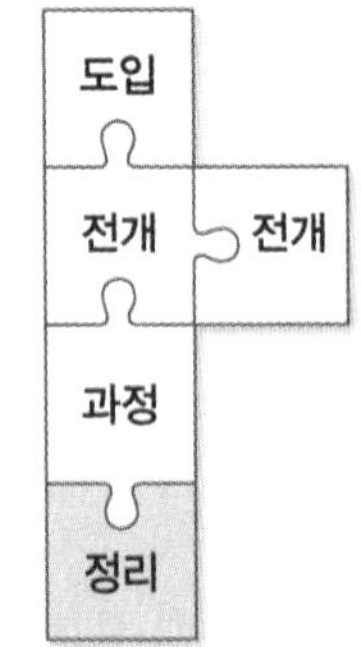

[도입 – 전개 – 전개 – 과정 – 정리]의 생각 구조

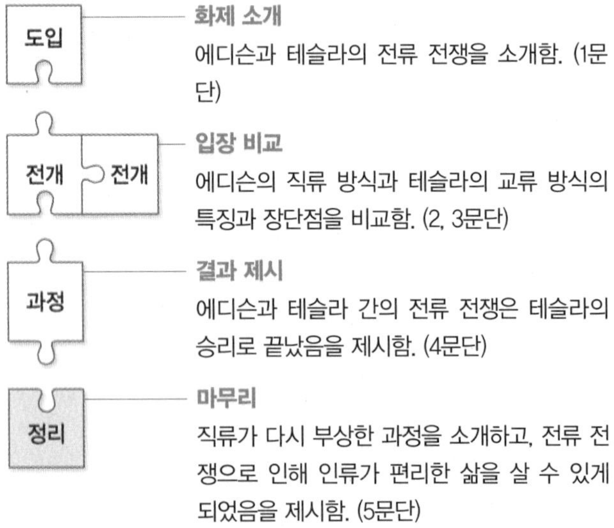

도입
화제 소개
에디슨과 테슬라의 전류 전쟁을 소개함. (1문단)
전개
전개
입장 비교
에디슨의 직류 방식과 테슬라의 교류 방식의 특징과 장단점을 비교함. (2, 3문단)
과정
결과 제시
에디슨과 테슬라 간의 전류 전쟁은 테슬라의 승리로 끝났음을 제시함. (4문단)
정리
마무리
직류가 다시 부상한 과정을 소개하고, 전류 전쟁으로 인해 인류가 편리한 삶을 살 수 있게 되었음을 제시함. (5문단)

0 이 글은 (가)에서 에디슨과 테슬라의 전류 전쟁이라는 화제를 제시한 후, (나)와 (다)에서 각각 에디슨의 직류 방식과 테슬라의 교류 방식을 대조하여 설명하고, (라)에서 전류 전쟁의 결과를 제시하고 있습니다. 그리고 (마)에서는 이후 직류가 다시 부상하게 된 이유와 함께 전류 전쟁으로 인한 긍정적인 영향을 밝히며 글을 마무리하고 있습니다.

출제 의도 글쓴이는 글을 쓰기 전 구조도를 먼저 생각합니다. 글의 구조도를 파악하기 위해서는 글의 내용과 전개 방식이 어떠한지 파악해야 합니다.

1 (라)를 통해 테슬라의 교류 방식이 결국 전류 전쟁에서 승리했다는 것을 알 수 있지만, 이에 대해 과학적 분석을 하고 있지는 않습니다.

2 〈보기〉를 통해 직류는 송전 설비 비용이 많이 드는 단점이 있다는 것을 알 수 있습니다. 또한 (나)를 통해 직류가 장거리 송전에는 불리했다는 것도 확인할 수 있습니다. 반면 (다)를 통해 교류는 송전에 필요한 변전소 간격이 길어도 되며 투자비도 대폭 줄일 수 있다는 내용을 확인할 수 있습니다. 따라서 이 글과 〈보기〉를 종합해 보면 교류가 더 저렴하고 멀리까지 전기를 공급할 수 있었기 때문에 전류 전쟁에서 승리했다는 것을 알 수 있습니다.

오답 피하기 ① 이 글을 통해서는 두 방식 가운데 무엇이 더 안전하고 위험한지를 판단할 수 없습니다.
② 이 글을 통해 사고의 확률이 더 낮은 송전 방식이 무엇인지 알 수는 없습니다.
③ 교류 방식으로 테슬라가 나이아가라 폭포에서 뉴욕까지 전기를 공급했다는 내용은 나와 있지만, 이 이유만으로 전류 전쟁에서 승리했다고 보기는 어렵습니다.
⑤ (다)를 통해 변압기가 있으면 변전소 간격이 넓어도 된다는 것을 확인할 수 있습니다. 하지만 변압기가 사고의 위험을 극복하기 위해 만들어진 장치인지 여부는 알 수 없습니다.

3 전류 전쟁에서는 테슬라의 교류 방식이 승리했지만 이후 직류가 다시 부상하고, 다양한 전자 제품들에 직류가 적용되고 있습니다. 이로 보아 '전류 전쟁'은 전기를 이용한 수많은 발명품들을 통해 인류가 편리한 삶을 사는 데 기여했으므로 경쟁은 좋은 결과를 이끌어 낼 수 있다는 주제를 끌어낼 수 있습니다.

오답 피하기 ④ 직류와 교류 각각이 인류의 편리한 삶에 기여한 것이지 두 방식이 절충된 것은 아닙니다.

4 유속에 따라 무효 전력이 커진다는 것은 교류의 단점으로 볼 수 있습니다. 직류에 비해 교류가 전류의 방향을 잘 정했기 때문에 전류 전쟁에서 승리했다고 보는 것은 적절하지 않습니다.

생각읽기 4

얼굴 없는 자화상

0 ① **1** ③ **2** ⑤ **3** ④

Q 「고갱의 의자」에는 고흐의 어떤 마음이 담겨 있나요?

「고갱의 의자」에는 친구인 고갱이 자기 곁에 있어 주기를 바라는 고흐의 마음이 담겨 있습니다.

이 글은 빈센트 반 고흐의 작품들 속에 숨겨진 그의 정신 세계를 분석한 글입니다. 글쓴이는 고흐 자신의 의자를 그린 그림과 고갱의 의자를 그린 그림을 비교하며 그 속에서 엿볼 수 있는 고흐의 심리를 분석하고 있습니다.

문단으로 생각읽기

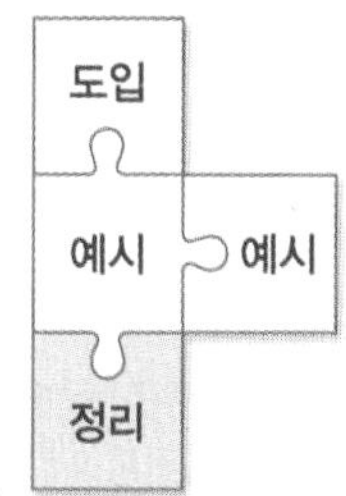

[도입 – 예시 – 예시 – 정리]의 생각 구조

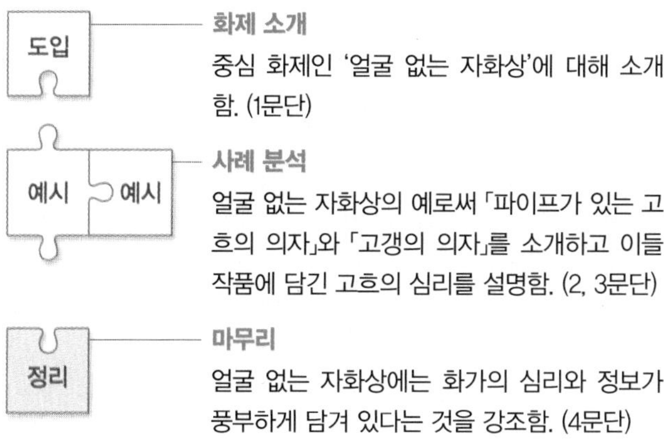

화제 소개
중심 화제인 '얼굴 없는 자화상'에 대해 소개함. (1문단)

사례 분석
얼굴 없는 자화상의 예로써 「파이프가 있는 고흐의 의자」와 「고갱의 의자」를 소개하고 이들 작품에 담긴 고흐의 심리를 설명함. (2, 3문단)

마무리
얼굴 없는 자화상에는 화가의 심리와 정보가 풍부하게 담겨 있다는 것을 강조함. (4문단)

원리로 생각읽기

독해연습 1 **1** 구들 난방, 아궁이, 방고래, 굴뚝
2 계면활성제와 빌더

독해연습 2 **1** 본체와 주변 장치 **2** 분석

0 이 글에서는 「파이프가 있는 고흐의 의자」 속 의자에 놓인 파이프를 통해 아버지로부터 강한 정신적 영향을 받았던 고흐의 내면을 읽고 있으며, 「고갱의 의자」를 통해 강한 남성성을 지닌 친구 고갱에 애착을 느끼는 고흐의 심리를 발견하고 있습니다. 이런 맥락에서 볼 때 얼굴 없는 자화상은 화가의 깊은 내면세계를 살펴볼 수 있는 그림으로 이해할 수 있습니다.

출제 의도 중심 화제의 의미를 제대로 이해하고 있는가를 묻는 문제입니다.

1 (가)는 이 글의 중심 화제인 얼굴 없는 자화상을 소개하고 있습니다. 그리고 (나)와 (다)에서 얼굴 없는 자화상의 대표적인 작품인 「파이프가 있는 고흐의 의자」와 「고갱의 의자」를 사례로 들어 분석하고 있습니다. 마지막으로 (라)에서 얼굴 없는 자화상에 담긴 화가의 심리를 언급하며 글을 마무리하고 있습니다.

2 글쓴이는 「파이프가 있는 고흐의 의자」에서는 아버지로부터 강한 정신적 영향을 받았던 고흐의 모습을 발견했으며, 「고갱의 의자」에서는 고갱에 대해 강한 애착을 느끼는 고흐의 내면적 갈등을 읽어 내고 있습니다. 그리고 정신 분석학자 나게라의 견해를 소개하며 고흐의 심리를 분석하였습니다. 이를 고려할 때, 글쓴이가 사용한 글쓰기 전략으로 가장 적절한 것은 사례를 소개하고 전문가의 분석을 덧붙여 논지를 뒷받침한다는 것입니다.

3 〈보기 1〉에는 고흐의 개인사적 경험이 나타나 있습니다. 고흐는 목사였던 자신의 아버지에게 강한 정신적 영향을 받았으며 평생 여기에서 벗어나지 못하였습니다. 고흐가 물려받은 아버지의 파이프는 아버지를 상징하던 물건으로 볼 수 있으므로 이를 〈그림 1〉과 연결하면 아버지로부터 인정받고자 하는 태도가 암시되었다고 볼 수 있습니다(ㄴ). 그리고 고흐의 동생 테오와의 일화를 통해서는 고흐가 가진 애착 심리를 읽을 수 있습니다. 〈그림 2〉와 관련하여 이 글의 내용을 보면 고흐는 동료 화가였던 고갱에게도 이런 애착을 느꼈음을 알 수 있습니다(ㄹ).

생각읽기 5

인간의 본성은 선한가, 악한가

0 ① **1** ⑤ **2** ② **3** ⑤

Q 인간의 본성에 대한 논쟁이 중요한 이유는 무엇인가요?

사회 정치 이론의 받침돌이며, 특정 계층의 권력 장악을 옹호하는 이데올로기이기 때문입니다.

이 글은 성선설과 성악설의 특징을 바탕으로 이를 사회 정치 이론과 연결하여 설명하고 있습니다. 단순히 인간이 어떠한 존재인지를 생각하는 인간론을 넘어 누가 권력을 잡아야 하느냐의 문제로 성선설과 성악설을 설명하고 있습니다.

■ 문단으로 생각읽기

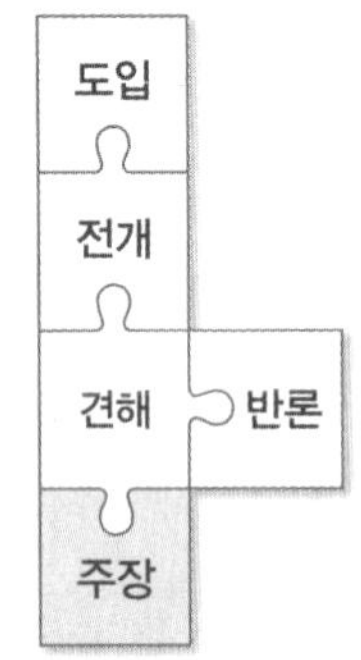

[도입 – 전개 – 견해 – 반론 – 주장]의 생각 구조

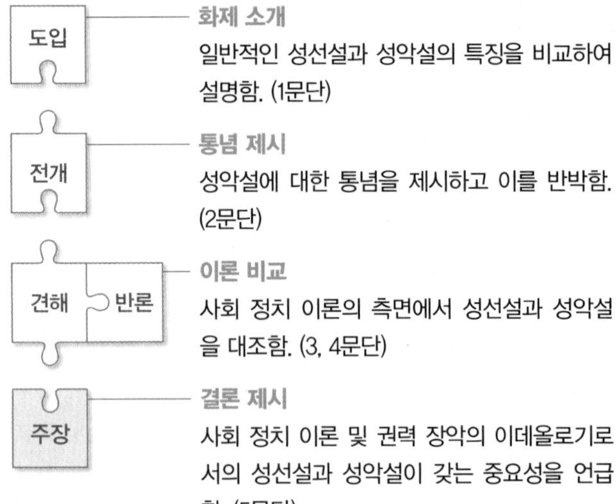

도입
화제 소개
일반적인 성선설과 성악설의 특징을 비교하여 설명함. (1문단)
전개
통념 제시
성악설에 대한 통념을 제시하고 이를 반박함. (2문단)
견해
반론
이론 비교
사회 정치 이론의 측면에서 성선설과 성악설을 대조함. (3, 4문단)
주장
결론 제시
사회 정치 이론 및 권력 장악의 이데올로기로서의 성선설과 성악설이 갖는 중요성을 언급함. (5문단)

0 3문단을 보면 성선설에서는 모든 사회는 인간이 이끌어 나가야 한다고 보고 통치의 원동력을 인간의 내부 요소인 도덕적 이성에서 찾고 있다는 것을 알 수 있습니다. 반면에 4문단을 통해 성악설에서는 사회나 국가를 인간이 이끌어서는 안 된다고 보고 인간의 바깥, 즉 예, 법과 권력, 하느님이라는 요소에서 통치의 원동력을 찾음을 알 수 있습니다. 즉 통치의 원동력을 성선설은 인간 내부에서, 성악설은 인간 외부에서 찾고 있는 것입니다.

출제 의도 핵심 화제와 관련된 정보를 확인하는 문제입니다. 대조의 방식으로 화제를 설명한 경우 특히 차이점과 공통점을 중심으로 정보를 파악할 수 있어야 합니다.

1 마지막 문단을 보면 성선설과 성악설은 단순히 인간이란 어떠하다는 인간론을 넘어서는 문제로서, 특정 계층의 권력 장악을 옹호하는 이데올로기이기 때문에 중요하다고 보았습니다. 따라서 독자들은 이 글을 통해서 인간 본성에 대한 올바른 이해가 사회 문제를 해결하는 데에 중요한 단서를 제공한다는 사실을 깨달을 수 있습니다.

2 ㉠은 어떤 대상이 가지고 있는 문제에 대처하기 위해 그 대상의 실체를 정확히 인식하려는 태도를 취하고 있습니다. 해충이 야기하는 문제를 막기 위해 해충의 습성을 파악해야 한다고 말한 ②도 이와 같은 문제 해결 방식을 보여 줍니다.

오답 피하기 ① 겉으로 드러난 병의 증상에 대응하는 방법입니다.
③ 문제가 발생하기 쉬운 환경을 제거함으로써 문제를 원천적으로 막는 방법입니다.
④ 상대의 악의적인 행동에 직접 부딪치기보다는 상대를 포용함으로써 상대방의 태도를 변화시키는 방법입니다.
⑤ 욕구를 억누름으로써 그 욕구가 일으키는 문제의 발생을 억제하는 방법입니다.

3 ⓐ는 선악과 관련된 일이라는 뜻이므로 ㉤의 의미를 가지며, ⓑ는 성선설과 성악설이 다루는 연구 대상이라는 뜻이므로 ㉡의 의미로 쓰였습니다.

생각읽기 6
칸트의 인식론

0 ②	1 ⑤	2 ⑤	3 ④

Q 칸트가 제시한 새로운 인식 체계는 무엇을 극복하기 위한 것인가요?

칸트는 감각적 경험에만 의존하는 경험주의의 문제점과 감각 경험을 도외시하는 합리주의의 문제점을 비판적으로 수용하고 이를 종합하여 경험주의와 합리주의의 대립을 극복하였습니다.

이 글은 지식을 추구하는 존재인 인간이 지식에 대해 체계적으로 고찰하는 철학의 분야인 인식론, 특히 근대 인식론에 대해 설명하고 있습니다. 감각적 경험을 통해 얻은 것만을 지식이라 생각하는 경험주의와 이성에 의한 지식만을 가장 이상적인 지식이라 여기는 합리주의의 대립을 설명하고, 이후 이 둘의 대립을 극복하는 칸트의 새로운 인식 체계를 설명하고 있습니다.

■ **문단으로 생각읽기**

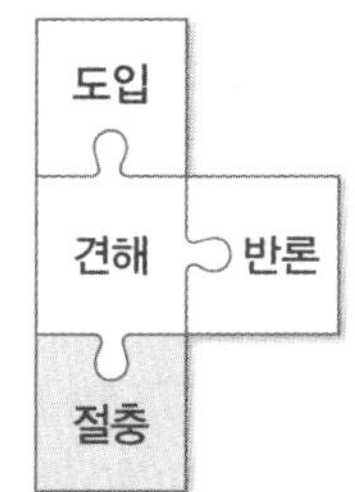

[도입 – 견해 – 반론 – 절충]의 생각 구조

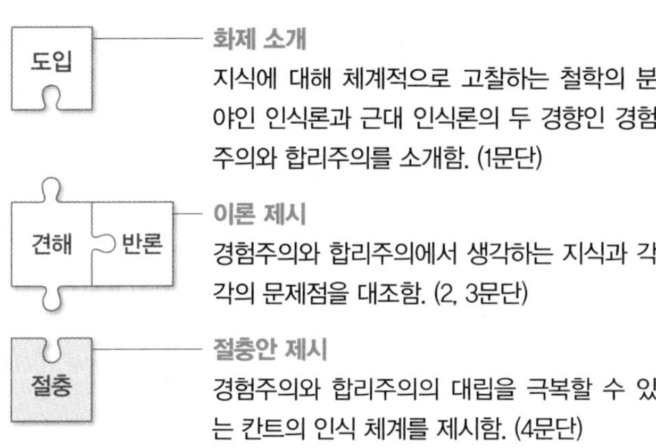

도입
화제 소개
지식에 대해 체계적으로 고찰하는 철학의 분야인 인식론과 근대 인식론의 두 경향인 경험주의와 합리주의를 소개함. (1문단)
견해
반론
이론 제시
경험주의와 합리주의에서 생각하는 지식과 각각의 문제점을 대조함. (2, 3문단)
절충
절충안 제시
경험주의와 합리주의의 대립을 극복할 수 있는 칸트의 인식 체계를 제시함. (4문단)

0 2문단을 보면 개별 현상들을 관찰하고 검증함으로써 동일한 개념을 발견하려고 한 것은 합리주의가 아니라 경험주의임을 알 수 있습니다.

출제 의도 글의 내용과 일치하거나 불일치하는 것을 확인하는 문제입니다. 내용 확인 문제는 각 선지들을 글과 대입해 가며 확인해야 하는데, 글의 어디에서 그 내용을 설명하고 있는지 찾아내는 것이 중요합니다.

1 ㉠은 한정된 경험으로 얻은 지식(유럽의 백조가 희다는 지식)으로 전체의 속성을 단정짓고 판단(전 세계의 백조가 희다고 판단)해서는 안 된다는 귀납법의 오류를 지적한 것입니다. 마찬가지로 ⑤도 내가 먹었던 사과가 달콤했다는 경험을 근거로 사과 전체의 맛이 달콤할 것이라고 추론해서는 안 된다는 오류를 지적하고 있습니다.

2 3문단에서 '합리주의는 감각 경험과 물리적 현상을 도외시했기 때문에 구체적 현실에 대한 지식을 무시한다는 점과 새로운 사실의 발견에 대해 적절하게 설명할 수 없다는 문제점이 있다.'라고 하였습니다. 이로 볼 때, 〈보기〉의 '거미형 학자'는 합리주의자를 의미함을 알 수 있습니다. 그런데 칸트는 온전한 지식을 얻기 위해서는 내용과 형식이 갖추어져야 한다고 생각하였습니다. 따라서 형식만을 추구하는 합리주의자에게 칸트는, 내용인 외부의 감각 경험과 형식인 오성을 갖추어야 온전한 지식을 얻을 수 있다고 조언할 것입니다.

3 ⓐ의 '과'는 비교로 삼는 대상임을 나타내는 조사입니다. ④도 이와 마찬가지로 비교의 의미로 사용되었습니다.

오답 피하기 ① 둘 이상의 사물이나 사람을 같은 자격으로 이어 줍니다.
② 상대로 하는 대상임을 나타냅니다.
③, ⑤ 일 따위를 함께 함을 나타냅니다.

생각의 구조화 MIND MAP

생각읽기 1 ㉠	생각읽기 2 ㉣	생각읽기 3 ㉡
생각읽기 4 ㉢	생각읽기 5 ㉣	생각읽기 6 ㉠
1 생산 수단	2 조화	3 전류 전쟁
4 심리	5 정치	6 합리주의

생각읽기 1 존재의 철학적 의미

본문 192~195쪽

0 ① 1 ④ 2 ① 3 ④

Q 플라톤 이전에 나타난 존재에 대한 서양 철학의 두 가지 관점은 무엇인가요?

플라톤 이전의 철학자 파르메니데스는 존재는 영원하며 절대적이고 불변성을 가진다고 보았습니다. 반면에 헤라클레이토스는 모든 존재는 변하고 생성과 소멸을 반복한다고 보았습니다.

이 글은 존재의 철학적 의미에 대한 여러 철학자들의 사상을 소개하고 있습니다. 플라톤은 존재를 변하는 존재와 변하지 않는 존재로 구분하면서 이상적 세계의 영원한 존재를 이데아로 설정하였습니다. 이에 반해 아리스토텔레스는 참된 존재를 구체적인 사물, 즉 개별자에서 찾았고 모든 대상은 변화한다고 보았습니다. 하이데거는 플라톤 이후의 서양 철학이 존재 자체를 탐구하지 않았다는 점을 지적하면서 인간이라는 존재 자체를 탐구하였고 자신의 존재를 실현하는 삶을 역설하였습니다.

■ **문단으로 생각읽기**

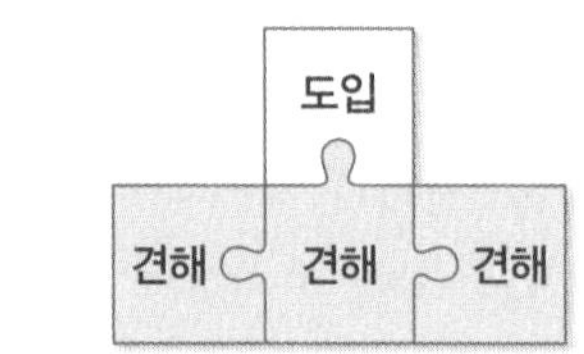

[도입 – 견해 – 견해 – 견해]의 생각 구조

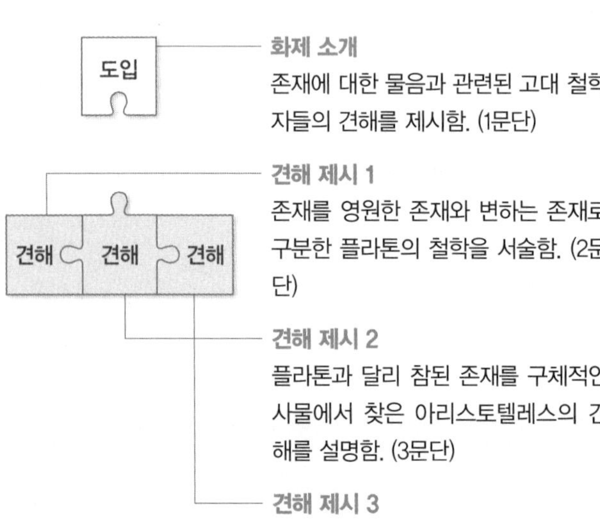

화제 소개
존재에 대한 물음과 관련된 고대 철학자들의 견해를 제시함. (1문단)

견해 제시 1
존재를 영원한 존재와 변하는 존재로 구분한 플라톤의 철학을 서술함. (2문단)

견해 제시 2
플라톤과 달리 참된 존재를 구체적인 사물에서 찾은 아리스토텔레스의 견해를 설명함. (3문단)

견해 제시 3
존재의 성질이 아닌 존재 자체를 탐구한 하이데거의 철학을 제시함. (4문단)

0 이 글은 고대 그리스 철학자인 파르메니데스와 헤라클레이토스부터 현대의 철학자인 하이데거에 이르기까지 철학자들이 '존재'에 대해 보인 사상적 견해를 설명하고 있습니다.

출제 의도 글의 제목에는 글의 주제가 압축적으로 제시되어 있습니다. 제시문의 주제를 파악하면 적절한 제목을 골라낼 수 있습니다.

1 플라톤은 존재를 영원한 존재와 변화하는 존재로 나누고 전자를 이데아라고 일컬으면서 현실의 변하는 존재는 그것의 근원인 이데아를 모방한 것이라고 보았습니다. 즉 현실의 책상은 이데아의 책상을 모방한 것입니다. 그러나 아리스토텔레스는 현존하는 모든 대상에는 변화가 있다고 보았으며, 구체적으로 존재하는 사물인 개별자를 참된 존재라고 하였습니다. 그러므로 현실의 책상이 참된 존재가 될 수 없다는 것은 아리스토텔레스의 발언으로 적절하지 않습니다.

2 파르메니데스는 존재는 영원하다고 보았으며, 존재의 생성과 변화, 소멸을 부정하였습니다. 따라서 파르메니데스가 '존재는 영원하며 끊임없이 새로워진다'라고 주장했다는 설명은 적절하지 않습니다.

오답 피하기 ② 헤라클레이토스는 존재의 생성과 변화를 긍정했고, 모든 존재는 생성과 소멸을 반복한다고 생각했습니다.
③ 플라톤은 영원불변하며 현실 너머 이데아에 있는 존재를 참된 존재라고 보았지만, 아리스토텔레스는 현실 세계에서 변화하는 구체적 존재를 참된 존재라고 보았습니다.
④ 하이데거는 서양 철학이 플라톤 이후 존재 자체에 대해 묻지 않은 것을 비판하고, 존재 자체를 묻는 실존주의 철학을 전개했습니다.
⑤ 하이데거는 그냥 존재하는 '나무, 꽃, 동물'과 달리 인간은 자신이 왜 존재하는지를 묻는 '현존재'라고 하면서 존재의 의미를 규정하였습니다.

3 나무를 재료로 하여 통나무집이 만들어졌으므로 아리스토텔레스는 질료인 나무로 만들어진 형상인 통나무집을 현실태로 볼 것입니다.

오답 피하기 ① 아리스토텔레스는 질료를 형상이 될 수 있는 가능태로, 형상을 질료를 통해 만들어진 현실태로 보았을 뿐 둘 중 어느 것을 더 중시하지는 않았습니다.
② 아리스토텔레스는 구체적인 '꽃' 자체를 참된 존재로 보았습니다.
③ 플라톤은 이상 세계(이데아)와 현실 세계를 분리하고, 현실 세계의 존재는 이데아를 모방한 것일 뿐 이데아와 달리 불완전하다고 보았습니다.
⑤ 아리스텔레스의 주장에 따르면 태어나기 이전의 소크라테스는 아직 현실화되지 않았으므로 가능태이고, 태어난 이후의 소크라테스는 현실화된 존재이므로 현실태입니다.

생각읽기 **2**

예술은 무엇을 위해 존재하는가

0 ①	1 ②	2 ⑤	3 ⑤

Q 예술을 바라보는 두 가지 관점에는 무엇이 있나요?

예술을 바라보는 관점에는 표현론과 모방론이 있습니다.

이 글은 예술의 본질과 존재 이유에 대해 서술하고 있습니다. 3만 7000년 전 동굴 벽화로부터 시작된 예술의 본질에 대한 표현론과 모방론의 입장을 구체적으로 설명하고, 예술이 인간의 이상과 현실을 담아내는 그릇이라는 점을 강조하며 글을 마무리하고 있습니다.

■ 문단으로 생각읽기

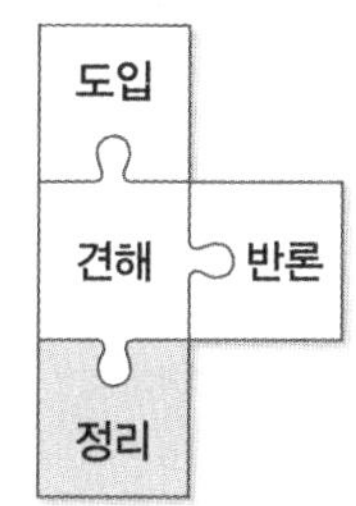

[도입 – 견해 – 반론 – 정리]의 생각 구조

도입

물음 제기
현생 인류의 동굴 벽화로부터 예술이 시작되었음을 언급하며 예술의 본질에 대한 물음을 제기함. (1문단)

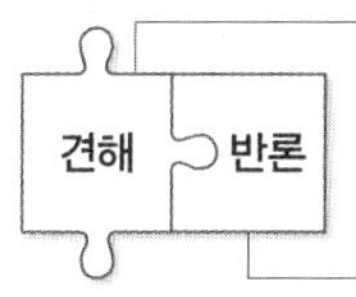

견해 제시
예술은 새롭고 이상적인 것을 창조해 낸다고 보는 표현론을 설명함. (2문단)

반론 제시
예술은 현실에 있는 것을 거의 비슷하게 베끼는 것이라고 보는 모방론을 설명함. (3문단)

마무리
예술은 인간의 이상과 현실을 담는 그릇이라는 점을 강조하며 마무리함. (4문단)

0 이 글은 '예술은 무엇을 위해 존재하는가?'에 대한 답을 찾기 위해 '예술은 무엇인가?'에 대한 답을 먼저 살펴보고 있습니다. 이에 따라 예술의 본질에 대한 표현론과 모방론의 주장을 살펴보고, 예술이 이상적 염원을 표현함으로써 인간의 정신을 고양하거나, 현실을 묘사해 미적 쾌감을 준다고 하면서 그 존재 이유를 서술하고 있습니다.

출제 의도 화제를 파악하는 문제입니다. 화제는 글쓴이가 주로 말하고자 하는 바이므로 글 전체를 이해하기 위해서는 화제가 무엇인지 파악하는 게 중요합니다.

1 2문단에서 피그말리온은 자신이 만든 조각상에 실제 애정을 느꼈다고 하였으므로 피그말리온이 조각상을 실제 존재하는 사람처럼 여겼다는 것을 알 수 있습니다.

오답 피하기 ① 현생 인류가 동굴에 동물을 그린 벽화를 남긴 것은 맞지만, 그 동물이 신에게 바치는 제물이라는 것은 이 글에서 확인할 수 없습니다. 다만 4문단에서 사냥할 대상을 벽화로 그렸다고 언급하였습니다.
③ 아리스토텔레스는 인간이 예술을 통해 쾌감을 느낀다고 했을 뿐 쾌감을 주지 못하는 예술은 예술이 아니라고 말하지는 않았습니다.
④ 1문단에서 현생 인류의 동굴 벽화를 예술의 시작으로 보고 있음을 알 수 있습니다.
⑤ 제욱시스는 현실의 포도와 거의 비슷하게 포도를 그려 참새들을 혼란에 빠뜨렸습니다.

2 표현론은 예술이 세상에 존재하지 않는 이상적인 것을 창조해 낸다는 입장이고, 모방론은 예술이 현실에 있는 것을 그대로 비슷하게 베낀다는 입장입니다. 따라서 대상의 재현을 예술 창작의 기본으로 보는 것은 표현론(㉠)이 아니라 모방론(㉡)입니다. 또한 모방론은 현실을 있는 그대로 베낀다는 입장이므로 작가 의식을 반영해 대상을 재구성하는 것을 예술 창작의 기본으로 본다는 설명은 적절하지 않습니다.

3 '영감(靈感)'은 '창의적인 일의 계기가 되는 기발한 착상이나 자극'을 뜻합니다. 문맥상 뒤에 이어지는 '기술 습득'이나 '연마'와는 상반되어야 하므로 '영감'이 가장 적절합니다.

오답 피하기 ① '하나의 관념이 다른 관념을 불러일으키는 현상'을 가리키는 말로, '기차'로 '여행'을 떠올리는 현상과 같은 것을 말합니다.
② '예술 작품을 창작할 때, 작품의 골자가 될 내용이나 표현 형식 따위에 대하여 생각을 정리함. 또는 그 생각'을 뜻하는 말입니다.
③ '현실적이지 못하거나 실현될 가망이 없는 것을 막연히 그리어 봄. 또는 그런 생각'을 뜻하는 말입니다.
④ '실제로 체험하는 느낌'을 뜻하는 말입니다.

생각읽기 3

국가의 본질과 역할

본문 200~203쪽

0 ④ **1** ④ **2** ④ **3** ②

Q 국가 권력에 대해 홉스, 로크, 루소는 각각 어떤 입장을 보였나요?

홉스는 개인은 국가에 종속되어 권력을 양도했다고 보았고, 로크는 국가의 권력은 시민들의 동의로 성립된 법에 따라 사용된다고 보았습니다. 루소는 국가 권력이 법치주의에서 일탈하면 그 권력이 상실된다고 하였습니다.

이 글은 국가의 본질과 역할이 무엇인지에 대한 '토마스 홉스', '존 로크', '장 자크 루소'의 주장을 차례로 언급한 다음, 이들 학자들의 공통적인 생각과 논리의 차이를 정리하고, 이러한 논의들이 국가론을 이해하는 소중한 자료로 활용되었음을 언급하고 있습니다.

문단으로 생각읽기

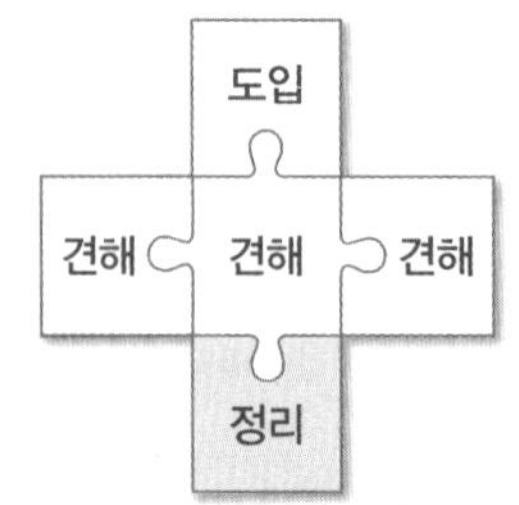

[도입 – 견해 – 견해 – 견해 – 정리]의 생각 구조

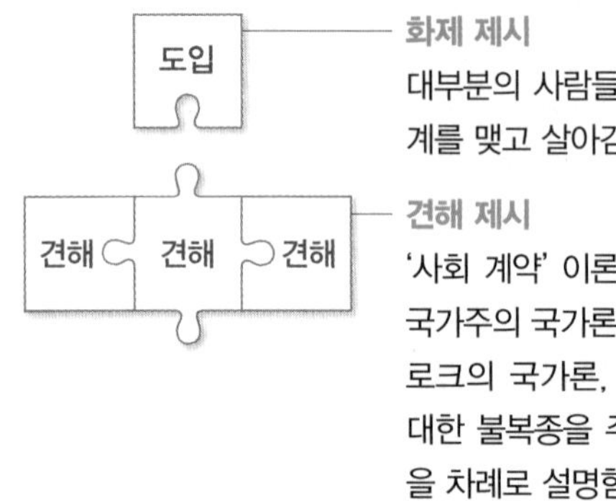

화제 제시
대부분의 사람들이 국가와 밀접한 관계를 맺고 살아감을 밝힘. (1문단)

견해 제시
'사회 계약' 이론에 바탕을 둔 홉스의 국가주의 국가론, '법치주의'에 입각한 로크의 국가론, 부당한 국가 권력에 대한 불복종을 주장한 루소의 국가론을 차례로 설명함. (2~4문단)

정리

마무리
세 학자들이 펼친 국가론들의 공통점과 차이점 및 의의를 언급하며 마무리함. (5문단)

원리로 생각읽기

독해연습 1 **1** 목적 지향적인 일

독해연습 2 **1** 금전적 제재 수단 **2** 종류, 예 **3** 앞 문단의 내용을 정리해 준다.

0 이 글은 국가의 본질과 역할에 대한 논리 체계를 세운 '홉스'와 법치주의를 강조한 '로크', 그리고 개인의 자유를 중시하면서 정당성을 상실한 국가 권력에 대한 불복종을 언급한 '루소'의 주장을 설명한 뒤에, 이들의 공통점과 차이점을 정리하고 이러한 논의가 소중한 자료로서의 가치가 있다고 하였습니다. 따라서 핵심 내용으로는 '국가의 본질과 역할에 대한 다양한 논의와 그 의의'가 가장 적절합니다.

출제 의도 독서 일지를 작성하는 과정에서 핵심 내용을 한 줄로 표현하는 문제는 자신이 읽은 내용을 제대로 파악하여 요약할 수 있는지를 확인하기 위한 것입니다.

1 3문단을 통해 로크는 사회 계약설을 받아들였지만, 국가 권력이 법치주의에 입각해 행사되어야 한다고 주장하였음을 알 수 있습니다. 하지만 국가 권력을 여러 기관에 분산해야 한다는 내용은 이 글에 언급되어 있지 않습니다.

오답 피하기 ① 1문단에 전 세계 대부분의 사람들은 각기 다양한 형태로 국가와 관계를 맺으면서 살아가고 있다는 내용이 언급되어 있습니다.
② 개인이 자연법적 권리를 공동의 권력에 양도하기로 함에 따라 국가가 탄생했다고 본 홉스의 주장은 2문단에 언급되어 있습니다.
③ 국가가 국민의 생명과 안전을 지키기 위해 다른 모든 가치를 희생시킬 수 있으며, 어떤 수단이든 다 쓸 수 있다고 본 홉스의 주장은 2문단에 언급되어 있습니다.
⑤ 법치주의에서 일탈하여 정당성을 상실한 국가 권력에 대해서는 국민이 복종할 의무가 없다고 말한 루소의 주장은 4문단에 언급되어 있습니다.

2 국가의 본질과 역할에 대해 '홉스'는 사회 계약이 국가의 기원이라고 보았고, 로크도 사회 계약을 받아들였으며, 루소도 개인의 자유를 부당하게 침해하지 않는 범위에서 사회 계약에 의한 국가 권력을 인정하고 있습니다. 따라서 이들 세 학자의 논의는 모두 사회 계약설이 기반되어 있다는 공통점이 있습니다.

3 ⓑ '종속(從屬)'의 사전적 의미는 '자주성이 없이 주가 되는 것에 딸려 붙음.'이고, '남의 명령이나 의사를 그대로 따라서 좇음.'의 사전적 의미를 지닌 단어는 '복종(服從)'입니다.

생각읽기 4

신은 존재하는가

0 ③	1 ④	2 ⑤	3 ⑤

Q 신의 존재에 대한 세 가지 관점에는 무엇이 있나요?

신의 존재에 대한 세 가지 관점에는 신은 있다는 유신론, 신은 없다는 무신론, 신의 존재 여부를 인간이 알 수 없다는 불가지론이 있습니다.

이 글은 신의 존재 유무에 대한 논쟁을 다루고 있습니다. 신이 있다고 믿는 유신론, 신은 없다고 보는 무신론, 신이 존재하는지 여부를 알 수 없다고 보는 불가지론을 제시하면서 신의 존재에 대한 논쟁이 쉽사리 해결될 수 없음을 밝히고 있습니다. 그리고 신의 존재에 대한 물음이 우리가 살아가는 세상과 '나'라는 존재의 근원에 대한 질문이므로 신에 대한 논쟁은 앞으로도 계속될 것임을 말하고 있습니다.

문단으로 생각읽기

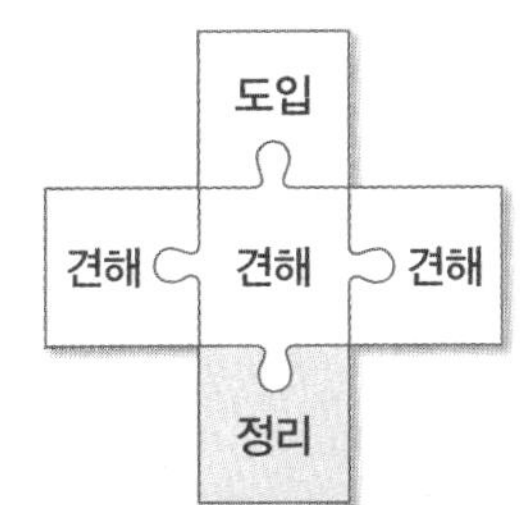

[도입 – 견해 – 견해 – 견해 – 정리]의 생각 구조

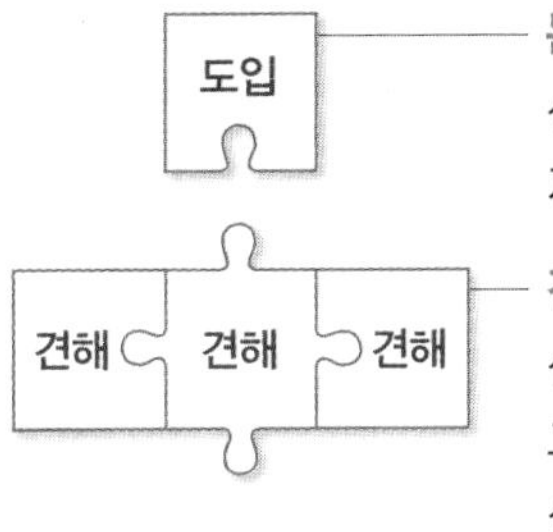

논쟁 언급
신의 존재를 둘러싼 논쟁이 오랫동안 지속되어 왔음을 밝힘. (1문단)

견해 제시
신이 있다고 믿는 유신론, 신이 없다고 보는 무신론, 인간의 지력으로는 신의 존재 여부를 알 수 없다고 생각하는 불가지론을 제시함. (2~4문단)

마무리
신의 존재에 대한 물음은 세상과 '나'의 근원에 대한 질문임을 밝힘. (5문단)

0 이 글은 신의 존재 유무에 대한 세 가지 입장인 유신론, 무신론, 불가지론의 견해를 설명하고 있습니다.

출제 의도 독서 감상문에 알맞은 제목을 고르는 문제입니다. 독서 감상문은 글의 주요 내용과 글을 읽고 난 후의 생각을 쓰는 글이므로 감상문의 제목에는 읽은 글의 주제와 중심 내용이 포함되어야 합니다.

1 3문단을 보면 코페르니쿠스가 당시 사람들이 믿고 있던 종교적 진실을 반박하고 지동설을 주장했다는 사실을 알 수 있습니다. 지동설은 지구가 태양 주위를 돈다는 가설이므로 이를 통해 당시 종교인들이 태양이 지구 주위를 돈다는 가설(천동설)을 주장했음을 유추할 수 있습니다.

2 불가지론은 인간의 인식적 능력으로는 신이 존재하는지 여부를 알 수 없다고 보는 입장입니다. 그런데 불가지론자인 '병'은 과학이 고도로 발달하면 신의 존재를 입증할 수도 있다는 유보적인 태도를 보이고 있습니다. 이는 신의 존재 여부에 대한 증명은 인간의 능력 밖의 영역이라는 불가지론의 입장에서 벗어난 것입니다.

오답 피하기 ① 유신론자들은 신의 말씀이 경전에 쓰여 있으므로 신은 존재한다고 주장하였습니다.
② 무신론자들은 과학적 근거를 바탕으로 신이 없다고 주장하고 있으므로 과학적 증거가 없는 신의 존재는 믿을 수 없다고 생각할 수 있습니다.
③ 불가지론자들은 인간의 인지 능력으로는 신의 존재 여부를 알 수 없다고 생각할 것입니다.
④ 종교적 진실이라고 여겨진 것들이 과학적 발견과 탐구에 의해 깨져 왔으므로 무신론자들은 과학의 발달이 신이 존재하지 않는다는 사실을 입증할 것이라고 생각할 것입니다.

3 불가지론은 인간이 신의 존재를 인식할 수 있는 능력이 없다고 보는 견해입니다. 그런데 불가지론자인 A.리츨은 인간이 아는 것은 현상뿐이라고 말했으므로 불가지론이 과학적인 현상도 알 수 없다고 보는 것은 적절하지 않습니다.

생각읽기

5 아인슈타인이 바라본 시간과 공간

0 ⑤	1 ②	2 ④	3 ③	4 ②

Q 아인슈타인 이전에 살던 사람들은 시간과 공간이 어떻게 존재한다고 생각했나요?

아인슈타인이 등장하기 이전까지 사람들은 시간과 공간을 독립된 것으로 여기고, 물질이 존재하지 않더라도 시간과 공간은 그 자체로 존재할 것이라고 생각했습니다.

이 글은 시공간에 대한 아인슈타인의 가설을 설명하고 있습니다. 뉴턴은 중력장 내에서 빛이 직선 경로를 따라 전파된다고 보았지만, 아인슈타인은 중력장 내에서 빛이 휘어진다고 주장하였고 이는 에딩턴의 관측대에 의해 증명되었습니다. 아인슈타인은 중력을 '공간과 시간의 휘어짐'이라고 정의하였는데, 이는 태양계 밖의 우주 공간에서 입증되고 있습니다.

■ **문단으로 생각읽기**

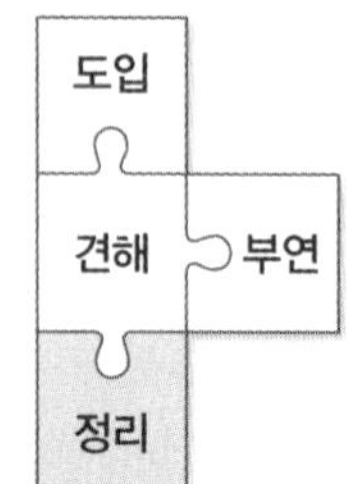

[도입 – 견해 – 부연 – 정리]의 생각 구조

도입 — **화제 소개**
아인슈타인 이전의 시간과 공간의 관계에 대한 인식을 제시함. (1문단)

가설과 증명 제시
아인슈타인은 중력장 내에서 빛이 휘어진다고 주장하였고, 에딩턴이 아인슈타인의 가설을 증명함. (2문단)

증명 제시
중력장이 없는 영역의 관측자는 중력장이 있는 영역에서 빛이 휘어 도달하는 시간이 더 길어지는 것을 관측할 수 있음. (3문단)

정리 — **의의 제시**
아인슈타인이 중력을 '시간과 공간의 휘어짐'으로 정의하여 우주 공간에서의 현상을 설명할 수 있게 됨. (4문단)

0 이 글은 시공간에 대한 기존의 이론을 뒤집는 아인슈타인의 새로운 이론을 중점적으로 다루고 있습니다.

출제 의도 소제목을 파악하는 문제입니다. 소제목은 글 전체의 제목에 비해 글의 중심 내용을 좀 더 구체적으로 보여 주는 제목입니다.

1 만유인력의 개념을 도입하여 지구와 같은 물체는 다른 물체를 끌어당겨 중력을 발생시키며, 빛은 직선 경로를 따라 전파된다고 본 뉴턴의 이론을 소개한 후에, 이와 달리 중력장 내에서의 '빛의 휘어짐'을 바탕으로 공간과 시간의 휘어짐을 주장한 아인슈타인의 이론을 설명하고 있습니다.

2 2문단에서 태양이나 지구와 같은 무거운 행성들은 그 무게 때문에 주위의 3차원 공간을 휘게 만든다는 사실을 알 수 있습니다. 그러나 4문단에서 태양계는 중력장이 약하기 때문에 공간과 시간의 휘어짐이 아주 미미하다고 했으므로 태양계의 무거운 행성들이 중력장이 강해 육안으로 관측할 수 있을 정도로 공간이 휘어진다는 설명은 적절하지 않습니다.

오답 피하기 ① 2문단에서 뉴턴의 고전 역학에 따르면 중력장 내에서는 빛이 직선 경로를 따라 전파된다고 하였습니다.
② 2문단을 보면 아인슈타인은 중력장 내에서 빛은 휘어진다고 주장했다는 사실을 알 수 있습니다.
③ 1문단에서 아인슈타인이 등장하기 전까지 사람들은 시간과 공간을 독립된 것으로 여겼음을 알 수 있습니다.
⑤ 4문단에서 태양계는 중력장이 약하기 때문에 공간과 시간의 휘어짐이 아주 미미하지만 블랙홀처럼 무거운 물질이 있는 태양계 밖의 우주 공간에서는 아인슈타인의 이론이 아니면 해석할 수 없는 일들이 발생하므로 뉴턴의 이론은 무용지물이 된다고 하였습니다.

3 중력장이 없는 영역에 있는 관측자가 볼 때 중력장이 있는 영역에서는 빛이 휘게 되어 도달하는 시간이 더 길어진다고 하였으므로 중력이 커질수록 빛은 더 크게 휘어져 도달하는 시간이 길어진다는 것을 알 수 있습니다. 그러므로 태양계 너머 우주에서 시간의 지체가 더 크게 일어나는 까닭은 그곳에 중력장이 강한 무거운 물질이 존재하여 이로 인해 빛이 크게 휘어지기 때문입니다.

오답 피하기 ① 지구상에 존재 여부가 중요한 게 아니라 그 물질의 중력이 큰지 작은지가 문제가 됩니다.
② 태양계 너머 우주에 중력을 증폭시키는 물질이 있는지 여부는 이 글을 통해서는 알 수 없습니다.
④ 시간과 상호 작용하는 물질의 존재 여부는 이 글에서 알 수 없는 내용입니다.
⑤ 중력에 영향을 받지 않는 물질이 존재한다면 시간의 휘어짐은 나타나지 않을 것입니다.

4 A지점에서 인듀어런스호를 떠난 파일럿들은 인듀어런스호가 A′지점에 도달했을 때 복귀합니다. 그들이 밀러 행성에 도착했을 때 지점은 B이고 밀러 행성을 떠날 때의 지점은 B′입니다. B에서 B′로 가는 동안 3시간이 흐르고, A에서 A′로 가는 동안 23년이 흘렀으므로 A에서 A′를 지나가는 시간이 B에서 B′를 지나가는 시간보다 빠르다는 것을 알 수 있습니다.

오답 피하기 ① 이 글을 참고할 때 중력장이 강할수록 공간의 휘어짐이 커진다고 하였으므로 태양이나 지구보다 중력이 강한 블랙홀인 '가르강튀아'에서 공간이 더 많이 휘어질 것입니다.
③ 아인슈타인은 중력장 내에서 시간이 휘어진다고 하였으므로 블랙홀인 '가르강튀아'의 중력장 내 공간은 '가르강튀아'의 중력장 바깥 공간보다 중력이 더 강해 시간이 더 많이 휘어질 것입니다.
④ 〈보기〉에서 블랙홀인 '가르강튀아'의 근처에 있는 밀러 행성에서의 시간 지연 현상은 강한 중력에 의한 시간의 휘어짐으로 발생한 것이므로 블랙홀이 없는 태양계에서는 동일한 현상이 일어날 수 없습니다.
⑤ 2문단에서 아인슈타인은 중력장 내에서 빛이 휘어진다고 주장하였는데, 이는 빛이 중력장 내에서 중력을 받아서 가속도 운동을 하기 때문이라는 것을 알 수 있습니다.

생각읽기 6

로댕의 「생각하는 사람」

0 ③　**1** ⑤　**2** ④　**3** ④

Q 「생각하는 사람」은 어떠한 특성을 가진 인물을 형상화한 조각상인가요?
「생각하는 사람」은 지옥에 빠져 고통스러워하는 인간들을 보며 깊은 생각에 빠진 사람을 형상화한 조각상입니다.

이 글은 로댕의 「생각하는 사람」을 통해 인간이라는 존재의 의미에 대해 살펴보고 있습니다. 「생각하는 사람」은 단테의 『신곡』을 주제로 제작된 「지옥의 문」의 일부로, 여러 인간의 고뇌를 바라보며 깊은 생각에 빠져 있는 사람을 형상화한 조각상입니다. 「생각하는 사람」은 '생각'이라는 행위를 표현하고 있는데, 이 '생각'은 인간의 존재 방식이자 존재 증명의 행위라 할 수 있습니다.

■ 문단으로 생각읽기

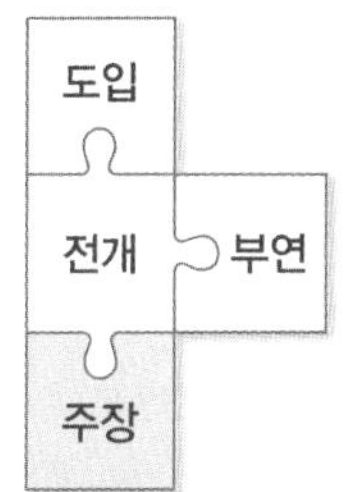

[도입 – 전개 – 부연 – 주장]의 생각 구조

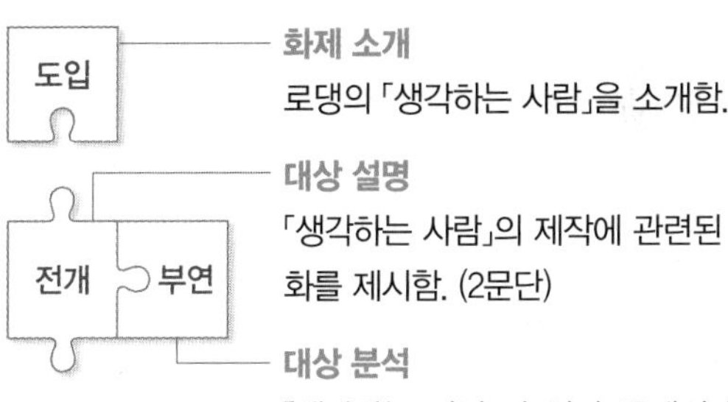

화제 소개
로댕의 「생각하는 사람」을 소개함. (1문단)

대상 설명
「생각하는 사람」의 제작에 관련된 배경과 그 일화를 제시함. (2문단)

대상 분석
「생각하는 사람」이 인간 존재의 본질인 '생각'이라는 행위를 강렬하게 표현하고 있음을 설명함. (3문단)

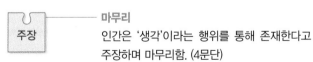

주장

마무리
인간은 '생각'이라는 행위를 통해 존재한다고 주장하며 마무리함. (4문단)

0 이 글은 「생각하는 사람」을 통해 인간이라는 존재의 의미를 철학적으로 서술하고 있을 뿐 「생각하는 사람」을 둘러싼 철학적 논의에 대해서는 언급하지 않았습니다.

출제 의도 글쓰기 계획의 적절성을 파악하는 문제입니다. 글쓴이는 글을 쓰기 전 주제, 소재, 중심 및 세부 내용, 전개 방식 등에 대해 계획을 세우고, 그 계획에 의해 글을 써 나갑니다. 계획한 내용이 글에 나타나 있는지를 파악할 수 있어야 합니다.

1 2문단에서 「생각하는 사람」은 단테를 모델로 조각한 것으로 여러 인간의 고뇌를 보고 깊은 생각을 하는 형상임을 알 수 있습니다. 또한 〈보기〉에서는 「생각하는 사람」이 단테가 지옥을 방문하여 처절한 고통 속에서 괴로워하는 사람들을 목격하는 이야기인 『신곡』을 주제로 삼았다는 사실을 알 수 있습니다. 이를 종합해 볼 때, 「생각하는 사람」을 「지옥의 문」 상단 가운데에 배치한 것은 '생각하는 사람'이 지옥에 빠진 사람들의 고통을 잘 보게 하기 위한 의도라고 볼 수 있습니다.

오답 피하기 ① 로댕은 단테를 모델로 하여 「지옥의 문」을 구상하였지만, 단테가 직접 「지옥의 문」 창작 과정에 가담하지는 않았습니다.
② 로댕이 단테의 『신곡』을 새롭게 해석하기 위해 「생각하는 사람」을 조각했는지는 이 글을 통해서는 알 수 없습니다.
③ 「지옥의 문」의 일부를 「생각하는 사람」으로 단독 발표한 것은 맞지만, 「생각하는 사람」이 「지옥의 문」보다 더 높은 평가를 받았는지 여부는 알 수 없습니다.
④ 지옥의 문 앞에서 고통에 빠진 사람들을 보고 고뇌에 빠져 있는 모습을 표현한 것이지 단테 자신의 지난 과오를 성찰하는 모습을 표현한 것은 아닙니다.

2 「청동 시대」는 실제 사람의 석고형을 뜬 게 아닌가라는 논란이 일었다는 것으로 보아 실제 사람처럼 생생한 조각상임을 짐작할 수 있습니다. 이를 통해 로댕 작품의 사실성이 무척 뛰어났다는 것을 알 수 있습니다.

오답 피하기 ① 「지옥의 문」에 등장하는 사람들이 어떤 사람들인지 판단할 만한 근거가 이 글에는 없습니다.
② 3문단에서 「생각하는 사람」은 지옥의 문 앞에서 갈등하고 번뇌하는 모습을 담고 있고, 인간이라는 존재의 본질인 '생각'이라는 행위를 표현한 작품임을 알 수 있습니다. 그러나 「생각하는 사람」이 존재의 시발점에 대한 근본적인 물음을 던진 작품인지는 알 수 없습니다.
③ '생각'이라는 행위를 인간 존재의 본질로 본 것은 릴케가 아니라 데카르트입니다.
⑤ 「생각하는 사람」은 실제 인물인 '단테'를 모델로 하였지만, 실제 일어난 장면을 조각한 것은 아닙니다.

3 '여타(餘他)'는 '다른 것과 달리 특별함.'이 아니라 '그 밖의 다른 것'이라는 뜻을 가지고 있습니다.

생각의 구조화 MIND MAP

생각읽기1 ㉠	생각읽기2 ㉤	생각읽기3 ㉡
생각읽기4 ㉡	생각읽기5 ㉣	생각읽기6 ㉢
1 하이데거	2 모방론	3 국가
4 신, 불가지론	5 중력	6 고뇌

기초에서 심화까지

단단한 수학 자신감의 완성!
디딤돌 중학 수학

중학 수학은 '무엇을 풀까?' 보다 '어떻게 풀까?'가 중요합니다.
디딤돌 중학 수학으로 개념을 이해하면 새로운 문제도 '이렇게 풀면 되겠네.'
응용, 심화, 유형에 흔들리지 않는 수학 자신감이 생깁니다.